TAC税理士講座 編

2025 年度版

みんなが欲しかった!

税理士

財務諸表論の教科書&問題集 4

構造論点・その他編

TAC出版
TAC PUBLISHING Group

はじめに

近年、インターネットの普及にともない、世界の距離は凄まじいスピードで近くなりました。文化、経済、情報はもとより、会計についても国際財務報告基準（IFRS）などによりひとつになりつつあります。

その目的はただひとつ「幸福」になることです。

しかし、そのスピード感ゆえに、たった数年後の世界でさえ、その予測が困難になってきていることも事実です。このような先の読めない不確実な時代において重要なことは、「どのような状況でも対応できるだけの適応力」を身につけることです。

本書は、TACにおける30年を超える受験指導実績に基づく税理士試験の完全合格メソッドを市販化したもので、予備校におけるテキストのエッセンスを凝縮して再構築し、まさに「みんなが欲しかった」税理士の教科書ができあがりました。

膨大な学習範囲から、合格に必要な論点をピックアップしているため、本書を利用すれば、約２カ月で全範囲の基礎学習が完成します。また、初学者でも学習しやすいように随所に工夫をしていますので、日商簿記検定２級レベルからストレスなく学習を進めていただけます。

近年、税理士の活躍フィールドは、ますます広がりを見せており、税務分野だけでなく、全方位的に経営者の相談に乗る、財務面から経営支援を行うプロフェッショナルとしての役割が期待されています。

読者のみなさまが、本書を最大限に活用して税理士試験に合格し、税務のプロという立場で人生の選択肢を広げ、どのような状況にも対応できる適応力を身につけ、幸福となれますよう願っています。

TAC税理士講座
TAC出版　開発グループ

本書を使った
税理士試験の**合格法**

Step 1　学習計画を立てましょう

まずは、このChapterにどのくらいの時間がかかるのか（①）、1日でどこまですすめればよいのか（②）、2つのナビゲーションを参考に、学習計画を立てましょう。また、Check List（③）を使ってこれから学習する内容を確認するとともに、同シリーズの簿記論とのリンク（④）を確認しましょう。簿記論と財務諸表論を並行して学習することで、理論・計算の両面から、より効果的に学習ができます。

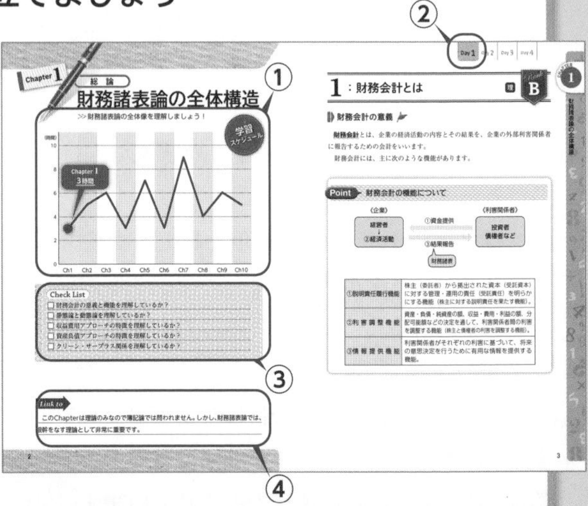

Step 2　「教科書」を読みましょう

「教科書」を読みましょう。🚩は重要論点です。例題（⑤）も多く入っていますので、試験でどのような問題を解けばよいのかをイメージし、実際に電卓をたたいて解きながら読んでいくと効果的です。また、多くの受講生がつまずいてきたちょっとした疑問や論点について、ひとことコメント（⑥）と会話形式のスタディ（⑦）として、発展的論点はプラスアルファ（⑧）としてまとめてあるので、参考にしてください。

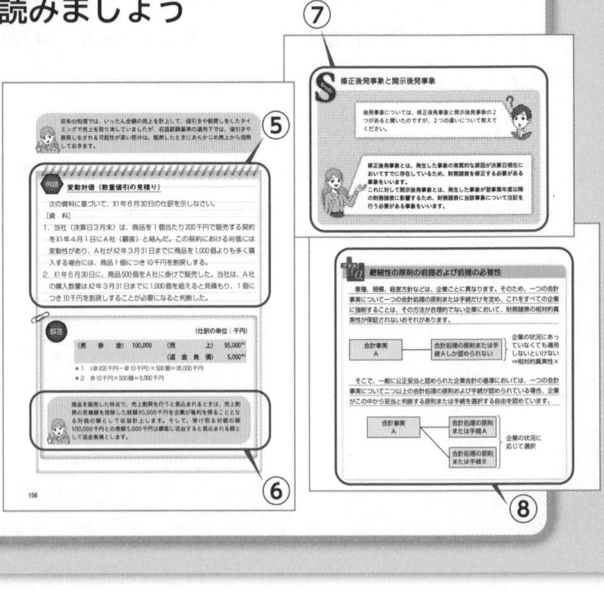

Step 3 「問題集」を解きましょう

ある程度のところまで教科書を読み進めると、問題集へのリンク（⑨）が貼ってあるので、まずは基礎（⑩）問題から確実に解いていきましょう。会計知識は本を読むだけでは身につきません。実際に手を動かして問題を解くことが、知識の吸収を早めます。解き終えたら、重要キーワードや学習のポイント（⑪）を参考に、どの程度まで理解して解けていたか、確認しましょう。

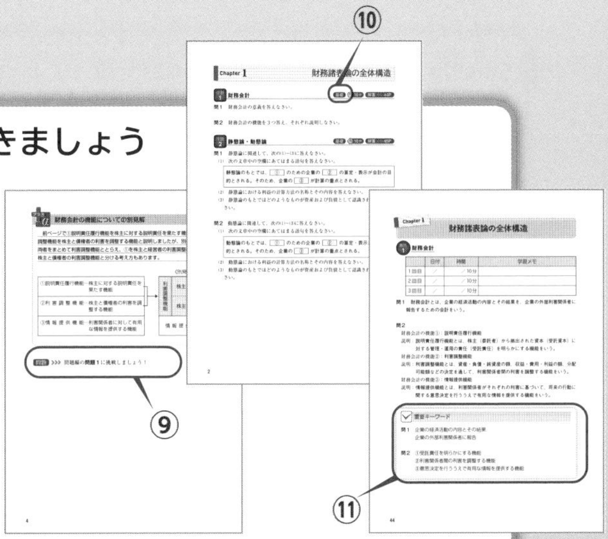

Step 4 復習しましょう

本書には、Point（⑫）を随時入れていますので、問題を解いて知識が不足しているなと感じたら、そのつど、振り返るようにしましょう。また、問題集の答案用紙にはダウンロードサービスもついていますので、これを利用して最低３回は解くようにしましょう。その際、解説についているメモ欄（⑬）を使って、正確にすばやく解けるようになっていっているかもチェックしましょう。また、巻末別冊には理論対策（⑭）がついていますので、これを活用して、定義や論証を正確に覚えておきましょう。

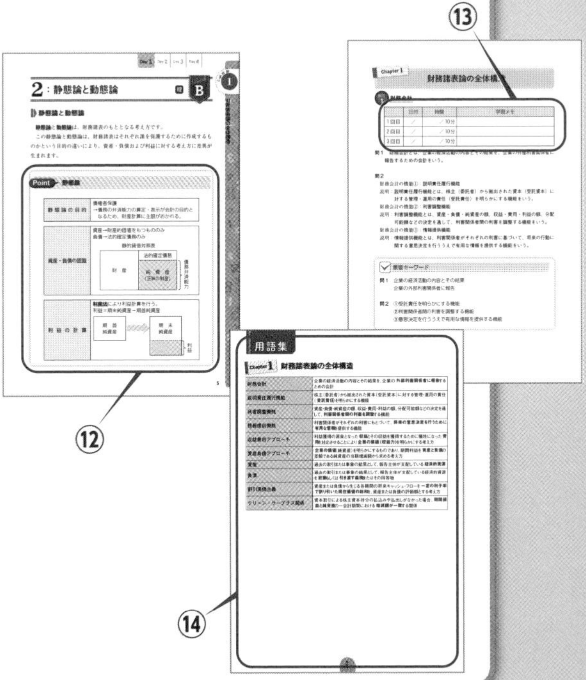

Step Up 実践的な問題を解きましょう

①おすすめ学習順

本書の学習が一通り終わったら、本試験に向けて、実践的な問題集を解いていきましょう。おすすめの学習順は、解き方学習用問題集（「財務諸表論 理論答案の書き方」「財務諸表論 計算問題の解き方」）で現役講師の実際の解き方を参考にして自分の解き方を検討・確立し、「過去問題集」で本試験問題のレベルを体感することです。

②各書籍の特徴

「財務諸表論 理論答案の書き方」は、すでに財務諸表論の基本論点を学習して内容を理解している人を対象に、本試験問題に対処するための答案を作成する技術やその際の注意点、そこに至るまでのアプローチなどを身に付けることができるようになっています。

「財務諸表論 計算問題の解き方」は、基礎・応用・本試験の計算問題を収録し、現役講師がどのように計算問題を解いているのかを実感しながら、段階的に基礎レベルから本試験問題までの演習ができるようになっています。

「過去問題集」は、直近5年分の本試験問題を収録し、かつ、最新の企業会計基準等の改正にあわせて問題・解説ともに修正を加えています。時間を計りながら実際の本試験問題を解くことで、自分の現在位置を正確に知ることができます。

論点学習

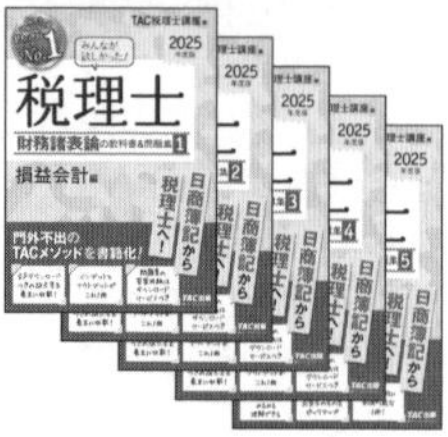

Step Up

解き方学習

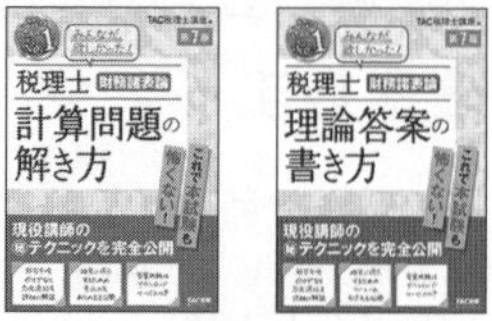

過去問演習

合格！

Level Up 問題演習と復習を繰り返しましょう

①総論

解き方学習用問題集で、どのように問題を解くのかがわかったら、さまざまな論点やパターンの問題を繰り返し解いて、得意分野の確立と苦手分野の克服に努めましょう。苦手分野の克服には、間違えた問題（論点）の復習が必須です。

②理論問題対策

本試験の理論問題は、基本的には論述形式の問題が出題されます。

「理論問題集」には「基礎編」と「応用編」があります。「理論問題集 基礎編」は、理論問題についての体系的理解と基礎力の養成を目的とした書籍です。一方、「理論問題集 応用編」は、本試験レベルの理論問題に対応するための応用力と実践力の養成を目的とした書籍です。

③計算問題対策

本試験の計算問題は、個別論点を組み合わせた総合問題形式で出題されます。

「総合計算問題集」には「基礎編」と「応用編」があります。「総合計算問題集 基礎編」は、総合問題を解くための基礎力の養成を主眼とした書籍です。一方、「総合計算問題集 応用編」は、本試験レベルの問題に対応するための答案作成能力の養成を主眼とした書籍です。

税理士試験について

みなさんがこれから合格をめざす税理士試験についてみていきましょう。
なお、詳細は、最寄りの国税局人事第二課（沖縄国税事務所は人事課）または国税審議会税理士分科会にお問い合わせ、もしくは下記ホームページをご参照ください。
https://www.nta.go.jp/taxes/zeirishi/zeirishishiken/zeirishi.htm

国税庁 ≫ 税の情報・手続・用紙 ≫ 税理士に関する情報 ≫ 税理士試験

☑概要

税理士試験の概要は次のとおりです。申込書類の入手は国税局等での受取または郵送、提出は郵送（一般書留・簡易書留・特定記録郵便）にて行います。一部手続はe-Taxでも行うことができます。また、試験は全国で行われ、受験地は受験者が任意に選択できるので、住所が東京であったとしても、那覇や札幌を選ぶこともできます。なお、下表中、受験資格については例示になります。実際の受験申込の際には、必ず受験される年の受験案内にてご確認ください。

受験資格	・会計系科目（簿記論・財務諸表論）は制限なし。 ・税法系科目は以下のとおり。 所定の学歴（大学等で社会科学に属する科目を１科目以上履修して卒業した者ほか）、資格（日商簿記検定１級合格者ほか）、職歴（税理士等の業務の補助事務に２年以上従事ほか）、認定（国税審議会より個別認定を受けた者）に該当する者。
受験料	１科目 4,000 円、２科目 5,500 円、３科目 7,000 円、４科目 8,500 円、５科目 10,000 円
申込方法	国税局等での受取または郵送による請求で申込書類を入手し、試験を受けようとする受験地を管轄する国税局等へ郵送で申込みをする。

☑合格までのスケジュール

税理士試験のスケジュールは次のとおりです。詳細な日程は、毎年４月頃の発表になります。

受験申込用紙の交付	４月上旬～下旬（土、日、祝日は除く）
受験申込受付	４月下旬～５月上旬
試験日	８月上～中旬の３日間
合格発表	11 月下旬

☑試験科目と試験時間割

税理士試験は、全11科目のうち5科目について合格しなければなりません。5科目の選択については、下記のようなルールがあります。

	試験時間	科　目	選択のルール
1日目	9：00～11：00	簿記論	会計系科目。必ず選択する必要がある。
	12：30～14：30	財務諸表論	
	15：30～17：30	消費税法または酒税法	税法系科目。この中から3科目を選択。ただし、所得税法または法人税法のどちらか1科目を必ず選択しなくてはならない。また、消費税法と酒税法、住民税と事業税はいずれか1科目の選択に限る。
2日目	9：00～11：00	法人税法	
	12：00～14：00	相続税法	
	15：00～17：00	所得税法	
3日目	9：00～11：00	国税徴収法	
	12：00～14：00	固定資産税	
	15：00～17：00	住民税または事業税	

なお、税理士試験は科目合格制をとっており、1科目ずつ受験してもよいことになっています。

☑合格率

受験案内によれば合格基準点は満点の60％ですが、そもそも採点基準はオープンにされていません。税理士試験の合格率（全科目合計）は次のとおり、年によってばらつきはありますが、おおむね15％前後で推移しています。現実的には、受験者中、上位10％前後に入れば合格できる試験といえるでしょう。

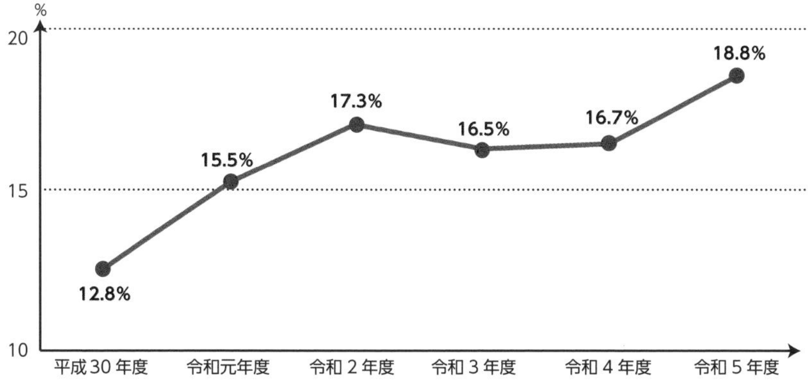

☑出題傾向と時間配分について

税理士試験の財務諸表論は下表に示すように、3問構成です。一方、試験時間は2時間であり、全部の問題にまんべんなく手をつけるには絶対的に時間が足りません。そこで、戦略的な時間配分が必要となります。

第1問	第2問	第3問
25点（理論）	25点（理論）	50点（計算）

では、どのように時間配分をすればよいでしょうか。ここで、配点に注目してみましょう。上記のとおり、第1問と第2問は25点、第3問が50点です。過去の出題傾向を見ると、配点が高い問題ほど解答箇所が多く設定され、点数の差がつきやすいといえます。

したがって、1点でも多く点数を取る（合格点に近づく）ためには、配点の高い問題に多く時間をかけ、1問でも多く正答する必要があるといえます。そこで、財務諸表論は以下のような時間配分で解答するようにしてください。

第1問	第2問	第3問
20分（理論）	20分（理論）	80分（計算）

財務諸表論は本試験の難易度にかかわらず、この時間配分をしっかりと守るようにしましょう。なぜなら、1点でも多く点数を取る（合格に近づく）には、確実に点数を取ることができる（採点基準がはっきりしている）計算問題に力を注ぐほうが、結果的に点数を積み重ねることができるからです。

なお、計算問題に不安のある場合は、第3問に90分、第1問と第2問に15分ずつ時間をかけてもよいでしょう。それだけ、財務諸表論においては、計算問題に時間を回すことが重要なのです。

目次

試験合格のためには、基礎的な知識の理解のもと、網羅的な学習が必要とされます。しかし、試験範囲は幅広く、学習を効率的に進める必要もあります。目次の★マークと☆マークは過去10年の出題頻度を示すものです。効率的に学習する参考にしてください。

出題頻度（過去10年）			
計算		理論	
★★★	4回以上出題	☆☆☆	3回以上出題
★★	2～3回出題	☆☆	2回出題
★	1回出題	☆	1回出題

CHAPTER 1

会計上の変更・誤謬の訂正

ここでは、会計上の変更と誤謬の訂正について学習していきます。どのような変更なのかによって処理方法が違うため、会計上の変更の分類とそれにともなう処理方法の違いを意識して学習していきましょう。

Chapter 1

構造論点・その他の論点

会計上の変更・誤謬の訂正

>> 遡及適用するかどうかの判断がポイントです！

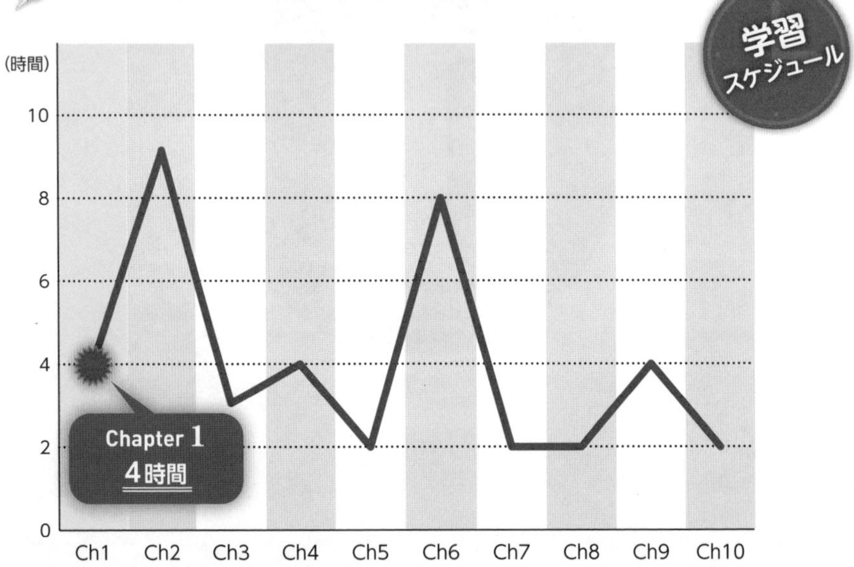

Check List

- □ 会計上の変更等の分類とその原則的な処理を理解しているか？
- □ 会計方針の変更の取扱いと処理を理解しているか？
- □ 表示方法の変更の取扱いを理解しているか？
- □ 会計上の見積りの変更の取扱いと処理を理解しているか？
- □ 誤謬の取扱いと処理を理解しているか？

Link to 簿記論④　**Chapter1** 会計上の変更・誤謬の訂正

このChapterで扱う論点は、簿記論でも同様の内容を学習をします。

しかし、取扱いや処理の根拠は、財務諸表論で学習する特有の論点なので、計算例と一緒に理解していきましょう。

1：会計上の変更と誤謬の訂正の概要 理 計

Rank A

会計上の変更と誤謬の訂正の概要

財務諸表の遡及処理について、わが国には明確な基準が存在していませんでしたが、国際的な会計基準においては、会計上の変更等において財務諸表の遡及処理がすでに求められていました。

このような状況に鑑み、国際的なコンバージェンス（収れん）の観点から「会計方針の開示、会計上の変更及び誤謬の訂正に関する会計基準」が公表されました。

Point 会計上の変更と誤謬の訂正の分類

会計上の変更と誤謬の訂正は、次のように分類できます。

分類		原則的な処理
会計上の変更	会計方針の変更	遡及処理する（遡及適用）
	表示方法の変更	遡及処理する（財務諸表の組替え）
	会計上の見積りの変更	遡及処理しない
誤謬の訂正		遡及処理する（修正再表示）

財務諸表の遡及処理は、旧商法の制約から遡及処理はできないという考えがあり、わが国では制度上採用されていませんでした。
しかしその後、会社法で過年度事項の修正を前提とした計算書類の作成および提出が明確化され、遡及処理が導入されました。

会計方針の開示については、明瞭性の原則の適用例、および計算書類の注記の一環として財務諸表論1で扱っています。

2：会計方針の変更

理　計　Rank A

会計方針と会計方針の変更

会計方針とは、財務諸表の作成にあたって採用した会計処理の原則および手続をいいます。

また、**会計方針の変更**とは、従来採用していた一般に公正妥当と認められた会計方針から他の一般に公正妥当と認められた会計方針に変更することをいいます。

会計方針の変更の取扱い

会計方針を変更した場合、原則として新たな会計方針を過去のすべての期間に適用します。

ただし、会計基準に特定の経過的な取扱いが定められている場合はその規定に従います。

会計方針の変更を行った場合、過去の財務諸表に対し遡及適用することにより、財務諸表全般についての比較可能性が高まるとともに、財務情報の有用性が高まります。

プラスα　会計方針の変更の分類

会計方針は、原則として毎期継続して適用しますが、次のいずれかの場合には、その変更が認められています。

(1)　会計基準等の改正にともなう会計方針の変更

会計基準等が変更（改正、廃止および新基準の設定）されることにより、特定の会計処理が強制される場合や、それまで認められていた会計処理を任意に選択できなくなる場合などに、その変更にともなって会計方針の変更を行うことをいいます。

(2)　正当な理由（上記以外）による会計方針の変更

正当な理由に基づいて自発的に会計方針の変更を行うことをいいます。

遡及適用

会計方針の変更による遡及処理を行った場合には、当期首までの累積的影響額を当期の財務諸表の期首残高に反映させ、会計方針の変更に関する注記を記載します。

Point 累積的影響額と注記

(1) 会社法に基づく財務諸表の場合

表示期間

当期の期首までの累積的影響額を当期の期首残高に反映させる → 当期

計算書類	計算書類	計算書類	計算書類
X1年度	X2年度	X3年度	X4年度
X1年4月1日	X2年4月1日	X3年4月1日	X4年4月1日
～	～	～	～
X2年3月31日	X3年3月31日	X4年3月31日	X5年3月31日

→ 新たな会計方針

(2) 会社法に基づく会計方針の変更に関する注記

〈文例〉

棚卸資産の評価基準および評価方法を総平均法による原価法から先入先出法による原価法に変更した。

この会計方針の変更は、財政状態の適正開示のため、棚卸資産の貸借対照表価額と時価との乖離を減らすことを目的として行ったものである。

この会計方針の変更は遡及適用され、会計方針の変更の累積的影響額は当事業年度の期首の純資産の帳簿価額に反映されている。この結果、株主資本等変動計算書の利益剰余金の遡及適用後の期首残高は3,000千円増加している。

例題

棚卸資産の評価方法の変更

次の資料に基づいて、当期（X4年4月1日からX5年3月31日まで）における遡及処理後の期首商品棚卸高、期末商品棚卸高、会計方針の変更による累積的影響額、期首繰越利益剰余金を計算し、会計方針の変更に関する注記を記載しなさい。なお、税効果会計については考慮外とする。

［資　料］

⑴　当社は当期より、通常販売目的で保有する棚卸資産の評価方法を総平均法による原価法から先入先出法による原価法に変更した。

⑵　この会計方針の変更は、財政状態の適正開示のため、棚卸資産の貸借対照表価額と時価との乖離を減らすことを目的として行ったものである。

⑶　当期首および当期末の当該棚卸資産の増減について、先入先出法を遡及適用した場合の金額と従来の方法である総平均法の金額は次のとおりである。なお収益性の低下に基づく簿価切下げは考慮外とする。

（単位：千円）

	当期首残高	当期末残高
総平均法（従来の方法）	15,000	20,000
先入先出法（遡及適用後）	19,000	24,000

〈前期における遡及処理前の計算書類（一部抜粋）〉

貸　借　対　照　表　　　（単位：千円）

科　目	金　額	科　目	金　額
〈資　産〉		〈負　債〉	
⋮		⋮	
商　品	15,000		
⋮		〈純資産〉	
		⋮	
		繰越利益剰余金	30,000

解答

期首商品棚卸高：19,000千円

期末商品棚卸高：24,000千円

会計方針の変更による累積的影響額：4,000千円

期首繰越利益剰余金：34,000千円

〈会計方針の変更に関する注記〉

棚卸資産の評価基準および評価方法を総平均法による原価法から先入先出法による原価法に変更した。

この会計方針の変更は、財政状態の適正開示のため、棚卸資産の貸借対照表価額と時価との乖離を減らすことを目的として行ったものである。

この会計方針の変更は遡及適用され、会計方針の変更の累積的影響額は当事業年度の期首の純資産の帳簿価額に反映されている。この結果、株主資本等変動計算書の利益剰余金の遡及適用後の期首残高は4,000千円増加している。

（仕訳の単位：千円）

〈遡及処理に関する仕訳と決算整理仕訳〉

(商　　品)	4,000	(会計方針の変更による累積的影響額)	4,000*
(期首商品棚卸高)	19,000	(商　　品)	19,000
(商　　品)	24,000	(期末商品棚卸高)	24,000

＊　期首残高（遡及適用後）19,000千円－期首残高（従来の方法）15,000千円
＝4,000千円

〈表示（単位：千円）〉

損益計算書	
売上高	×××
売上原価	
期首商品棚卸高	19,000
当期商品仕入高	×××
期末商品棚卸高	24,000

貸借対照表	
流動資産	
商品	24,000

株主資本等変動計算書	
繰越利益剰余金	
当期首残高	30,000
会計方針の変更による累積的影響額	4,000
遡及処理後当期首残高	34,000
当期変動額	
当期純利益	×××
当期末残高	×××

プラスα 金融商品取引法に基づく開示制度の場合の累積的影響額

金融商品取引法に基づく開示制度の場合、次のように表示します。

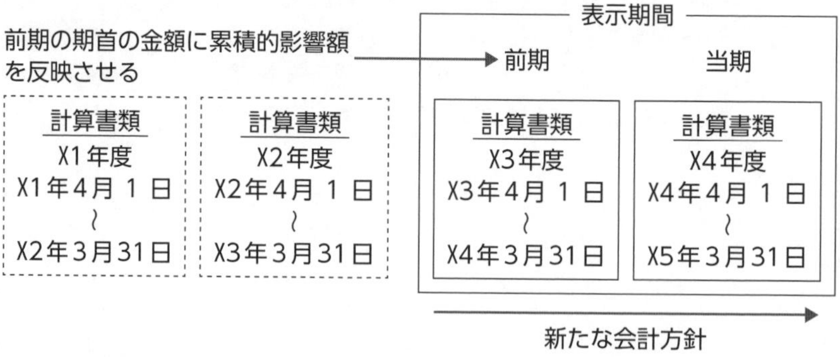

問題 ››› 問題編の**問題1**に挑戦しましょう！

3：表示方法の変更

理 計 Rank C

表示方法と表示方法の変更

表示方法とは、財務諸表の作成において採用した表示の方法をいい、財務諸表の科目の分類、科目配列および報告様式が含まれます。

また、**表示方法の変更**とは、従来採用していた一般に公正妥当と認められた表示方法から他の一般に公正妥当と認められた表示方法に変更することをいいます。

表示方法の変更の取扱い

財務諸表の表示方法を変更した場合には、原則として表示する過去の財務諸表について、新たな表示方法に従い財務諸表の組替えを行います。

表示方法の変更を行った場合、過去の財務諸表の組替えを行うことにより、財務諸表全般についての比較可能性が高まるとともに、財務情報の有用性が高まることが期待されるためです。

表示方法の変更の分類

表示方法は、原則として毎期継続適用しますが、次のいずれかの場合には、その変更が認められています。

(1) 表示方法を定めた会計基準または法令等の改正により、表示方法の変更を行う場合

(2) 会計事象等を財務諸表により適切に反映するために、表示方法の変更を行う場合

4：会計上の見積りの変更 理 計 Rank A

会計上の見積りと会計上の見積りの変更

会計上の見積りとは、資産および負債や収益および費用等の額に不確実性がある場合において、財務諸表作成時に入手可能な情報に基づいて、その合理的な金額を算出することをいいます。

また、**会計上の見積りの変更**とは、新たに入手可能となった情報に基づいて、過去の財務諸表を作成する際に行った会計上の見積りを変更することをいいます。

会計上の見積りの変更の取扱い

会計上の見積りの変更は、その変更が当該変更期間のみに影響する場合には当該変更期間に会計処理を行い、その変更が将来の期間にも影響する場合には将来にわたって会計処理を行います。

会計上の見積りの変更は、新しい情報によってもたらされるものであるとの認識から、過去に遡って処理せず、その影響額は将来に向けて認識するべきという考え方がとられているためです。

会計上の見積りの変更の具体的な取扱い

会計上の見積りの変更のうち当期に影響を与えるものには、当期だけに影響を与えるものもあれば、当期と将来の期間の両方に影響を与えるものもあります。当期に対する変更の影響は当期の損益で認識し、当期と将来に対する変更の影響は当期と将来の期間の損益で認識します。

Point 会計上の見積りの変更の取扱いと具体例

- 会計上の見積りの変更
  - 変更が変更期間のみに影響する場合 → 変更期間に損益認識
  - 変更が将来の期間にも影響する場合 → 変更期間および将来の期間で損益認識

(1) 当期だけに影響を与えるもの

当期の損益や資産の額だけに影響を与えるため、当期においてのみ損益を認識します。

具体例	回収不能債権に対する貸倒見積額の見積りの変更など

(2) 当期と将来の期間の両方に影響を与えるもの

当期およびその資産の残存耐用年数にわたる将来の各期間の減価償却費に影響を与えるため、当期と将来の期間において損益を認識します。

具体例	有形固定資産の耐用年数の見積りの変更など

例題 耐用年数の変更

次の資料に基づいて、A備品について必要となる仕訳を示しなさい。

[資　料]

当社は、当期において、新たに得られた情報に基づいて、A備品の耐用年数を従来の10年から７年に見直す会計上の見積りの変更を行った。なお、A備品はX1年４月１日に84,000千円で取得したものであり、残存価額は０円とし、定額法で減価償却している。当期首における減価償却累計額は25,200千円である。

なお、当期はX4年４月１日からX5年３月31日までとする。

解答

（仕訳の単位：千円）

（減価償却費）	14,700*	（減価償却累計額）	14,700

＊ $(84{,}000\text{千円} - 25{,}200\text{千円}) \times \dfrac{1\text{年}}{7\text{年} - 3\text{年}} = 14{,}700\text{千円}$

〈表示（単位：千円）〉

損益計算書

販売費及び一般管理費	
減価償却費	14,700

貸借対照表

固定資産	
備品	84,000
減価償却累計額	△ 39,900

プラスα 臨時償却について

(1) 臨時償却の廃止

従来採用されていた臨時償却（キャッチアップ方式）は廃止し、固定資産の耐用年数の変更等については、当期以降の費用配分に影響させる方法（プロスペクティブ方式）のみが認められました。

(2) 臨時償却の問題点の指摘

キャッチアップ方式に関しては、実質的に過去の期間への遡及適用と同じ効果をもたらす処理となるため、新たな事実の発生による見積りの変更に関する会計処理としては、適切でないという指摘があります。

また現在、国際的な会計基準では、その採用は認められていないと解釈されています。さらにキャッチアップ方式による処理が適切であったとしても、耐用年数の短縮に収益性の低下をともなうことが多く、減損処理の中で両方の影響を含めて処理できるという指摘やそもそも臨時償却として処理されている事例の多くが将来に生じる除却損の前倒しという意味合いが強いのではないかとの指摘もあります。

キャッチアップ方式とプロスペクティブ方式

キャッチアップ方式とプロスペクティブ方式の会計処理の違いって何なのですか？

次の図を見るとわかると思いますが、キャッチアップ方式は、耐用年数の変更等に関する影響額を、その変更期間で一度に認識する方法、プロスペクティブ方式は、耐用年数の変更等に関する影響額を、当期以降の費用配分に影響させる方法です。

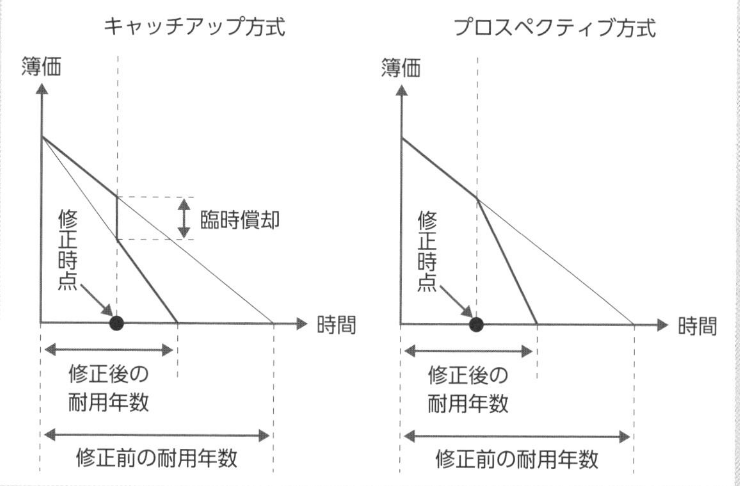

プラスα （参考）レトロスペクティブ方式

会計理論上、会計上の見積りの変更に関する処理としては、キャッチアップ方式やプロスペクティブ方式のほかに、レトロスペクティブ方式があります。レトロスペクティブ方式とは、耐用年数の変更等に関する影響額を、過去の財務諸表に遡って修正する方法です。

この方式によると、過去の期間への遡及適用と全く同じ処理となるため、会計上の見積りの変更に関する会計処理としてレトロスペクティブ方式の適用は認められていません。

レトロスペクティブ方式

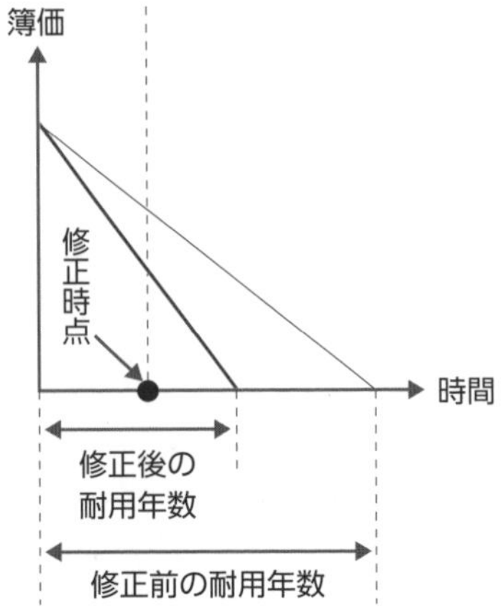

例題　減価償却方法の変更

次の資料に基づいて、B備品について必要となる仕訳を示しなさい。

［資　料］

当社は、B備品の減価償却方法に関して、従来定率法によっていたが、当期において、定額法に変更する会計方針の変更を行った。なお、B備品はX1年4月1日に840,000千円で取得したものであり、残存価額は0円、耐用年数10年による定率法（償却率0.25）により減価償却をしており、当期首における減価償却累計額は485,625千円である。

なお、当期はX4年4月1日からX5年4月1日までとする。

解答

（仕訳の単位：千円）

(減　価　償　却　費)	50,625*	(減価償却累計額)	50,625

＊　(840,000千円－485,625千円)×$\frac{1\text{年}}{10\text{年}-3\text{年}}$＝50,625千円

〈表示（単位：千円）〉

損益計算書	
販売費及び一般管理費	
減価償却費	50,625

貸借対照表	
固定資産	
備品	840,000
減価償却累計額	△ 536,250

有形固定資産等の減価償却方法は会計方針に該当しますが、その変更については会計上の見積りの変更と同様に取り扱い、遡及適用は行いません。

プラスα 会計方針の変更を会計上の見積りの変更と区別することが困難な場合

(1) 区別が困難な場合

有形固定資産等の減価償却方法および無形固定資産の償却方法の変更が該当します。

(2) 区別が困難な場合の取扱い

会計方針の変更を会計上の見積りの変更と区別することが困難な場合、会計上の見積りの変更と同様に取り扱い、遡及適用は行いません。

(3) 取扱いの理由

減価償却方法の変更は、計画的・規則的な償却方法の中での変更なので、その変更は会計方針の変更であるものの、固定資産に関する経済的便益の消費パターンに関する見積りの変更をともなうものであるとも考えられます。

このため、減価償却方法については、これまでどおり会計方針として扱う一方、減価償却方法の変更は、会計上の見積りの変更と区別することが困難な場合に該当するものとし、会計上の見積りの変更と同様に会計処理を行い、遡及適用は求めないこととされました。

例題 **前期末債権の貸倒処理**

次の資料に基づいて、当期に必要となる仕訳を示しなさい。

［資　料］

前期末における売上債権5,000千円が当期に回収不能となった。前期末に設定していた貸倒引当金は3,500千円である。

なお、当該貸倒引当金は前期末の財務諸表作成時における入手可能な情報に基づき最善の見積りを行っている。不足額は当期における状況の変化によるものであり、会計上の見積りの変更に該当する。

解答

（仕訳の単位：千円）

（貸 倒 引 当 金）	3,500	（売　上　債　権）	5,000
（貸　倒　損　失） 販売費及び一般管理費	1,500		

〈表示（単位：千円）〉

損 益 計 算 書

販売費及び一般管理費

貸　倒　損　失	1,500

例題 **償却債権取立益**

次の資料に基づいて、当期に必要となる仕訳を示しなさい。

［資　料］

前期に貸倒処理した売上債権5,000千円のうち、2,000千円を当期に現金で回収した。なお、当該償却債権の回収は当期における状況の変化によるものであり、会計上の見積りの変更に該当する。また、当該回収に係る損益は営業外収益の区分に表示する。

解答

（仕訳の単位：千円）

（現　　金）	2,000	（償却債権取立益） 営業外収益	2,000

〈表示（単位：千円）〉

損益計算書	
営業外収益	
償却債権取立益	2,000

プラスα　引当金の過不足修正額の取扱い等

⑴　引当金の過不足が計上時の見積り誤りに起因する場合
　過去の誤謬に該当するため、修正再表示を行います。

⑵　過去の財務諸表作成時において入手可能な情報に基づいて最善の見積りを行ったが、当期中における状況変化により会計上の見積りの変更を行った場合
　変更を行ったときの差額、または実績が確定したときの実績と見積りとの差額は、その変更のあった期または実績が確定した期に、損益として処理します（その性質により、営業損益または営業外損益として認識します）。

過年度の見積り誤り → 過去の誤謬 → 修正再表示（遡及処理）

当期中の状況変化 → 会計上の見積りの変更 → 当期の営業損益または営業外損益

従来、償却債権取立益および貸倒引当金戻入額は損益計算書において特別損益に区分されていましたが、会計方針の開示、会計上の変更及び誤謬の訂正に関する会計基準の適用により、原則として営業外収益の区分として取り扱われることになりました（ただし、これらが過去の見積り誤りによるものであれば、過去の誤謬として修正再表示する必要があります）。

問題 >>> 問題編の**問題２**に挑戦しましょう！

5：誤謬の訂正

理　計　Rank A

誤謬とは

誤謬とは、原因となる行為が意図的であるかどうかにかかわらず、財務諸表作成時に入手可能な情報を使用しなかったことによる、または入手した情報を誤用したことによる誤りのことをいいます。

誤謬には、次のような誤りが該当します。

- 財務諸表の基礎となるデータの収集または処理上の誤り
- 事実の見落しや誤解から生じる会計上の見積りの誤り
- 会計方針の適用の誤りまたは表示方法の誤り

誤謬の取扱い

過去の財務諸表における誤謬が発見された場合、一定の方法により**修正再表示**します。

誤謬を修正再表示する考え方は、期間比較が可能な情報を開示するという観点や、会計基準の国際的なコンバージェンスの観点からも有用です。

遡及適用

過去の誤謬の修正再表示による遡及処理を行った場合、当期首までの累積的影響額を当期の期首残高に反映させます。

Point 修正再表示に基づく累積的影響額

会社法に基づいた財務諸表の場合、次のように表示します。

表示期間

当期の期首までの累積的影響額を当期の期首残高に反映させる → 当期

計算書類	計算書類	計算書類	計算書類
X1年度	X2年度	X3年度	X4年度
X1年4月1日	X2年4月1日	X3年4月1日	X4年4月1日
～	～	～	～
X2年3月31日	X3年3月31日	X4年3月31日	X5年3月31日

→ 新たな会計方針

例題 過去の誤謬

次の資料に基づいて、当期（X4年4月1日からX5年3月31日まで）における修正再表示における遡及処理後の期首商品棚卸高、誤謬の訂正による累積的影響額、遡及処理後当期首繰越利益剰余金を計算しなさい。なお、税効果会計については考慮外とする。

［資　料］

(1) 当期の財務諸表を作成するなかで、前期の財務諸表に誤謬が発見された。誤謬の内容は、当社が前期に外部販売した商品3,000千円を売上原価とせずに誤って商品残高に含めて計上し、売上原価が同額だけ過小計上されているというものであった。

(2) 当社は当該誤謬について、当期の報告のなかで修正再表示をし、訂正を行う。

(3) 前期における遡及処理前の計算書類（一部抜粋）は次のとおりである。

貸借対照表　(単位：千円)

科目	金額	科目	金額
〈資産〉		〈負債〉	
⋮		⋮	
商品	15,000		
⋮		〈純資産〉	
		⋮	
		繰越利益剰余金	30,000

解答

遡及処理後期首商品棚卸高：　12,000千円
誤謬の訂正による累積的影響額：△3,000千円
遡及処理後当期首繰越利益剰余金：　27,000千円

(仕訳の単位：千円)

〈遡及処理に関する仕訳と決算整理仕訳（一部）〉

(誤謬の訂正による累積的影響額)	3,000	(商品)	3,000
(期首商品棚卸高)	12,000*	(商品)	12,000

＊　期首残高(修正前)15,000千円－商品(誤謬修正)3,000千円＝12,000千円

〈表示（単位：千円)〉

損益計算書

売上高	×××
売上原価	
期首商品棚卸高	12,000
当期商品仕入高	×××
期末商品棚卸高	×××

株主資本等変動計算書

繰越利益剰余金	
当期首残高	30,000
誤謬の訂正による累積的影響額	△3,000
遡及処理後当期首残高	27,000
当期変動額	
当期純利益	×××
当期末残高	×××

プラスα 会計上の変更等の従来の取扱い

(1) 会計方針の変更

本基準（会計方針の開示、会計上の変更及び誤謬の訂正に関する会計基準）の適用前、会計方針とは会計処理の原則および手続ならびに表示方法その他財務諸表作成のための基本となる事項を指していました（つまり表示方法を包括する概念でした）。会計方針の変更を行った場合、当該変更期間の財務諸表に与える影響額に関する注記は求められていましたが、過去の財務諸表に新しい会計方針を遡及適用することまでは求められていませんでした。

(2) 表示方法の変更

表示方法の変更については、従来、財務諸表規則等において、原則として、継続して同一の表示方法を採用することとし、変更を行った場合には過去の財務諸表との比較を行うために必要な注記が求められていましたが、表示される過去の財務諸表の組替えまでは求められていませんでした。

(3) 誤謬

本基準適用前は、会計上の誤謬は前期損益修正項目として当期の損益として修正しており、修正再表示する方法は定められていませんでした。

問題 >>> 問題編の**問題３～問題５**に挑戦しましょう！

参考 未適用の会計基準等に関する注記 理

未適用の会計基準等とは

未適用の会計基準等とは、すでに公表されているもののいまだ適用されていない新しい会計基準等のことをいいます。

未適用の会計基準等がある場合には、投資意思決定に有用な情報として、当該会計基準等が企業に及ぼす影響を開示します。具体的には以下の内容を注記します。

(1) 新しい会計基準等の名称及び概要
(2) 適用予定日（早期適用する場合には早期適用予定日）に関する記述
(3) 新しい会計基準等の適用による影響に関する記述

参考　会計上の見積りの開示に関する会計基準　理

会計上の見積りの開示の目的

財務諸表に計上する項目の金額を算出するにあたり、会計上の見積りが必要となるものがありますが、見積りの方法や、見積りの基礎となる情報が財務諸表作成時にどの程度入手可能であるかは様々であり、その結果、財務諸表に計上する金額の不確実性の程度も様々となります。したがって、財務諸表の計上金額のみでは、会計上の見積りが含まれる項目が翌年度の財務諸表に影響を及ぼす可能性があるかどうかを財務諸表利用者が理解することは困難です。

そこで、一定の会計上の見積りについて、財務諸表利用者の理解に資する情報を開示します。

開示する項目の識別

会計上の見積りの開示を行うにあたっては、当年度の財務諸表に計上した金額が会計上の見積りによるもののうち、翌年度の財務諸表に重要な影響を及ぼすリスクがある項目を識別します。

識別する項目は、通常、当年度の財務諸表に計上した資産および負債です。

翌年度の財務諸表に与える影響を検討するにあたっては、影響の金額的大きさ、および発生可能性を総合的に勘案して判断します。

注記事項

識別した項目については、下記の事項を注記します。

> (1)　会計上の見積りの内容を表す項目名
> (2)　項目のそれぞれについて、当年度の財務諸表に計上した金額
> (3)　会計上の見積りの内容について財務諸表利用者の理解に資するその他の情報（金額の算出方法、金額の算出に用いた主要な仮定、翌年度の財務諸表に与える影響など）

CHAPTER 2

外貨換算会計

ここでは、外貨換算会計について学習します。外国通貨を用いて取引を行った場合には、日本円に換算して表示しなければなりません。外貨換算のルールをしっかりと理解しましょう。

Chapter 2

構造論点・その他の論点

外貨換算会計

>> どの為替レートで計算するかがすべて！

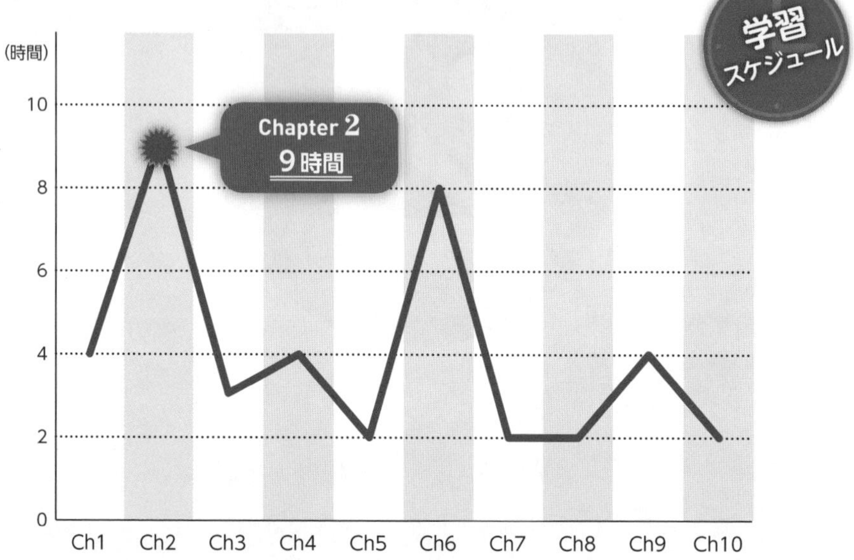

Check List

- □ 一取引基準・二取引基準を理解しているか？
- □ 決算時における外貨換算の方法を理解しているか？
- □ 為替予約の振当処理を理解しているか？
- □ 外貨建有価証券の期末換算を理解しているか？
- □ 外貨建取引に関連する注記事項を理解しているか？

Link to 簿記論④　Chapter2 外貨建取引等

　このChapterで扱う論点は、簿記論では外貨建取引に適用する為替相場や為替予約のより細かい計算を学習します。

　理論的背景は財務諸表論特有の論点となりますが、双方の理解のために、余裕があれば簿記論も同時に学習しましょう。

1：外貨建取引に適用する為替相場 理 計 Rank A

外貨換算会計とは

企業が海外との取引を行う場合、その取引は外貨建て（たとえばドル建て）で行われることが多いのですが、財務諸表上は円ベースの金額で表示しなければならないため、外貨建取引を会計帳簿に記録するにあたり、一定のルールに従って円に換算します。

このように、他国通貨を自国通貨に換算することを**外貨換算会計**といいます。

取引発生時に適用する為替相場

取引発生時に適用する為替相場は、発生時または取得時の為替相場で換算します。

Point 取引発生時に適用する為替相場

(1) 外国通貨
(2) 外貨建預金
(3) 外貨建金銭債権
(4) 外貨建有価証券
(5) 外貨建金銭債務

→ 発生時または取得時の為替相場 Historical Rate（HR）

具体的な計算方法は、例題を解いて確認しましょう。

例題　外貨建取引―取引発生時

次の各取引の仕訳を示しなさい。

(1)　外国企業に対して製品500千ドルを輸出し、代金は掛けとした。輸出時の為替相場は１ドル＝100円である。

(2)　外国企業から商品300千ドルを輸入し、代金は掛けとした。輸入時の為替相場は１ドル＝110円である。

解答

（仕訳の単位：千円）

(1)

(売　掛　金)	50,000*	(売　　　上)	50,000

＊　100円/ドル×500千ドル＝50,000千円

(2)

(仕　　　入)	33,000	(買　掛　金)	33,000*

＊　110円/ドル×300千ドル＝33,000千円

取引決済時に適用する為替相場

外貨建資産・負債のうち、外貨建金銭債権と外貨建金銭債務が決済された場合には現金収支をともないます。この決済にともなう収入額、支出額は、決済時の為替相場により換算を行います。

ただし、取引発生時と決済時の為替相場が異なる場合、両者の差額は**為替差損益**で処理します。

Point 取引決済時の為替相場と為替差損益

(1) 外貨建金銭債権
(2) 外貨建金銭債務 } 決済時の為替相場

なお、金銭債権の場合、為替差損益は次のように求めます。

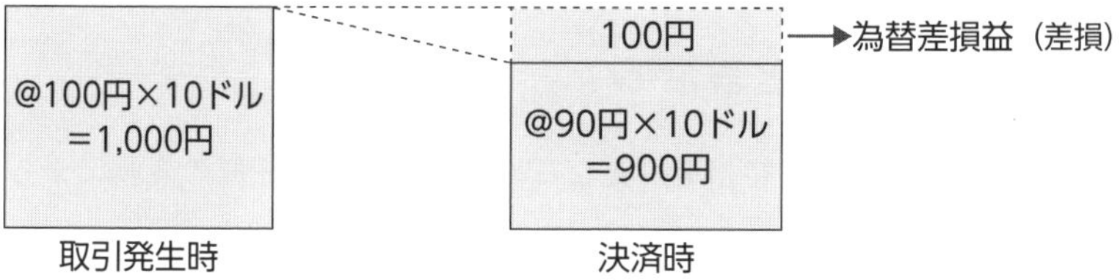

例題 外貨建取引―取引決済時

次の各取引の仕訳を示しなさい。

(1) ドル建ての売掛金12,000千円（120千ドル）を現金で決済した。決済時の為替相場は1ドル＝110円である。

(2) ドル建ての買掛金12,000千円（120千ドル）を現金で決済した。決済時の為替相場は1ドル＝110円である。

解答

（仕訳の単位：千円）

(1)

(現金及び預金)	13,200*	(売掛金)	12,000
		(為替差損益)	1,200

* 110円/ドル×120千ドル＝13,200千円

(2)

(買掛金)	12,000	(現金及び預金)	13,200*
(為替差損益)	1,200		

* 110円/ドル×120千ドル＝13,200千円

換算差額を為替差損益として処理します。

為替差損益の処理と表示

取引発生時と決済時の為替相場が異なる場合には、為替相場の変動による為替差損益が生じます。

この為替相場の変動にともなう為替差損益は、損益計算書上、財務活動にともなう損益なので、**為替差益**（営業外収益）または**為替差損**（営業外費用）として表示します。

例題　外貨建取引─為替差損益の処理と表示

次の資料に基づいて、損益計算書の一部を作成しなさい。

[資　料]

残　高　試　算　表　　　(単位：千円)

⋮		
為替差損益	25,000	

解答

損　益　計　算　書　　(単位：千円)

科　　目	金　　額	
V　営業外費用		
為　替　差　損	**25,000**	

問題文で、為替差損益ではなく、為替差益と為替差損の両方を使用している場合も、相殺していずれか一方で表示します。

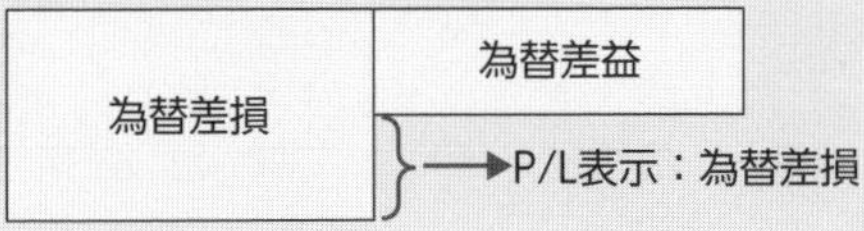

決算時に適用する為替相場

為替相場は日々変動しています。決算日において外貨建資産および外貨建負債を保有する場合、これを貸借対照表上に適切な価値で表示するために換算を行います。

Point　決算時に適用する為替相場（外貨建有価証券を除く）

(1)　外国通貨
(2)　外貨建預金
(3)　外貨建金銭債権
(4)　外貨建金銭債務

→ 決算時の為替相場
Current Rate（CR）

例題　外貨建取引―決算時

次の各取引の決算時における仕訳を示しなさい。

(1)　期末残高試算表の売掛金のうち21,000千円はドル建てのもの（200千ドル）である（決済は翌期中）。この売掛金の発生時の為替相場は1ドル＝105円、決算時の為替相場は1ドル＝108円である。

(2)　期末残高試算表の借入金のうち63,000千円はドル建てのもの（600千ドル）である（決済日は5年後）。この借入金の発生時の為替相場は1ドル＝105円、決算時の為替相場は1ドル＝108円である。

解答

（仕訳の単位：千円）

(1)

(売　掛　金)	600	(為 替 差 損 益)	600

(2)

(為 替 差 損 益)	1,800	(長 期 借 入 金)	1,800

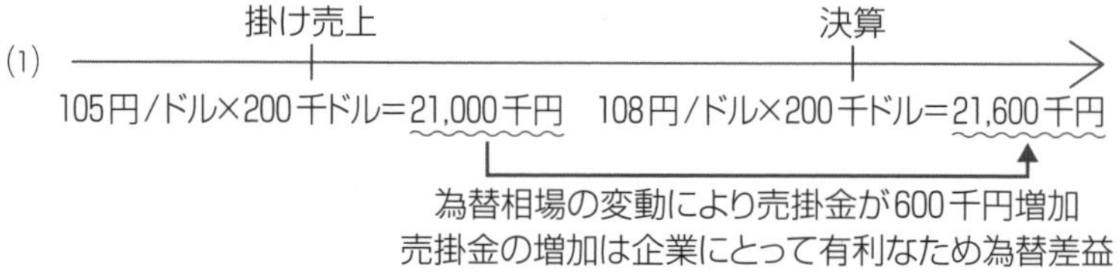

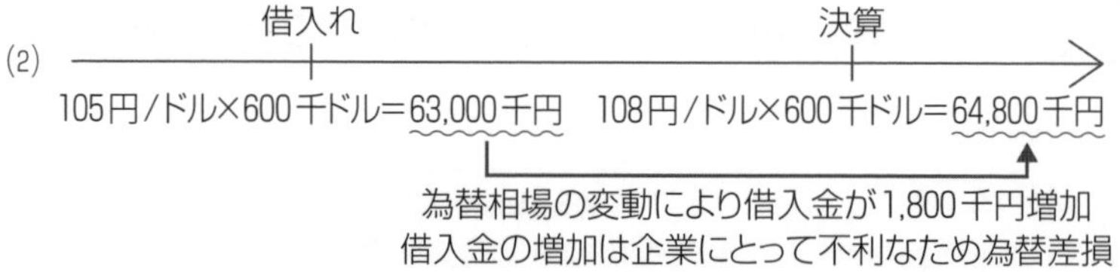

プラスα

外貨建金銭債権・債務の換算理由

外貨建金銭債権・債務は、外貨額では時価の変動リスクを負わないため、時価評価の対象とはなりませんが、円貨額では為替相場の変動リスクを負っていることから、決算時の為替相場により換算します。

問題 >>> 問題編の**問題１**～**問題２**に挑戦しましょう！

2：外貨建取引の処理方法

理 計 Rank A

外貨建取引の処理方法

外貨建取引の処理方法には**一取引基準**と**二取引基準**があります。

一取引基準	外貨建取引とその取引に係る代金決済取引とを連続した1つの取引とみなして会計処理を行う基準
二取引基準	外貨建取引とその取引に係る代金決済取引とを別個の取引とみなして会計処理を行う基準

基準上の取扱い

基準では、次の理由により、二取引基準を採用しています。

・為替相場の変動によって生じる損益は、経営者が為替相場の変動に対してどのように対処したかを示すものなので、その損益は財務損益として処理すべきである。
・一取引基準によると、決済まで取得原価が確定しないため、決済の前に決算日が到来した場合に会計処理が煩雑になるという実務上の問題がある。

一取引基準では外貨建取引と代金決済取引を連続した1つの取引とみなすため、為替換算差額は当初の取引高（たとえば、売上や仕入の額）を調整します。二取引基準では外貨建取引と代金決済取引を別個の取引とみなすため、為替換算差額は財務的な成果として為替差損益で処理します。

例題

外貨建取引――取引基準・二取引基準

次の取引について、一取引基準によった場合と二取引基準によった場合の仕訳を示しなさい。

商品50千ドルを外国の企業から掛けで仕入れた。仕入時の直物為替相場は1ドル＝102円、決済時の直物為替相場は1ドル＝104円である。

解答

（仕訳の単位：千円）

1.　仕入時（一取引基準、二取引基準）

（仕　　入）	5,100*	（買　掛　金）	5,100

＊　102円/ドル×50千ドル＝5,100千円

2.　決済時

⑴　一取引基準

（買　掛　金）	5,100	（現金及び預金）	5,200*
（仕　　入）	100		

＊　104円/ドル×50千ドル＝5,200千円

⑵　二取引基準

（買　掛　金）	5,100	（現金及び預金）	5,200*
（為 替 差 損 益）	100		

＊　104円/ドル×50千ドル＝5,200千円

仕入時の仕訳は、一取引基準でも二取引基準でも同じになります。

3：決算時における外貨換算の方法 理 Rank A

決算時における外貨建資産・負債等の円貨額への換算

決算時における外貨建資産・負債等の円貨額への換算方法の考え方は単一レート法と複数レート法の２つに大別されます。

また、単一レート法には**決算日レート法**、複数レート法には、**流動・非流動法**、**貨幣・非貨幣法**、**テンポラル法**があります。

単一レート法	決算日レート法	すべての外貨表示財務諸表項目を、決算時の為替相場により換算する方法
複数レート法	流動・非流動法	流動項目を決算時の為替相場によって、非流動項目を取得時または発生時の為替相場によって換算する方法
	貨幣・非貨幣法	貨幣項目を決算時の為替相場によって、非貨幣項目を取得時または発生時の為替相場によって換算する方法
	テンポラル法	外貨表示財務諸表項目のうち、取得時または発生時の外貨で測定されている項目については取得時または発生時の為替相場で換算し、決算時の外貨で測定されている項目については決算時の為替相場で換算する方法

各換算方法の特徴

各換算方法の特徴は、次のとおりです。

決算日レート法	換算前後の財務比率は等しく、外国で稼得される利益は円貨での決算日における相当額を示す。 すべての項目に決算時の為替相場を適用するため、実務的にも簡便。
流動・非流動法	流動項目に限っては、決算時の為替相場により換算替えすることから生じる換算差額という未実現損益が生じるが、相対的には短期のうちに収支をともなって解消したり、収益や費用に転化することから、そこに生じる未実現損益もほぼ実現に近い状態に達していると考えられる。
貨幣・非貨幣法	貨幣項目の額は、回収または弁済すべき現在の貨幣額を表しており、一方、非貨幣項目の額は、過去の取得時に支出した貨幣額を表すように処理されている。 貨幣項目を決算時の為替相場によって換算して決算日現在の円貨による回収額や弁済額を明らかにし、非貨幣項目を取得時または発生時の為替相場で換算して取得時または発生時の円貨による支出額を表しているので、国内取引の処理と合致した方法といえる。
テンポラル法	基本的には、貨幣・非貨幣法と同様の換算を行うが、外貨による時価が付された非貨幣項目が、テンポラル法では決算時の為替相場で換算されるという特徴がある。これは、すでに外貨で測定が完了している数値の属性を変更してはならないという換算の本質から判断して、合理的であると考えられる。

なお、これら4つの換算の考え方がありますが、具体的な換算は**1：外貨建取引に適用する為替相場**、**5：外貨建有価証券の期末換算**のように、基準に従って換算をします。

プラスα 本国主義と現地主義

本国主義とは、在外事業体を本国の事業体に従属した事業体であると解釈する考え方です。

一方、現地主義とは、在外事業体を本国の事業体と独立した事業体であると解釈する考え方です。

Study 在外支店・在外子会社の換算基準

在外支店の財務諸表項目の換算基準には、なぜテンポラル法が採用されているんですか？

在外支店の財務諸表は本国の本店財務諸表の構成要素となるので、本店の外貨建項目の換算基準と整合するほうがよいからです。そのため在外支店の換算はテンポラル法で処理します。

じゃあ、在外子会社には何が採用されているんですか？

在外子会社は、支店と違って独立事業体としての性格が強いので、現地の通貨での測定値を重視して決算日レート法の考え方を採用しています。それから、在外子会社の増加にともなって、テンポラル法での換算が実務的に難しくなってきたという側面もあります。

4：為替予約

理 計 Rank A

為替予約とは

為替予約とは、為替レートの変動が期間損益に及ぼす影響を回避するために、実務上はしばしば取引時において銀行との間で当該取引から生じる外貨建金銭債権・債務の決済時における円貨額をあらかじめ決めておく取引です。

多額の外貨建金銭債権・債務を保有する場合、為替レート（為替相場）の変動により決算時または当該債券・債務の決済時に多額の為替差損益が生じることになり、これらが毎期の期間損益計算に多大な影響を及ぼすおそれがあります。企業はこのリスクヘッジのため、為替予約を行います。

Point 為替予約

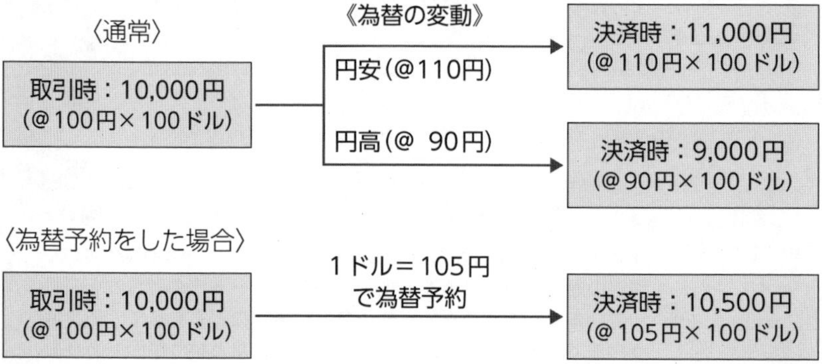

為替予約の額で決済額が固定されるため、為替相場の変動リスクを回避できます。

なお、デリバティブ取引である為替予約は、原則として期末に時価評価を行う**独立処理**を適用することになります。

独立処理とは、為替予約等と外貨建取引とを独立した取引として会計処理する方法です。

ただし、ヘッジ会計の要件を満たしている場合には、**振当処理**を適用することもできます。

本書では、本試験での重要性を考慮して、まず、振当処理について詳しく学習していきます。

振当処理

振当処理とは、為替予約等により確定する決済時における円貨額により外貨建取引等を換算し、直物為替相場（直物レート）との差額を期間配分する方法をいいます。

Point 振当処理（取引発生後に為替予約を付した場合）

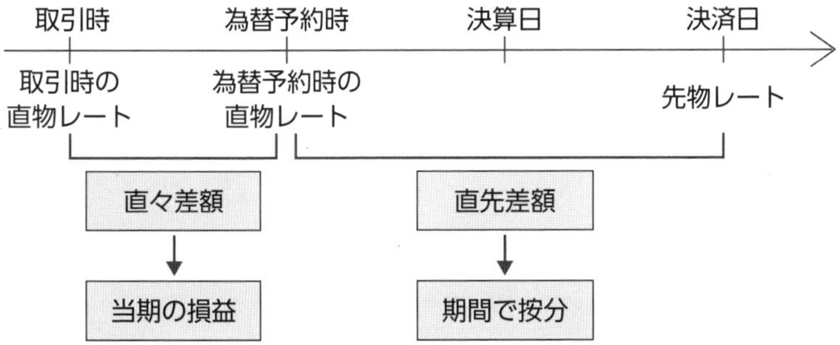

なお、直々差額とは、取引発生時の直物為替相場（直物レート）と予約時の直物為替相場との差額をいい、直先差額とは予約時の直物為替相場と先物為替相場（先物レート）との差額をいいます。

この結果生じた直々差額については当期の損益として処理し、直先差額については、予約日から決済日までの期間で配分します。

Point 直々差額と直先差額

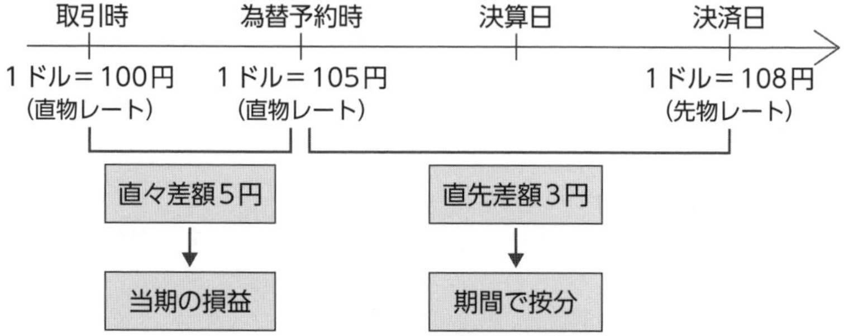

〈表示〉

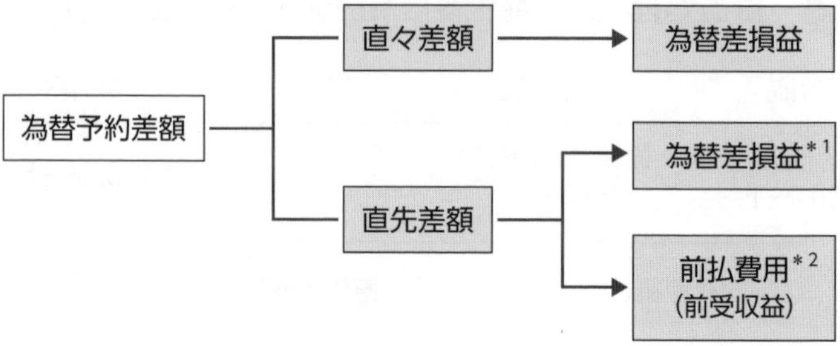

＊1　$\text{直先差額} \times \dfrac{\text{予約日から決算日までの月数}}{\text{予約日から決済日までの月数}}$

＊2　$\text{直先差額} \times \dfrac{\text{翌期首から決済日までの月数}}{\text{予約日から決済日までの月数}}$

プラスα

振当処理が認められている理由

金融商品に関する会計基準では、キャッシュ・フローを固定させて満期までの成果を確定するキャッシュ・フロー・ヘッジの概念のもとで、時価評価損益を繰り延べてその成果を期間配分する繰延ヘッジの会計処理が認められています。

そのため、外貨建取引についてもキャッシュ・フロー・ヘッジと共通する考え方に基づいて、為替予約等によって円貨でのキャッシュ・フローが固定されているときには、振当処理が認められています。

外貨建短期金銭債権・債務に対して取引発生後に為替予約を付したケース（決済日は翌期）

(1) 取引発生日

取引全体を、取引発生時の為替レートで換算します。

(売　掛　金)	×××	(売　上　高)	×××

(2) 為替予約日

① 債権・債務の予約時の直物レートで換算し、直々差額を計上します。

(イ) 為替差損の場合

(為替差損益)	×××	(売　掛　金)	×××

(ロ) 為替差益の場合

(売　掛　金)	×××	(為替差損益)	×××

② 上記①の換算を行った債権・債務をさらに予約レートで換算し、直先差額を計上します。

(イ) 為替差損の場合

(前払費用)	×××	(売　掛　金)	×××

(ロ) 為替差益の場合

(売　掛　金)	×××	(前受収益)	×××

⑶ 決算日

直先差額のうち、当期分を為替差損益に振り替えます。

(イ) 為替差損の場合

(為替差損益)	×××	(前払費用)	×××

(ロ) 為替差益の場合

(前受収益)	×××	(為替差損益)	×××

例題 振当処理①

次の取引について、⑴〜⑶における仕訳を示しなさい。

当社（当事業年度：X5年４月１日からX6年３月31日）は、米国のA社に対して商品500千ドルを掛け（決済日X6年９月30日）で輸出し、為替予約を付した。なお、為替予約の会計処理は振当処理によるものとする。

⑴ 輸　出　日：X5年７月１日、直物レートは１ドル＝100円

⑵ 為替予約日：X5年10月１日、直物レートは１ドル＝104円
予約レートは１ドル＝110円

⑶ 決　算　日：直物レートは１ドル＝108円

解答

（仕訳の単位：千円）

⑴ 輸出日

(売掛金)	50,000*	(売上高)	50,000

＊　100円/ドル×500千ドル＝50,000千円

⑵ 為替予約日

(売掛金)	2,000	(為替差損益)	2,000*1
(売掛金)	3,000	(前受収益)	3,000*2

＊１　(104円/ドル－100円/ドル)×500千ドル＝2,000千円
＊２　(110円/ドル－104円/ドル)×500千ドル＝3,000千円

⑶ 決算日

(前受収益)	1,500	(為替差損益)	1,500*

＊　$3{,}000\text{千円}\times\dfrac{6\text{カ月}}{12\text{カ月}}=1{,}500\text{千円}$（直先差額のうち当期分）

直先差額である前受収益を期間配分します。

外貨建長期金銭債権・債務に対して取引発生後に為替予約を付したケース（決済日が翌々期以降）

外貨建長期金銭債権・債務の場合、直先差額のうち当期に配分する額は、損益計算書上、営業外項目に為替差損益として記載し、残額は長期前払費用・長期前受収益として貸借対照表に表示します。

ただし、決済日が翌期中に到来することとなった場合には、長期前払費用・長期前受収益を前払費用・前受収益に振り替えて、流動資産または流動負債に計上します。

Point 財務諸表の表示

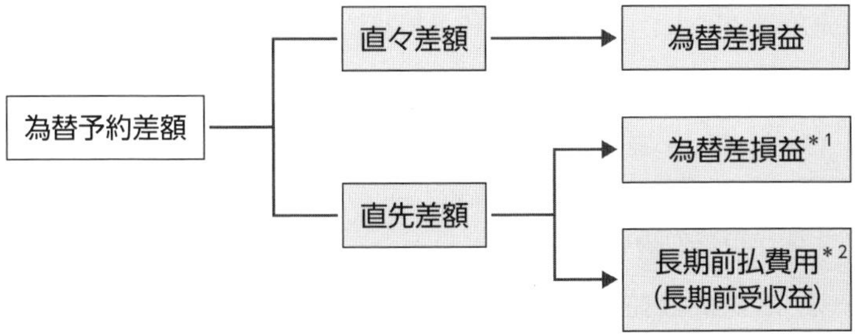

＊1　$\text{直先差額}\times\dfrac{\text{予約日から決算日までの月数}}{\text{予約日から決済日までの月数}}$

＊2　$\text{直先差額}\times\dfrac{\text{翌期首から決済日までの月数}}{\text{予約日から決済日までの月数}}$

⑴ 取引発生日

取引全体を、取引発生時の為替レートで換算します。

(現金及び預金)	×××	(長期借入金)	×××

⑵ 為替予約日

① 債権・債務の予約時の直物レートで換算し、直々差額を計上します。

(イ) 為替差損の場合

(為替差損益)	×××	(長期借入金)	×××

(ロ) 為替差益の場合

(長期借入金)	×××	(為替差損益)	×××

② 上記①の換算を行った債権・債務をさらに予約レートで換算し、直先差額を計上します。

(イ) 為替差損の場合

(長期前払費用)	×××	(長期借入金)	×××

(ロ) 為替差益の場合

(長期借入金)	×××	(長期前受収益)	×××

⑶ 決算日

直先差額のうち、当期分を為替差損益に振り替えます。

(イ) 為替差損の場合

(為替差損益)	×××	(長期前払費用)	×××

(ロ) 為替差益の場合

(長期前受収益)	×××	(為替差損益)	×××

例題 振当処理②

次の取引について、(1)〜(3)における仕訳を示しなさい。

当社（当事業年度：X5年4月1日からX6年3月31日）は、米国のA社より600千ドルの借入れ（決済日X7年11月30日）を行い、為替予約を付した。なお、為替予約の会計処理は振当処理によるものとする。

(1) 借　入　日：X5年6月1日、直物レートは1ドル＝100円

(2) 為替予約日：X5年11月1日、直物レートは1ドル＝104円
予約レートは1ドル＝110円

(3) 決　算　日：直物レートは1ドル＝108円

解答

（仕訳の単位：千円）

(1) 借入日

(現金及び預金)	60,000	(長期借入金)	60,000*

＊　100円/ドル×600千ドル＝60,000千円

(2) 為替予約日

(為替差損益)	2,400	(長期借入金)	2,400*1
(長期前払費用)	3,600	(長期借入金)	3,600*2

＊1　(104円/ドル－100円/ドル)×600千ドル＝2,400千円
＊2　(110円/ドル－104円/ドル)×600千ドル＝3,600千円

(3) 決算日

(為替差損益)	720*	(長期前払費用)	720

＊　3,600千円×$\frac{5カ月}{25カ月}$＝720千円（直先差額のうち当期分）

借入金の決済日が翌々期なので、表示科目は長期前払費用となります。また、直先差額である長期前払費用を期間配分します。

外貨建短期金銭債権・債務に対して取引発生時以前に為替予約を付したケース（決済日が翌期）

(1) 取引発生日

取引発生日において、現金収支額を発生時の直物レートで換算し、外貨建金銭債権･債務のみを予約レートで換算します。また、直先差額を前払費用･前受収益として計上します。

(イ) 為替差損の場合

(現金及び預金)	×××	(短期借入金)	×××
(前払費用)	×××		

(ロ) 為替差益の場合

(現金及び預金)	×××	(短期借入金)	×××
		(前受収益)	×××

(2) 決算日

直先差額のうち、当期分を為替差損益に振り替えます。

(イ) 為替差損の場合

(為替差損益)	×××	(前払費用)	×××

(ロ) 為替差益の場合

(前受収益)	×××	(為替差損益)	×××

取引発生時以前に為替予約を付した場合には、取引発生日と予約日が実質的に同一と考えられるため、為替レートの変動は生じないことから、直々差額は計上されません。

例題 振当処理③

次の取引について、(1)、(2)における仕訳を示しなさい。

当社（当事業年度：X5年4月1日からX6年3月31日）は、米国のA社より600千ドルの借入れ（決済日X6年6月30日）を行い、為替予約を付した。なお、為替予約の会計処理は振当処理によるものとする。

(1) 借入日：X5年11月1日、直物レートは1ドル＝100円
　なお、為替予約は借入日に付した（予約レートは1ドル＝104円）。

(2) 決算日：直物レートは1ドル＝108円

解答

（仕訳の単位：千円）

(1) 借入日（および為替予約日）

(現金及び預金)	60,000*1	(短期借入金)	62,400*2
(前払費用)	2,400*3		

＊1　100円/ドル×600千ドル＝60,000千円
＊2　104円/ドル×600千ドル＝62,400千円
＊3　62,400千円－60,000千円＝2,400千円（直先差額）

(2) 決算日

(為替差損益)	1,500*	(前払費用)	1,500

＊　$2,400千円\times\frac{5カ月}{8カ月}=1,500千円$（直先差額のうち当期分）

取引発生以前に外貨建短期金銭債権・債務に為替予約を付した場合、現金収支額は直物レート、外貨建金銭債権・債務は予約レートで換算します。

外貨建長期金銭債権・債務に対して取引発生時以前に為替予約を付したケース（決済日が翌々期以降）

(1) 取引発生日

取引発生日において、現金収支額を発生時の直物レートで換算し、外貨建金銭債権・債務のみを予約レートで換算します。また、直先差額を長期前払費用・長期前受収益として計上します。

(イ) 為替差損の場合

(現金及び預金)	×××	(長期借入金)	×××
(長期前払費用)	×××		

(ロ) 為替差益の場合

(現金及び預金)	×××	(長期借入金)	×××
		(長期前受収益)	×××

(2) 決算日

直先差額のうち、当期分を為替差損益に振り替えます。

(イ) 為替差損の場合

(為替差損益)	×××	(長期前払費用)	×××

(ロ) 為替差益の場合

(長期前受収益)	×××	(為替差損益)	×××

取引発生時以前に為替予約を付した場合には、取引発生日と予約日が実質的に同一と考えられるため、為替レートの変動は生じないことから、直々差額は計上されません。

例題　振当処理④

次の取引について、⑴、⑵における仕訳を示しなさい。

当社（当事業年度：X5年4月1日からX6年3月31日）は、米国のA社より600千ドルの借入れ（決済日X7年6月30日）を行い、為替予約を付した。なお、為替予約の会計処理は振当処理によるものとする。

⑴　借入日：X5年6月1日、直物レートは1ドル＝104円
　なお、為替予約は借入日に付した（予約レートは1ドル＝100円）。

⑵　決算日：直物レートは1ドル＝108円

解答

（仕訳の単位：千円）

⑴　**借入日（および為替予約日）**

（現金及び預金）	62,400*1	（長期借入金）	60,000*2
		（長期前受収益）	2,400*3

＊1　104円/ドル×600千ドル＝62,400千円
＊2　100円/ドル×600千ドル＝60,000千円
＊3　62,400千円－60,000千円＝2,400千円（直先差額）

⑵　**決算日**

（長期前受収益）	960	（為替差損益）	960*

＊　2,400千円×$\frac{10カ月}{25カ月}$＝960千円（直先差額のうち当期分）

取引発生以前に外貨建長期金銭債権・債務に為替予約を付した場合、現金収支額は直物レート、外貨建金銭債権・債務は予約レートで換算します。

独立処理

独立処理とは、為替予約等を外貨建取引と独立した取引として会計処理する方法です。

基準上は独立処理が原則ですが、本試験での重要性はそれほど高くありません。

独立処理の会計処理

独立処理は、ヘッジ対象物に関する処理と、ヘッジ手段に関する会計処理を独立した取引とみなして仕訳を行います。

外貨建売掛金に対して、後に為替予約を付した場合を例にとって確認しておきましょう。

(1) 取引発生日

① ヘッジ対象物（外貨建金銭債権・債務）の処理

取得時の為替相場で換算します。

(売　掛　金)	×××	(売　上　高)	×××

② ヘッジ手段（為替予約）の処理

まだ取引前なので、なんの処理もしません。

仕　訳　な　し

(2) 為替予約日

① ヘッジ対象物（外貨建金銭債権・債務）の処理

ヘッジ対象物の換算替えは決算で行うため、処理はしません。

仕　訳　な　し

② ヘッジ手段（為替予約）の処理

取引時は為替予約の時価がゼロのため、処理はしません。

仕　訳　な　し

(3) 決算日

① ヘッジ対象物（外貨建金銭債権・債務）の処理

売掛金を決算時の為替相場で換算し、帳簿価額との差額を計上します。

(為 替 差 損 益)	×××	(売　　掛　　金)	×××

② ヘッジ手段（為替予約）の処理

予約時の先物為替相場（予約レート）による換算額と決算時の先物為替相場（予約レート）による換算額との差額を計上します。

(為　替　予　約)	×××	(為 替 差 損 益)	×××

(4) 決済時の処理

① ヘッジ対象物（外貨建金銭債権・債務）

(現金及び預金)	×××	(売　　掛　　金)	×××
(為 替 差 損 益)	×××		

② ヘッジ手段（為替予約）の処理

(現金及び預金)	×××	(為　替　予　約)	×××
		(為 替 差 損 益)	×××

例題 **独立処理①**

次の資料に基づいて、(1)〜(4)において必要な仕訳を示しなさい。なお、為替予約の会計処理は独立処理によるものとする。

［資　料］

X7年2月1日に商品200千ドルの輸出取引を掛けで行った。売掛金の決済日はX7年4月30日である。この取引によって生じた売掛金の減少をヘッジする目的でX7年4月30日を決済日とする200千ドルの売予約を行った。なお、各時点における直物為替相場および先物為替相場は次のとおりである。

		直物為替相場	先物為替相場
(1) 輸出日	(X7年2月1日)	107円/ドル	104円/ドル
(2) 為替予約日	(X7年3月1日)	105円/ドル	103円/ドル
(3) 決算日	(X7年3月31日)	102円/ドル	101円/ドル
(4) 決済日	(X7年4月30日)	100円/ドル	100円/ドル

解答

（仕訳の単位：千円）

(1) **輸出日**

① **ヘッジ対象物（売掛金）**

(売掛金)	21,400*	(売上高)	21,400

＊ 107円/ドル×200千ドル＝21,400千円

② **ヘッジ手段（為替予約）**

仕訳なし

(2) **為替予約日**

① **ヘッジ対象物（売掛金）**

仕訳なし

② **ヘッジ手段（為替予約）**

仕訳なし

⑶　決算日

①　ヘッジ対象物（売掛金）

（為替差損益）	1,000	（売　掛　金）	1,000*

＊　（102円/ドル－107円/ドル）×200千ドル＝△1,000千円

②　ヘッジ手段（為替予約）

（為　替　予　約）	400*	（為替差損益）	400

＊　（103円/ドル－101円/ドル）×200千ドル＝400千円

⑷　決済日

①　ヘッジ対象物（売掛金）

（現金及び預金）	20,000*	（売　掛　金）	20,400
（為替差損益）	400		

＊　100円/ドル×200千ドル＝20,000千円

②　ヘッジ手段（為替予約）

（現金及び預金）	600*	（為　替　予　約）	400
		（為替差損益）	200

＊　（103円/ドル－100円/ドル）×200千ドル＝600千円

ヘッジ対象物とヘッジ手段の取引を独立して行います。

例題 **独立処理②**

次の資料に基づいて、(1)～(4)において必要な仕訳を示しなさい。なお、為替予約の会計処理は独立処理によるものとする。

［資　料］

X7年2月1日に商品200千ドルの輸入取引を掛けで行った。買掛金の決済日はX7年4月30日である。この取引によって生じた買掛金決済額の増加をヘッジする目的でX7年4月30日を決済日とする200千ドルの買予約を行った。なお、各時点における直物為替相場および先物為替相場は次のとおりである。

		直物為替相場	先物為替相場
(1) 輸　入　日	(X7年2月1日)	121円/ドル	119円/ドル
(2) 為替予約日	(X7年3月1日)	122円/ドル	120円/ドル
(3) 決　算　日	(X7年3月31日)	124円/ドル	123円/ドル
(4) 決　済　日	(X7年4月30日)	125円/ドル	125円/ドル

解答

（仕訳の単位：千円）

(1) 輸入日

① ヘッジ対象物（買掛金）

(仕　　入)	24,200	(買　掛　金)	24,200*

＊　121円/ドル×200千ドル＝24,200千円

② ヘッジ手段（為替予約）

仕　訳　な　し

(2) 為替予約日

① ヘッジ対象物（買掛金）

仕　訳　な　し

② ヘッジ手段（為替予約）

仕　訳　な　し

⑶　決算日

①　ヘッジ対象物（買掛金）

(為替差損益)	600	(買　掛　金)	600*

＊　(121円/ドル－124円/ドル)×200千ドル＝△600千円

②　ヘッジ手段（為替予約）

(為替予約)	600*	(為替差損益)	600

＊　(123円/ドル－120円/ドル)×200千ドル＝600千円

⑷　決済日

①　ヘッジ対象物（買掛金）

(買　掛　金)	24,800	(現金及び預金)	25,000*
(為替差損益)	200		

＊　125円/ドル×200千ドル＝25,000千円

②　ヘッジ手段（為替予約）

(現金及び預金)	1,000*	(為替予約)	600
		(為替差損益)	400

＊　(125円/ドル－120円/ドル)×200千ドル＝1,000千円

買予約（ヘッジ手段）に対する予約レートが、為替予約日より決済日のほうが大きいということは、為替予約をしなかったとしたら125円/ドルで支払いをしなければいけないところを、為替予約をしたために120円/ドルですんだということになり、差額は会社にとって有利であるため、為替差益となります。

問題 >>> 問題編の**問題３**～**問題６**に挑戦しましょう！

5：外貨建有価証券の期末換算 理 計 Rank A

売買目的有価証券の期末換算

外貨建ての売買目的有価証券の貸借対照表価額は、外貨ベースの時価を決算時の為替相場により円換算した額とします。

また、貸借対照表価額と円貨ベースの取得原価との差額は有価証券評価損益として営業外収益または営業外費用に表示します。

Point 売買目的有価証券

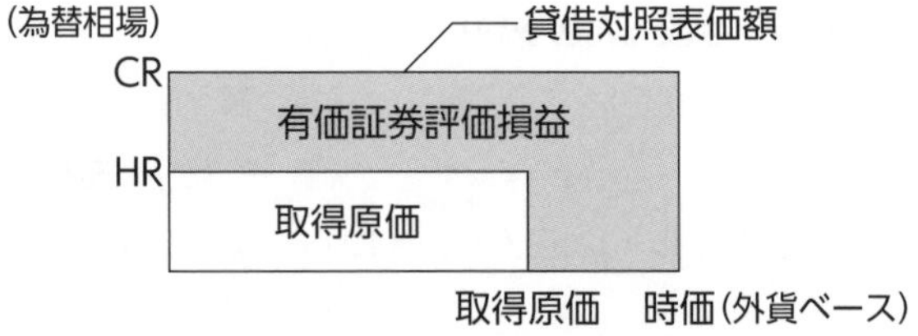

〈計算手順〉

① 外貨ベースの取得原価×HR＝取得原価

② 外貨ベースの時価×CR＝貸借対照表価額

③ ②－①＝有価証券評価損益

例題 売買目的有価証券

次の取引における決算日の仕訳を示しなさい。

当社が期末現在保有する有価証券の内訳は次のとおりである。なお、当社は有価証券につき、金融商品に関する会計基準に基づいて評価している。

A社株式（売買目的有価証券）

取得原価：52,500千円　　期末時価：500千ドル

B社株式（売買目的有価証券）

取得原価：92,000千円　　期末時価：800千ドル

なお、決算日の直物為替相場は、1ドル＝110円である。

解答

（仕訳の単位：千円）

⑴ **A社株式**

（有　価　証　券）	2,500	（有価証券評価損益）	2,500*

＊　500千ドル×110円/ドル－52,500千円＝2,500千円

⑵ **B社株式**

（有価証券評価損益）	4,000*	（有　価　証　券）	4,000

＊　800千ドル×110円/ドル－92,000千円＝△4,000千円

売買目的有価証券は、外貨ベースの時価を決算時の為替相場（CR）で換算します。

プラスα 外貨建売買目的有価証券の換算

(1) 換算理由

外貨建売買目的有価証券に関する換算は、その円貨額による時価評価額を求める過程で行われるため、外国通貨による時価を決算時の為替相場により円換算した額とします。

(2) 換算差額の取扱い

換算差額については、基準に基づいて処理されることになるため、当期の有価証券評価損益として処理します。

満期保有目的の債券

(1) 償却原価法の適用がない場合

外貨建ての満期保有目的の債券の貸借対照表価額は、原則として外貨ベースの取得原価を決算時の為替相場により円換算した額とします。

また、貸借対照表価額と円貨ベースでの取得原価との差額は、為替差損益として営業外収益または営業外費用に表示します。

Point 満期保有目的の債券―償却原価法の適用がない場合

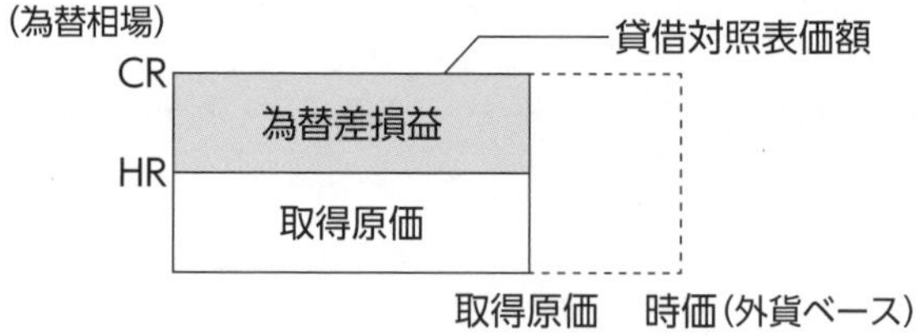

〈計算手順〉

① 外貨ベースの取得原価×HR＝取得原価
② 外貨ベースの取得原価×CR＝貸借対照表価額
③ ②－①＝為替差損益

プラスα 外貨建満期保有目的の債券の換算理由

外貨建満期保有目的の債券は、金銭債権と同様の性質をもつと考えられるため、決算時の為替相場により換算します。

例題 満期保有目的の債券―償却原価法の適用がない場合

次の取引における決算日の仕訳を示しなさい。

当社は、アメリカのＡ社がX5年４月１日に次の条件で発行した社債を、発行と同時に全額取得し、有価証券として計上している。なお、当期はX5年４月１日からX6年３月31日までである。

［発行条件］

額面総額：500千ドル　　発行価額：500千ドル　　償還期間：５年

当社は、当該社債について満期まで保有することを決定している。

なお、取得時の直物為替相場は１ドル＝110円、決算時の直物為替相場は１ドル＝125円である。

解答

（仕訳の単位：千円）

（投資有価証券）	62,500	（有　価　証　券）	55,000
		（為 替 差 損 益）	7,500*

＊　①　500千ドル×110円/ドル＝55,000千円
　　②　500千ドル×125円/ドル＝62,500千円
　　③　②－①＝7,500千円

満期保有目的の債券は外貨ベースの取得原価をCRで換算し、有価証券から投資有価証券に振り替えます。

(2) 償却原価法の適用がある場合

外貨建ての満期保有目的の債券について、償却原価法を適用する場合、外貨ベースの償却原価を決算時の為替相場により円換算した額を貸借対照表価額とします。

なお、償却原価法の適用による償却額は外貨ベースの償却額を期中平均相場（Average Rate = AR）により円換算した額とし、貸借対照表価額と円貨ベースでの償却原価との差額は、為替差損益として営業外収益または営業外費用に表示します。

Point　満期保有目的の債券―償却原価法の適用がある場合

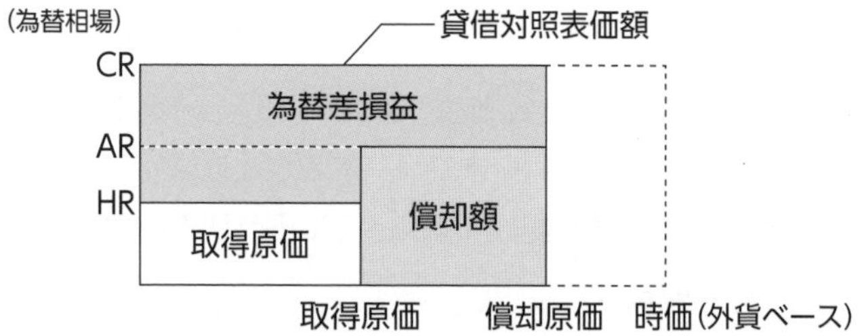

〈計算手順〉

① 外貨ベースの償却額×AR＝有価証券利息（円貨ベースの償却額）

② 円貨ベースの取得原価＋円貨ベースの償却額
　＝円貨ベースの償却原価

③ 外貨ベースの償却原価×CR＝貸借対照表価額

④ ③－②＝為替差損益

例題 満期保有目的の債券―償却原価法の適用がある場合

次の取引における決算日の仕訳を示しなさい。

当社は、アメリカのＰ社がX5年４月１日に次の条件で発行した社債を、発行と同時に全額取得した。なお、当期はX5年４月１日からX6年３月31日である。

［発行条件］

額面総額：700千ドル　　発行価額：650千ドル　　償還期間：５年

額面金額と発行価額との差額は金利調整部分であるため、償却原価法（定額法）を適用する。

当社は、当該社債について満期まで保有することを決定している。

なお、取得時の直物為替相場は１ドル＝110円、決算時の直物為替相場は１ドル＝120円、期中平均相場は１ドル＝115円であった。

解答

（仕訳の単位：千円）

（投資有価証券）	1,150	（有価証券利息）	1,150＊1
（投資有価証券）	6,550	（為替差損益）	6,550＊2

＊1　$(700\text{千ドル} - 650\text{千ドル}) \times \frac{12\text{カ月}}{5\text{年} \times 12\text{カ月}} = 10\text{千ドル}$

10千ドル（外貨ベースの償却額）×115円/ドル（AR）＝1,150千円（有価証券利息）

＊2　①　650千ドル×110円/ドル（円貨ベースの取得原価）＋1,150千円（円貨ベースの償却額）＝72,650千円（円貨ベースの償却原価）

②　(650千ドル＋10千ドル)（外貨ベースの償却原価）×120円/ドル（CR）＝79,200千円（貸借対照表価額）

③　②－①＝6,550千円（為替差益）

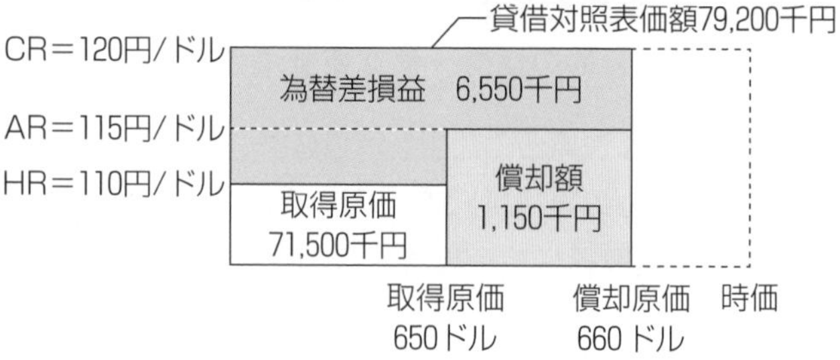

償却額は、外貨ベースの償却額を期中平均相場（AR）で換算します。

子会社株式および関連会社株式

外貨建ての子会社株式および関連会社株式の貸借対照表価額は、外貨ベースの取得原価を取得時の為替相場により円換算した額とします。したがって、貸借対照表価額と円貨ベースでの取得原価との差額は生じません。

プラスα　外貨建子会社株式および関連会社株式の換算理由

子会社株式および関連会社株式は、事業用資産と同様の性質を有するため、取得時の為替相場により換算します。

その他有価証券

(1) 市場価格のない株式等以外

① 償却原価法の適用がない場合

外貨建てのその他有価証券（市場価格のない株式等以外）の貸借対照表価額は、外貨ベースの時価を決算時の為替相場により円換算した額とします。

また、貸借対照表価額と円貨ベースの取得原価との差額は、評価差額として、全部純資産直入法または部分純資産直入法により処理し、税効果会計を適用します。

その他有価証券の税効果会計の処理については、財務諸表論2を参照してください。

Point 市場価格のない株式等以外―償却原価法の適用がない場合

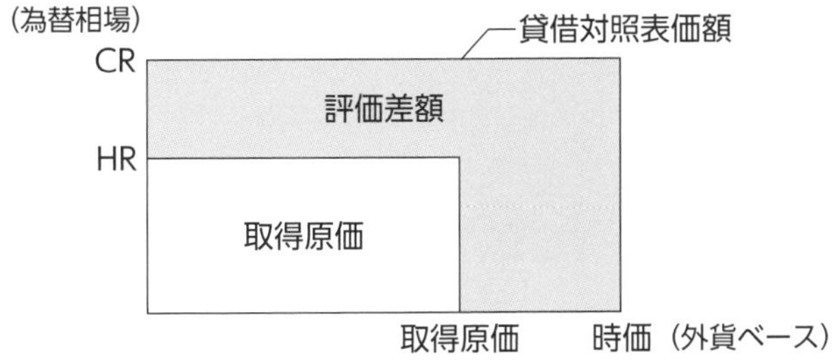

〈計算手順〉

① 外貨ベースの取得原価×HR＝取得原価

② 外貨ベースの時価×CR＝貸借対照表価額

③ ②－①＝評価差額

例題　市場価格のない株式等以外―償却原価法の適用がない場合

次の取引における決算日の仕訳を示しなさい。

当社が期末現在保有する投資有価証券は次のとおりである。なお、当社は金融商品に関する会計基準に基づいて評価（評価差額の処理は全部純資産直入法）している。

［期末現在保有する投資有価証券］

D社株式（その他有価証券）

取得原価：90,000千円　　期末時価（市場価格）：900千ドル

なお、決算日現在の直物為替相場は１ドル＝105円である。また、税効果会計を適用しており、法定実効税率は40%である。

解答

（仕訳の単位：千円）

（投資有価証券）	4,500[*1]	（繰延税金負債）	1,800[*2]
		（その他有価証券評価差額金）	2,700[*3]

＊１　900千ドル×105円/ドル＝94,500千円
　　　94,500千円－90,000千円＝4,500千円

＊２　4,500千円×40%＝1,800千円

＊３　4,500千円×（１－40%）＝2,700千円

その他有価証券（市場価格のない株式等以外）は、外貨ベースの時価をCRで換算します。

② 償却原価法の適用がある場合

外貨建てのその他有価証券に属する債券について、償却原価法を適用する場合、外貨ベースの時価を決算時の為替相場により円換算した額を貸借対照表価額とします。

なお、償却原価法の適用による償却額は、外貨ベースの償却額を期中平均相場により円換算した額とします。

Point その他有価証券―償却原価法の適用がある場合

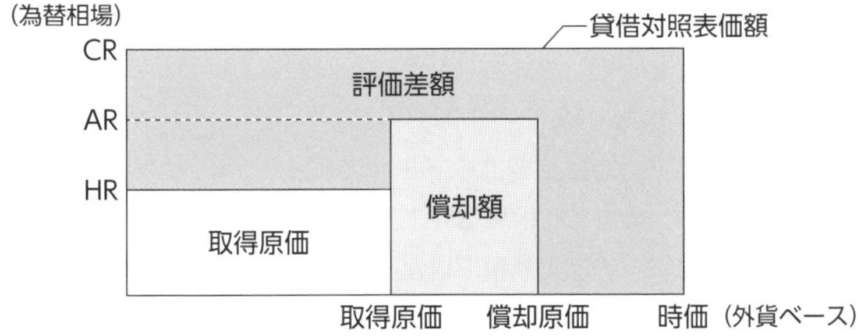

〈計算手順〉

① 外貨ベースの償却額× AR＝有価証券利息（円貨ベースの償却額）
② 円貨ベースの取得原価＋円貨ベースの償却額＝円貨ベースの償却原価
③ 外貨ベースの時価× CR＝貸借対照表価額
④ ③－②＝評価差額

評価差額は、全部純資産直入法または部分純資産直入法により処理し、税効果会計を適用します。

例題　その他有価証券―償却原価法の適用がある場合

次の取引における決算日の仕訳を示しなさい。

当社は、アメリカのＰ社がX5年４月１日に次の条件で発行した社債を発行と同時に全額取得した。なお、当期はX5年４月１日からX6年３月31日である。

［発行条件］

額面総額：700千ドル　　発行価額：650千ドル　　償還期間：５年

額面金額と発行価額との差額は金利調整部分であるため償却原価法（定額法）を適用する。

当社は、当該社債をその他有価証券として処理している。また、当該社債の決算日現在の時価は670千ドルである。

なお、取得時の直物為替相場は１ドル＝110円、決算時の直物為替相場は１ドル＝120円、期中平均相場は１ドル＝115円である。また、税効果会計を適用しており、法定実効税率は40％である。

解答

（仕訳の単位：千円）

（投資有価証券）	1,150	（有価証券利息）	1,150*1
（投資有価証券）	7,750*2	（繰延税金負債）	3,100*3
		（その他有価証券評価差額金）	4,650*3

＊１　$(700\text{千ドル}-650\text{千ドル})\times\dfrac{12\text{カ月}}{5\text{年}\times 12\text{カ月}}=10\text{千ドル}$

10千ドル×115円／ドル＝1,150千円（有価証券利息）
外貨ベースの償却額　AR

＊２　①　650千ドル×110円／ドル＋1,150千円＝72,650千円
円貨ベースの取得原価　円貨ベースの償却額　（円貨ベースの償却原価）

②　670千ドル×120円／ドル＝80,400千円（貸借対照表価額）
外貨ベースの時価　CR

③　②－①＝7,750千円

＊３　7,750千円×40％＝3,100千円（繰延税金負債）
7,750千円×（１－40％）＝4,650千円（その他有価証券評価差額金）

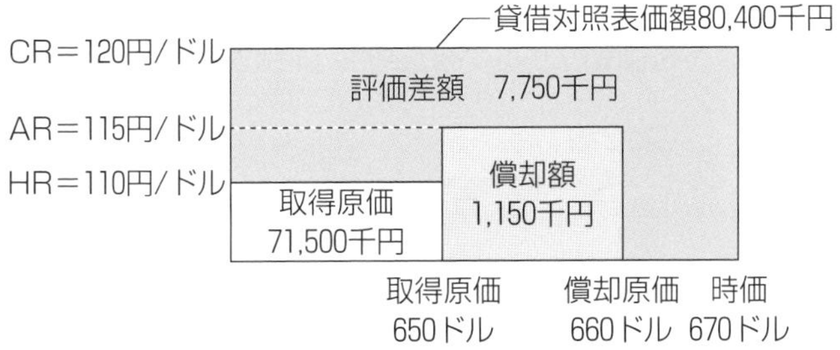

償却額は、外貨ベースの償却額を期中平均相場（AR）で換算します。

⑵　市場価格のない株式等に該当するその他有価証券

外貨建ての市場価格のない株式等に該当するその他有価証券の貸借対照表価額は、外貨ベースの取得原価を決算時の為替相場により円換算した額とします。

また、貸借対照表価額と円貨ベースの取得原価との差額は、評価差額として、全部純資産直入法または部分純資産直入法により処理し、税効果会計を適用します。

Point 市場価格のない株式等に該当するその他有価証券

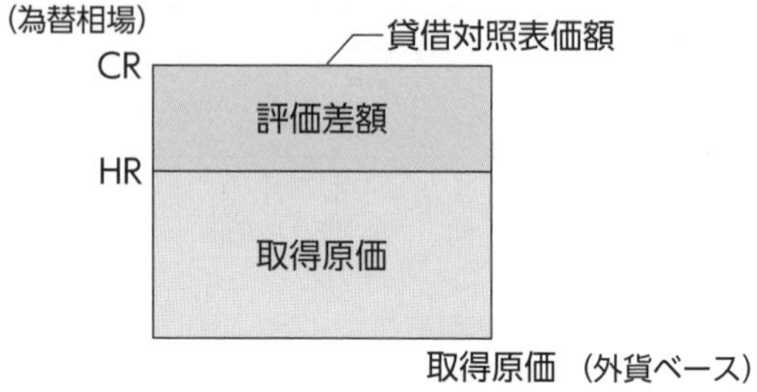

〈計算手順〉
① 外貨ベースの取得原価×HR＝取得原価
② 外貨ベースの取得原価×CR＝貸借対照表価額
③ ②−①＝評価差額

例題 市場価格のない株式等に該当するその他有価証券

次の取引における決算日の仕訳を示しなさい。

当社が期末現在保有する投資有価証券は次のとおりである。なお、当社は金融商品に関する会計基準に基づいて評価（評価差額の処理は全部純資産直入法）している。

［期末現在保有する投資有価証券］

H社株式（その他有価証券）

取得原価：80,000千円（800ドル）　　期末市場価格：—

なお、決算日現在の直物為替相場は1ドル＝110円である。また、税効果会計を適用しており、法定実効税率は40%である。

解答

（仕訳の単位：千円）

（投資有価証券）	8,000＊1	（繰延税金負債）	3,200＊2
		（その他有価証券評価差額金）	4,800＊3

＊１　800千ドル×110円/ドル＝88,000千円
　　　88,000千円－80,000千円＝8,000千円
＊２　8,000千円×40%＝3,200千円
＊３　8,000千円×（1－40%）＝4,800千円

Ｈ社株式は市場価格がないため、外貨ベースの取得原価をCRで換算します。

プラスα　外貨建その他有価証券の換算

⑴　換算理由

外貨建その他有価証券に関する換算は、その円貨額による時価評価額を求める過程で行われるため、外国通貨による時価を決算時の為替相場により円換算した額とします。

⑵　換算差額の取扱い

換算差額については、「金融商品に関する会計基準」に基づいて処理されることになるため、全部純資産直入法または部分純資産直入法により処理します。

強制評価減

(1) 適用対象

強制評価減は、満期保有目的の債券、子会社株式および関連会社株式、その他有価証券に適用されます。

(2) 適用方法

① 「著しい下落」の判断

強制評価減は、有価証券の時価が著しく下落し、かつ、原価までの回復見込みがない場合または不明の場合に適用されます。

なお、時価が著しく下落したかどうかの判断は決算時の外貨ベースの時価と外貨ベースの取得原価とを比較して行います。

② 期末評価額

強制評価減を適用する場合、外貨建有価証券の貸借対照表価額は外貨ベースの時価を決算時の為替相場により円換算した額とし、換算差額は切放方式により処理します。

Point 強制評価減

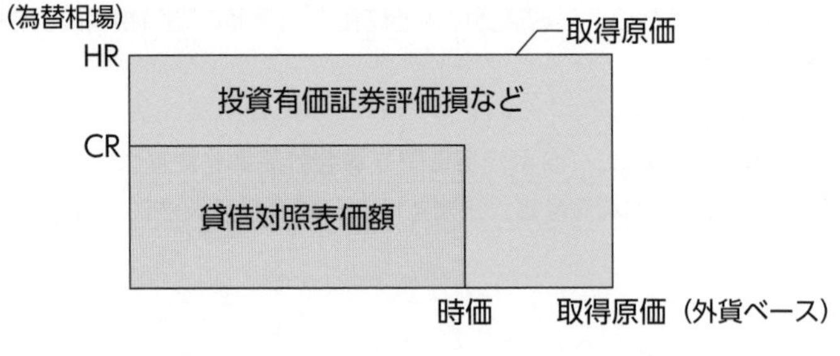

〈計算手順〉

① 外貨ベースの取得原価×HR＝取得原価

② 外貨ベースの時価×CR＝貸借対照表価額

③ ②－①＝投資有価証券評価損など

例題　期末換算―強制評価減

次の有価証券について、決算時の仕訳を示しなさい。

当社が期末現在保有する投資有価証券23,000千円（S社株式：200千ドル）は時価が著しく下落して90千ドルとなっており、回復する見込みがないと判断される。

なお、時価が取得原価の50％以上下落した場合には減損処理を適用することとする。また、決算時における直物為替相場は1ドル＝110円である。

解答

（仕訳の単位：千円）

（投資有価証券評価損） 特別損失	13,100*	（投資有価証券）	13,100

＊　①　「著しい下落」の判断

200千ドル×50％＝100千ドル≧90千ドル

∴強制評価減の適用あり

②　強制評価減の適用

90千ドル×110円/ドル（CR）－23,000千円＝△13,100千円（投資有価証券評価損）

時価の著しい下落の判断は外貨ベースで行います。

実価法

(1) 適用対象

実価法の適用対象となるのは、市場価格のない株式等です。

(2) 適用方法

① 「著しい低下」の判断

実価法は、発行会社の財政状態の悪化により実質価額が著しく低下したときに適用されます。

なお、「実質価額の著しい低下」とは、実質価額が取得原価に比べておおむね50%以下に低下することをいいます。

また、実質価額が著しく低下したかどうかの判断は、決算時の外貨ベースの実質価額と外貨ベースの取得原価とを比較して行います。

② 期末評価額

実価法を適用する場合、外貨建有価証券の貸借対照表価額は、外貨ベースの実質価額を決算時の為替相場により円換算した額とし、換算差額は切放方式により処理します。

Point 実価法

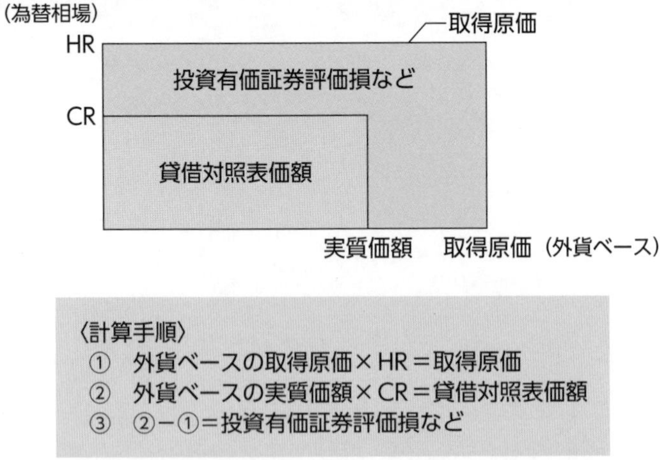

〈計算手順〉
① 外貨ベースの取得原価×HR＝取得原価
② 外貨ベースの実質価額×CR＝貸借対照表価額
③ ②－①＝投資有価証券評価損など

例題 **期末換算―実価法**

次の有価証券について、決算時における仕訳を示しなさい。

当社が期末現在保有する投資有価証券23,000千円（S社株式：200千ドル）の実質価額が著しく低下して90千ドルとなっている。

なお、実質価額が取得原価の50%以上低下した場合には、減損処理を適用することとする。また、決算時における直物為替相場は1ドル＝110円である。

解答

（仕訳の単位：千円）

（投資有価証券評価損） 特別損失	**13,100***	**（投資有価証券）**	**13,100**

＊ ①「著しい低下」の判断

200千ドル×50%＝100千ドル≧90千ドル

∴実価法の適用あり

② 実価法の適用

90千ドル×110円/ドル－23,000千円＝△13,100千円

（110円/ドル：CR）（△13,100千円：投資有価証券評価損）

実質価額の著しい低下の判断は外貨ベースで行います。

外貨建有価証券の期末評価方法のまとめ

外貨建有価証券の期末の評価方法をまとめると、次のようになります。

<table>
<tr><th>分　類</th><th colspan="2">換算方法（貸借対照表価額）</th><th>換算差額</th></tr>
<tr><td>売買目的</td><td colspan="2">時価×CR</td><td>有価証券評価損益</td></tr>
<tr><td rowspan="2">満期保有目的</td><td>償却なし</td><td>取得原価×CR</td><td>為替差損益</td></tr>
<tr><td>償却あり</td><td>償却原価×CR</td><td>為替差損益</td></tr>
<tr><td>子会社・関連会社</td><td colspan="2">取得原価×HR</td><td>なし</td></tr>
<tr><td rowspan="2">その他</td><td>下記以外</td><td>時価×CR</td><td rowspan="2">・その他有価証券評価差額金
・投資有価証券評価損*</td></tr>
<tr><td>市場価格のない株式等</td><td>取得原価×CR</td></tr>
<tr><td>強制評価減</td><td>下記以外</td><td>時価×CR</td><td rowspan="2">投資有価証券評価損など</td></tr>
<tr><td>実価法</td><td>市場価格のない株式等</td><td>実質価額×CR</td></tr>
</table>

＊　部分純資産直入法の場合

問題 >>> 問題編の**問題７～問題10**に挑戦しましょう！

6：外貨建取引に関連する注記事項 計

Rank B

重要な会計方針に係る事項に関する注記

外貨建資産・負債の換算基準は、重要な会計方針として記載する必要があります。

〈文例〉

① 外貨建資産・負債は、「外貨建取引等会計処理基準」に基づいて換算している。
② 為替予約の処理は、独立処理を採用している。
③ 為替予約の処理は、振当処理を採用している。

また、ヘッジ目的で行われる為替予約の処理は、原則として期末に時価評価を行う独立処理を適用することになります。

しかし、ヘッジ会計の要件を満たしている場合には、当面の間、例外的に振当処理を適用することもできます。

よって為替予約取引において、どちらの処理方法を採用しているのかを開示するために、これを重要な会計方針として注記しなければなりません。

問題 >>> 問題編の**問題11～問題12**に挑戦しましょう！

CHAPTER 3

製造業会計

ここでは、製造業会計について学習していきます。本試験においてもたびたび出題されますが、忘れがちな論点です。内容は簡単なので、対応できるようにしておきましょう。

Chapter 3

構造論点・その他の論点

製造業会計

>>モノの流れを意識しながら計算しましょう！

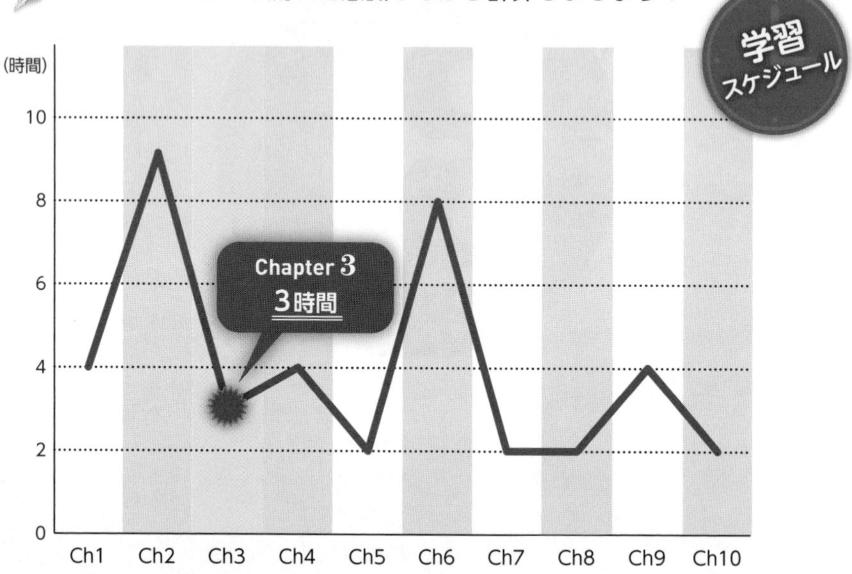

Check List

- □ 製造業の原価の流れを理解しているか？
- □ 製造業に固有の表示科目を理解しているか？
- □ 製造原価報告書のフォームを理解しているか？
- □ 期末仕掛品の評価方法（平均法）を理解しているか？
- □ 期末仕掛品の評価方法（先入先出法）を理解しているか？

Link to 簿記論④　**Chapter4 製造業会計**

簿記論も、製造業会計に関しては同じ内容を学習します。

簿記論を同時に学習している方は、効率的にリンクさせて学習しましょう。

1：製造業の概要と固有の表示

計 Rank B

製造業の概要

製造業とは、原材料を購入、加工して製品を製造し、これを販売する業種をいいます。製品の製造活動を行う点で商業とは異なります。

Point 商業と製造業の違い

(1) 商業

すでに完成した商品を仕入れ、その商品を販売する業種のことをいいます。

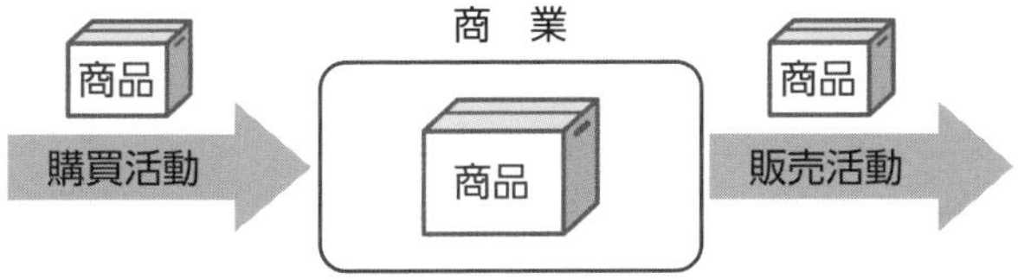

(2) 製造業

原材料を購入し、労働力などの用役を使って原材料を加工して製品を製造し、その製品を販売する業種のことをいいます。

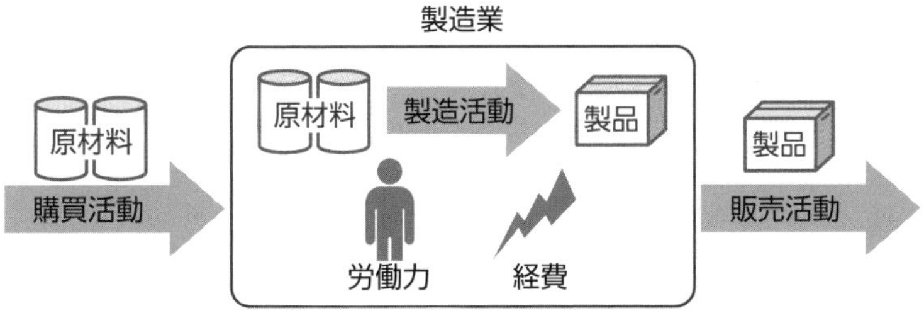

製造業会計の原価の流れ

製造業においては、労働力や電力料やガス代などの経費を消費して、原材料に加工をします。したがって、これらがどれだけ使われたのかを計算しなければなりません。

また、それらすべてが完成品としての製品のために使用されるのではなく、加工途中の仕掛品にも使用されることになります。

Point 製造業の原価の流れ

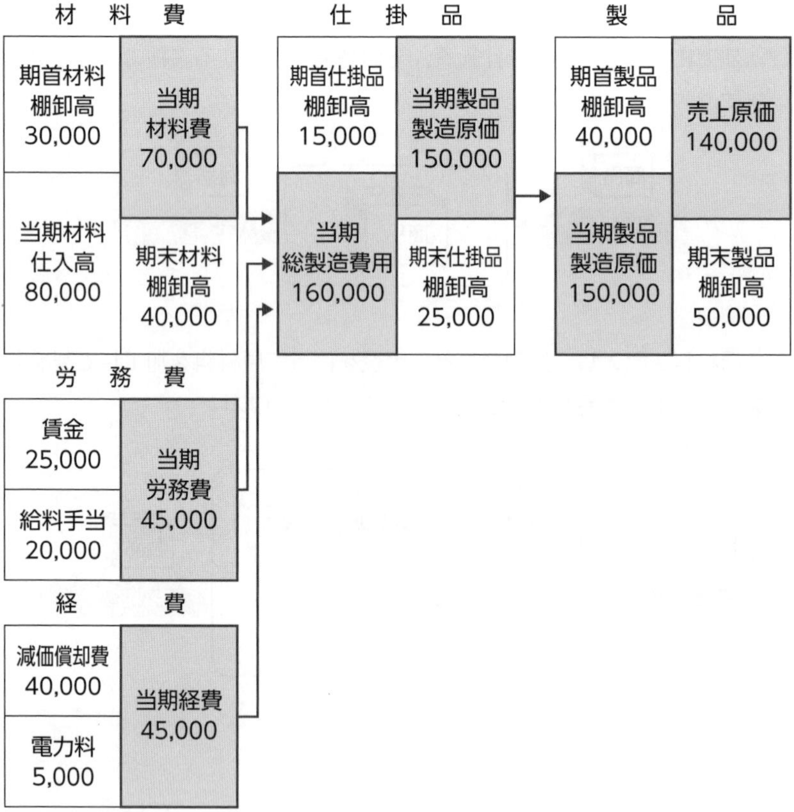

製造業に固有の表示科目

製造業にはその業種の特性から、いくつか固有の表示科目があります。

(1) 製造業における貸借対照表に固有の表示科目

棚卸資産の表示科目	・製品 ・半製品 ・仕掛品 ・原材料
固定資産の表示科目	・機械装置 ・工具器具備品

(2) 製造業における損益計算書に固有の表示科目

売上原価の内訳科目	・期首製品棚卸高 ・当期製品製造原価 ・期末製品棚卸高
棚卸資産に係る減耗損・評価損	〈表示科目〉 貸借対照表表示科目の後に「減耗損」または「評価損」をつける。 〈表示区分〉 ・原則として商品に係る減耗損・評価損と同様の区分に表示する。 ・材料減耗損のうち原価性のあるものおよび材料評価損のうち製品の製造に関連して不可避的に発生すると認められるものについては、原則として製造経費として製造原価報告書に表示する。

例題 **製造業固有の表示**

次の資料に基づいて、損益計算書の売上総利益までを作成しなさい。

[資　料]

(1) 決算整理前残高試算表

売　　上　　高	5,000,000千円
製　　品（期首）	1,000,000千円

(2) 期末製品棚卸高　500,000千円

(3) 当期製品製造原価　2,000,000千円

解答

損　益　計　算　書

○○株式会社　自×年×月×日　至×年×月×日　(単位：千円)

科　　目	金　　額	
Ⅰ 売　上　高		5,000,000
Ⅱ 売　上　原　価		
期首製品棚卸高	1,000,000	
当期製品製造原価	2,000,000	
合　計	3,000,000	
期末製品棚卸高	500,000	2,500,000
売上総利益		2,500,000

2：製造原価報告書

計 Rank B

製造原価報告書とは

製造原価報告書とは、当期製品製造原価の内訳明細を示したものです。

当期製品製造原価とは、製造業における損益計算書の売上原価の内訳項目を表しています。

これは、会社法上は作成が義務づけられていませんが、財務諸表等規則によって損益計算書の添付書類としてその作成が義務づけられています。

製造原価には、材料費、労務費、経費などがあり、製造原価報告書はそれらの内訳を示す方法と示さない方法があります。
なお、製造原価報告書は、製造原価明細書ともいいます。

製造原価報告書のフォーム（内訳を示さない方法）

製造原価報告書

○○株式会社　自×年×月×日　至×年×月×日　（単位：千円）

科　　　目	金　　　額
Ⅰ 材　料　費	×××
Ⅱ 労　務　費	×××
Ⅲ 経　　　費	×××
当期総製造費用	×××
期首仕掛品棚卸高	×××
合　　　計	×××
期末仕掛品棚卸高	×××
当期製品製造原価	×××

製造原価報告書のフォーム（内訳を示す方法）

製造原価報告書

○○株式会社　自×年×月×日　至×年×月×日　（単位：千円）

科目	金額	
Ⅰ 材料費		
期首材料棚卸高	×××	
当期材料仕入高	×××	
合計	×××	
期末材料棚卸高	×××	
当期材料費		×××
Ⅱ 労務費		
賃金	×××	
給料手当	×××	
法定福利費	×××	
退職給付費用	×××	
当期労務費		×××
Ⅲ 経費		
減価償却費	×××	
電力料	×××	
修繕費	×××	
賃借料	×××	
租税公課	×××	
保険料	×××	
外注加工費	×××	
材料減耗損	×××	
当期経費		×××
当期総製造費用		×××
期首仕掛品棚卸高		×××
合計		×××
期末仕掛品棚卸高		×××
当期製品製造原価		×××

製造原価報告書の作成上の留意点

従業員の給料など、製造に係る給料と、その他の販売等に係る給料などは分離し、製造に係るものは製造原価へ、それ以外は損益計算書で費用とします。

Point 製造原価報告書の留意点

(1) 労務費に含まれる項目

① 賃金

② 給料手当 … 製造に係る分

③ 法定福利費 … 製造に係る分

④ 賞与引当金繰入額 … 製造に係る分

⑤ 退職給付費用 … 製造に係る分

(2) 経費に含まれる項目

① 減価償却費 … 製造に係る分

② 外注加工費

③ 材料減耗損 … 原価性のあるもの

④ 材料評価損 … 製品の製造に関連して不可避的に発生すると認められるもの

製造にかかった費用と、原価性のある費用が製造原価報告書に集計されると覚えておきましょう。

例題　製造原価報告書

次の資料に基づいて、A株式会社の製造原価報告書を⑴内訳を示さない方法と⑵内訳を示す方法それぞれで作成しなさい。

［資　料］

材　料（期首）	320,000千円	仕掛品（期首）	160,000千円
材料仕入	1,600,000千円	賃　金	504,000千円
退職給付費用	60,000千円	減価償却費	770,000千円
電力料	380,000千円	修繕費	124,800千円

1．A株式会社の決算日はX5年3月31日（1年決算）である。

2．期末材料棚卸高：280,000千円

3．期末仕掛品棚卸高：216,000千円

4．上記の資料はすべて製造部門に係るものである。

解答　⑴　内訳を示さない方法

製造原価報告書

A株式会社　自X4年4月1日　至X5年3月31日（単位：千円）

科　目	金　額
Ⅰ　材料費	1,640,000
Ⅱ　労務費	564,000
Ⅲ　経　費	1,274,800
当期総製造費用	3,478,800
期首仕掛品棚卸高	160,000
合　計	3,638,800
期末仕掛品棚卸高	216,000
当期製品製造原価	3,422,800

⑵ 内訳を示す方法

製造原価報告書

A株式会社　自X4年4月1日　至X5年3月31日（単位：千円）

科　　目	金　　額	
Ⅰ 材料費		
期首材料棚卸高	320,000	
当期材料仕入高	1,600,000	
合計	1,920,000	
期末材料棚卸高	280,000	
当期材料費		1,640,000
Ⅱ 労務費		
賃金	504,000	
退職給付費用	60,000	
当期労務費		564,000
Ⅲ 経費		
減価償却費	770,000	
電力料	380,000	
修繕費	124,800	
当期経費		1,274,800
当期総製造費用		3,478,800
期首仕掛品棚卸高		160,000
合計		3,638,800
期末仕掛品棚卸高		216,000
当期製品製造原価		3,422,800

問題 >>> 問題編の**問題 1** に挑戦しましょう！

3：期末仕掛品の評価

計 Rank A

完成度換算法

完成度換算法とは、製品の製造に投入した金額を完成品数量と期末仕掛品数量との比率により按分し、これにより期末仕掛品を評価する方法です。

この場合、按分の基礎となる仕掛品数量は、その進捗度（完成度合い）を加味した完成品換算量としなければなりません。

Point 進捗度

(1) 工程の始点ですべて投入される場合（材料の始点投入など）

始点ですべて投入されるため、進捗度はつねに100％となる。

(2) 工程の進行に従って平均的に投入される場合（加工費など）

工程の進行にともなって加工されるため、進捗度を加味して完成品換算量を求める。

この完成度換算法には平均法と先入先出法があります。それぞれの計算方法をみていきましょう。

平均法

平均法とは、期末仕掛品は期首仕掛品からも当期総製造費用からも構成されていると考える方法です。

具体的には、次のように計算します。

期末仕掛品評価額

$$=（\text{期首仕掛品原価}+\text{当期総製造費用}）\times\frac{\text{期末仕掛品換算量}}{\text{当期完成品数量}+\text{期末仕掛品換算量}}$$

Point 平均法の計算イメージ

期首仕掛品原価と当期総製造費用の合計を完成品原価と期末仕掛品に按分します。

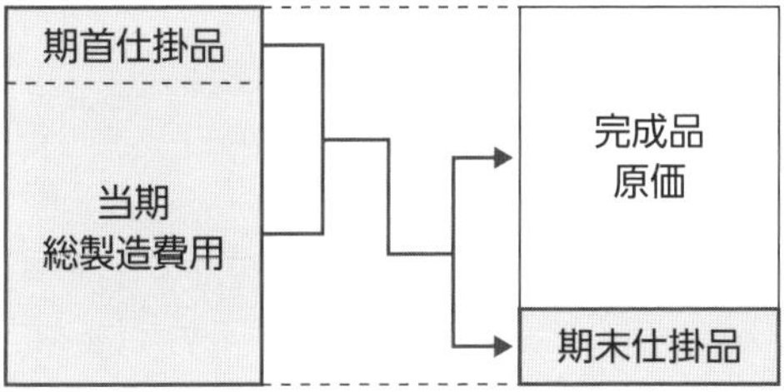

先入先出法

先入先出法とは、期末仕掛品は当期総製造費用のみから構成されていると考える方法です。

具体的には、次のように計算します。

期末仕掛品評価額

$$=\text{当期総製造費用}\times\frac{\text{期末仕掛品換算量}}{（\text{当期完成品数量}-\text{期首仕掛品換算量}）+\text{期末仕掛品換算量}}$$

Point 先入先出法の計算イメージ

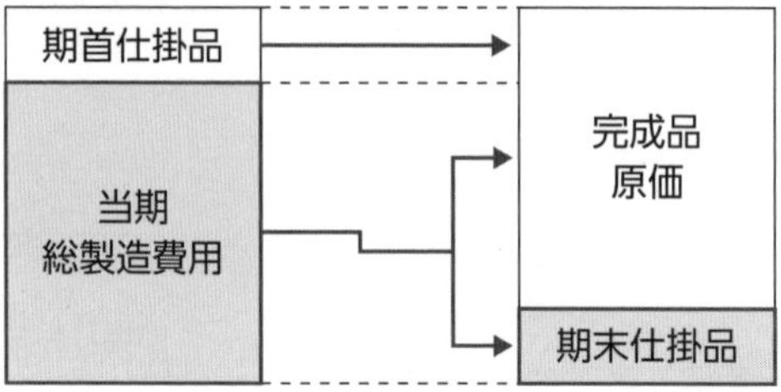

例題 期末仕掛品の評価

次の資料に基づいて、(1)平均法と(2)先入先出法のそれぞれの方法により期末仕掛品原価を求めなさい。

［資　料］

1．期首仕掛品原価

　材料費：3,000千円

　加工費：　416千円

2．当期製造費用（材料は工程の始点で投入している）

　材料費：14,400千円

　加工費：15,544千円

3．生産データ

　期首仕掛品　　30個（進捗度20%）

　当期投入量　120個

　　合　計　　150個

　期末仕掛品　　20個（進捗度50%）

　完　成　品　130個

解答　(1)　平　均　法：3,460千円
(2)　先入先出法：3,560千円

(1)　平均法

①　材料費

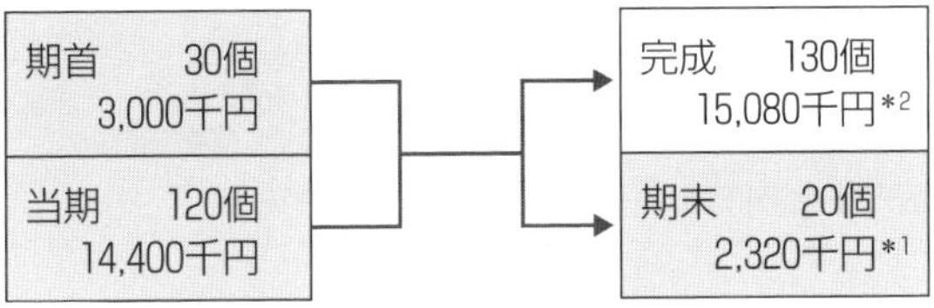

＊1　$(3{,}000\text{千円}+14{,}400\text{千円})\times\dfrac{20\text{個}}{130\text{個}+20\text{個}}=2{,}320\text{千円}$

＊2　(3,000千円＋14,400千円)－2,320千円＝15,080千円

②　加工費

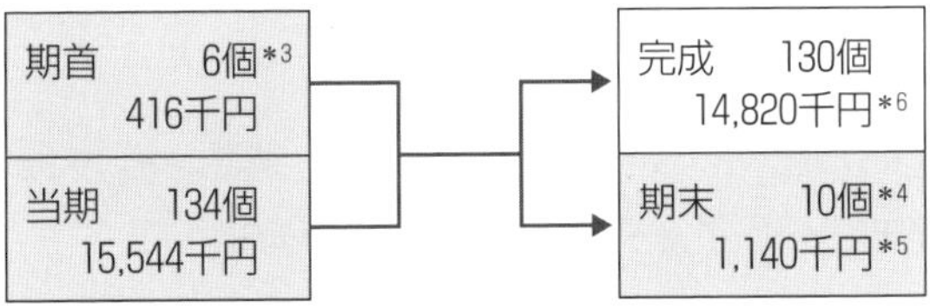

＊3　30個×加工進捗度20%＝6個

＊4　20個×加工進捗度50%＝10個

＊5　$(416\text{千円}+15{,}544\text{千円})\times\dfrac{10\text{個}}{130\text{個}+10\text{個}}=1{,}140\text{千円}$

＊6　(416千円＋15,544千円)－1,140千円＝14,820千円

③　期末仕掛品原価

2,320千円＋1,140千円＝3,460千円

(2) 先入先出法

① 材料費

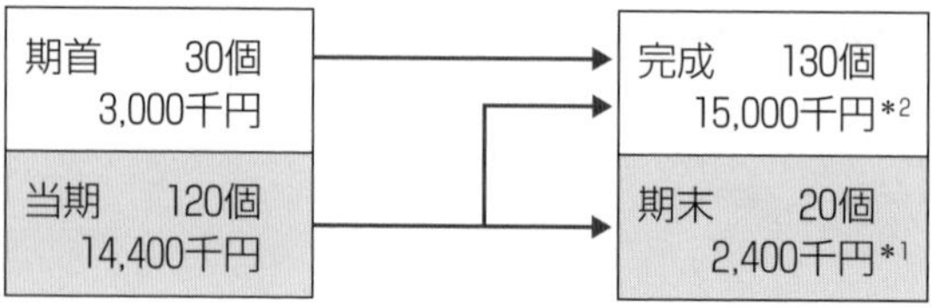

＊1 $14{,}400\text{千円}\times\dfrac{20\text{個}}{(130\text{個}-30\text{個})+20\text{個}}=2{,}400\text{千円}$

＊2 (3,000千円＋14,400千円)－2,400千円＝15,000千円

② 加工費

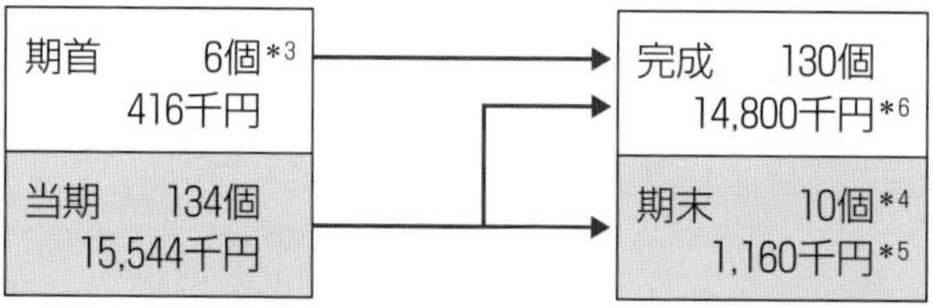

＊3 30個×加工進捗度20%＝ 6 個

＊4 20個×加工進捗度50%＝10個

＊5 $15{,}544\text{千円}\times\dfrac{10\text{個}}{(130\text{個}-6\text{個})+10\text{個}}=1{,}160\text{千円}$

＊6 (416千円＋15,544千円)－1,160千円＝14,800千円

③ 期末仕掛品原価

2,400千円＋1,160千円＝3,560千円

問題 >>> 問題編の**問題2**～**問題3**に挑戦しましょう！

4：製造業に関連する注記事項 計 Rank B

重要な会計方針に関する注記

製造業における棚卸資産の評価基準は**原価法**（収益性の低下による簿価切下げの方法）のみですが、評価方法としては、**先入先出法**や**平均法**などがあり、いずれも認められるため、これらを一体として注記します。

〈文例〉

・材料は先入先出法による原価法（収益性の低下による簿価切下げの方法）により評価している。

問題 >>> 問題編の**問題４**に挑戦しましょう！

CHAPTER 4

企業結合会計

ここでは、企業結合会計について学習していきます。出題頻度はそれほど高くはありませんが、連結会計や事業分離会計にも関係してくるので、しっかりおさえておきましょう。

Chapter 4

構造論点・その他の論点

企業結合会計

>> 組織再編行為の根幹です！

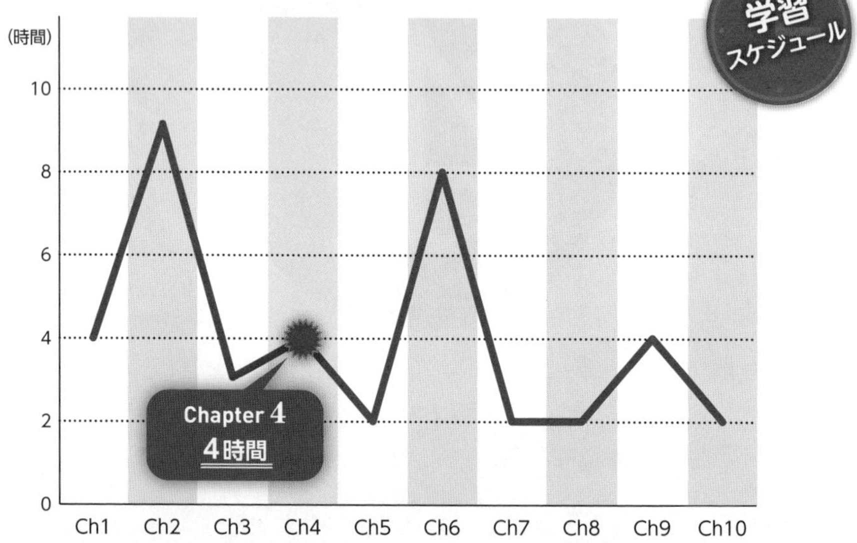

Check List

- □ 企業結合の定義を理解しているか？
- □ パーチェス法を理解しているか？
- □ のれんの会計処理を理解しているか？
- □ 吸収合併を理解しているか？
- □ 負ののれんの会計処理を理解しているか？
- □ 株式交換を理解しているか？
- □ 共通支配下の取引等の会計処理を理解しているか？

Link to 簿記論④　Chapter5 組織再編

簿記論では、このChapterで扱う論点以外に、組織再編の計算を詳しく学習します。

企業結合会計の理解をより深めたいという方は、簿記論と同時に学習しましょう。

1：企業結合とは

理 Rank A

企業結合の定義

企業結合とは、ある企業またはある企業を構成する事業と他の企業または他の企業を構成する事業とが、一つの報告単位に統合されることをいいます。

Point 企業結合について

企業結合とは、現金を対価とした株式の取得による子会社化、合併、株式交換、株式移転、会社分割などにより、一つの報告単位に統合されることをいいます。「連結財務諸表に関する会計基準」における他の会社の支配の獲得も、他の会社が企業集団に統合されることになるため、企業結合に含まれます。

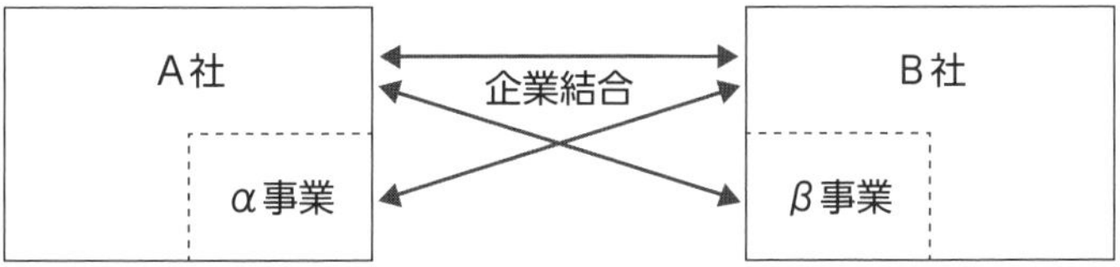

また、従来は、企業結合とは、企業集団と外部の取引であると考えられてきましたが、「企業結合に関する会計基準」では、企業集団内の取引も、定義を充たすものは企業結合に含めるという考え方が採用されています。

なお、企業結合には、共同支配企業を形成することとなる取引や共通支配下の取引も含まれます。共通支配下の取引については、**6：共通支配下の取引等**で取り扱います。

「企業結合に関する会計基準」は組織再編に関する会計処理を定めた基準です。「企業結合」と「組織再編」は正確には内容が異なりますが、会計上は明確に区別せずに使うこともあります。

プラス α 共同支配企業の形成と共通支配下の取引

共同支配企業の形成とは、複数の独立した企業が契約等に基づき、当該共同支配企業を形成する企業結合をいいます。なお、共同支配企業とは、複数の独立した企業により共同で支配される企業をいいます。

一方、共通支配下の取引とは、結合当事企業（または事業）のすべてが、企業結合の前後で同一の株主により最終的に支配され、かつ、その支配が一時的ではない場合の企業結合をいいます。

親会社と子会社の合併および子会社同士の合併は、共通支配下の取引に含まれます。

企業結合の基本的考え方

従来、企業結合には「**取得**」と「**持分の結合**」という異なる経済的実態を有するものが存在するとされてきました。

したがって、それぞれの実態に対応する適切な会計処理方法を適用する必要がありました。

	内　　容	会計処理
取得	ある企業が他の企業または企業を構成する事業に対する支配を獲得すること	パーチェス法
持分の結合	いずれの企業（または事業）の株主（または持分保有者）も他の企業（または事業）を支配したとは認められず、結合後企業のリスクや便益を引き続き相互に共有することを達成するため、それぞれの事業のすべてまたは事実上のすべてを統合して一つの報告単位となること	持分プーリング法 (制度上廃止)

現行の制度会計

当初、持分の結合については持分プーリング法、すなわち、すべての結合当事企業の資産、負債および純資産を、それぞれの適切な帳簿価額で引継ぐ方法で処理されてきました。

しかし、国際的に持分プーリング法が廃止されたのにともない、日本でも持分の結合に該当した企業結合のうち、共同支配企業の形成以外の企業結合については「取得」に該当するものとし、持分プーリング法は廃止されました。

2：パーチェス法

理 Rank A

パーチェス法の意義

パーチェス法とは、被結合企業から受け入れる資産および負債の取得原価を、対価として交付する現金および株式等の時価（公正価値）とする方法をいいます。

企業結合に関する会計基準

23．被取得企業又は取得した事業の取得原価は、原則として、取得の対価（支払対価）となる財の企業結合日における時価で算定する。支払対価が現金以外の資産の引渡し、負債の引受け又は株式の交付の場合には、支払対価となる財の時価と被取得企業又は取得した事業の時価のうち、より高い信頼性をもって測定可能な時価で算定する。

パーチェス法により会計処理する理由

取得と判定された企業結合の会計処理であるパーチェス法は、企業結合以外の一般的な交換取引の際に適用されている考え方に基づいて適用されています。

企業結合以外の一般的な交換取引においては、その交換のために支払った対価となる財の時価は、通常、取得した資産の時価と等価であると考えられており、取得原価は対価の形態にかかわらず、支払対価となる財の時価で算定されます。

すなわち、交換のための支払対価が現金の場合には現金支出額で測定され、支払対価が現金以外の資産の引渡し、負債の引受けまたは株式の交付の場合には支払対価となる財の時価と取得した資産の時価のうち、より高い信頼性をもって測定可能な時価で測定されるのが一般的と考えられるためです。

Point パーチェス法の処理

取得と判定された企業結合で複数の資産および負債を一括して取得または引き受けた場合にも、一般的な交換取引の場合と同様に、まず支払対価総額を算定し、次にその支払対価総額を、一括して取得または引き受けた個々の資産および負債の交換取引日の時価を基礎として、それらの個々の資産または負債に対して配分します。

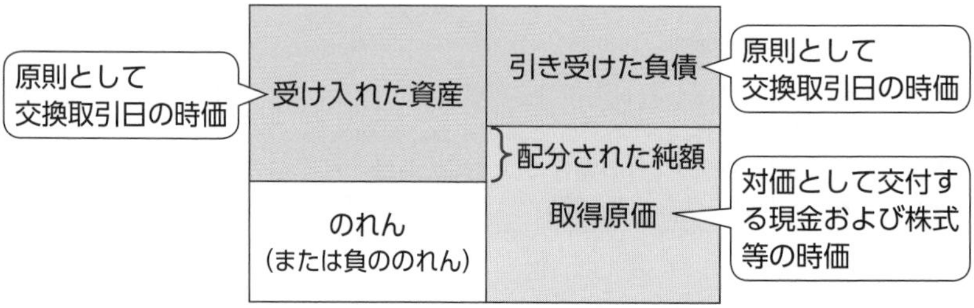

その際、取得と判定された企業結合の特徴の１つとして、取得原価としての支払対価総額と、被取得企業から取得した資産および負債に配分された純額との間に差額が生じる場合があり、この差額がのれんまたは負ののれんとなります。

取得に要した支出額の会計処理

取得関連費用（外部のアドバイザー等に支払った特定の報酬・手数料等）は、発生した事業年度の費用として処理します。

平成25年改正会計基準では、国際的な会計基準に基づく財務諸表との比較可能性を改善する観点や取得関連費用のどこまでを取得原価の範囲とするかという実務上の問題点を解消する観点から、発生した事業年度の費用として処理することになりました。

Study フレッシュ・スタート法

フレッシュ・スタート法というのがあると聞いたんですが、具体的にどのような処理なのですか？

フレッシュ・スタート法とは、すべての結合当事企業の資産および負債を企業結合時の時価に評価替えする方法をいいます。

現行制度上、フレッシュ・スタート法は認められているのですか？

フレッシュ・スタート法の採用が合理的といえるのは、新設合併のように、すべての結合当事企業がいったん解散し、全株主の持分が清算された上で、新たに設立された企業へ拠出するようなケースです。
諸外国において選択肢の１つとして議論されてはいるものの、具体的にその方法を適用することが適切と考えられる事象や、その採用根拠等が必ずしも明確になっていません。
したがって、現行制度上、フレッシュ・スタート法は採用されていませんが、今後、諸外国において企業結合の会計処理方法として採用された場合などには、日本でも採用を検討する可能性があります。

3：のれんの会計処理

理　計　Rank A

のれんの概要

被結合企業または取得した事業の取得原価が、受け入れた資産および引き受けた負債に配分された純額を上回る場合には、その超過額は**のれん**として資産に計上し、下回る場合には、その不足額は**負ののれん発生益**として利益に計上します。

Point　のれんの性質

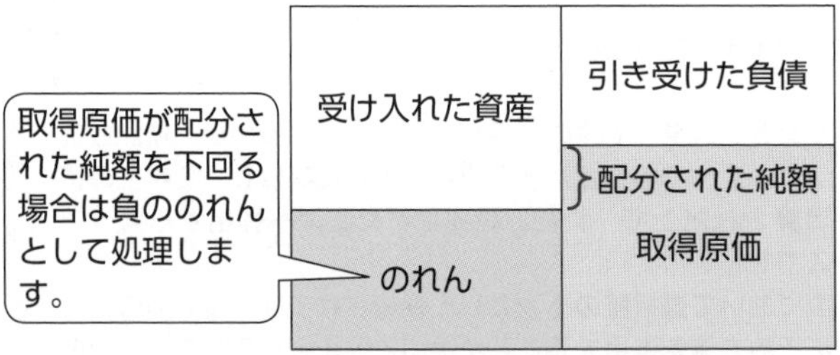

のれんは主として被取得企業の事業の超過収益力および結合当事企業の事業の結合によるシナジー効果から構成されますが、被取得企業または取得した事業の取得原価と、受け入れた資産および引き受けた負債に配分された純額の差額として計算される性格上、その他の要素も含まれます。

のれんの会計処理

のれんは、資産に計上し、20年以内のその効果の及ぶ期間にわたって、定額法その他の合理的な方法により規則的に償却します。

ただし、のれんの金額に重要性が乏しい場合には、当該のれんが生じた事業年度の費用として処理することができます。

規則的な償却を行う理由

のれんの会計処理方法としては、一定期間内に「規則的な償却を行う方法」と「規則的な償却は行わず、のれんの価値が損なわれたときに減損処理を行う方法」の２つが考えられます。

このうち、規則的な償却を行う方法の長所として、次の点があげられます。

① 企業結合の成果たる収益と、その対価の一部を構成する投資消去差額の償却という費用の対応が可能になる。

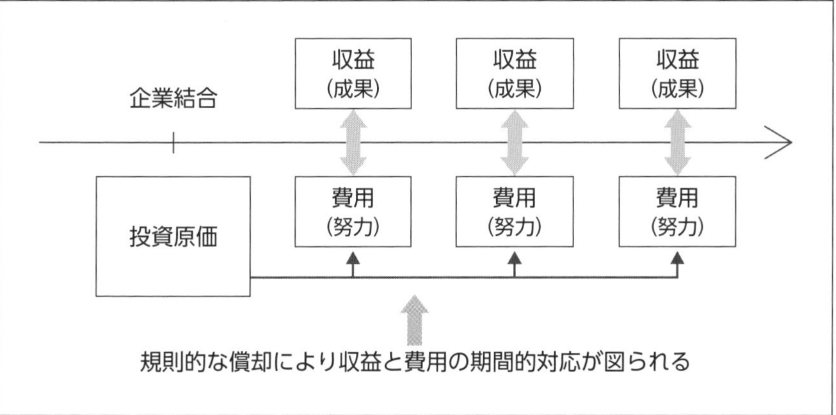

② のれんは投資原価の一部であることに鑑みれば、のれんを規則的に償却する方法は、投資原価を超えて回収された超過額を企業にとっての利益とみる考え方とも首尾一貫している。

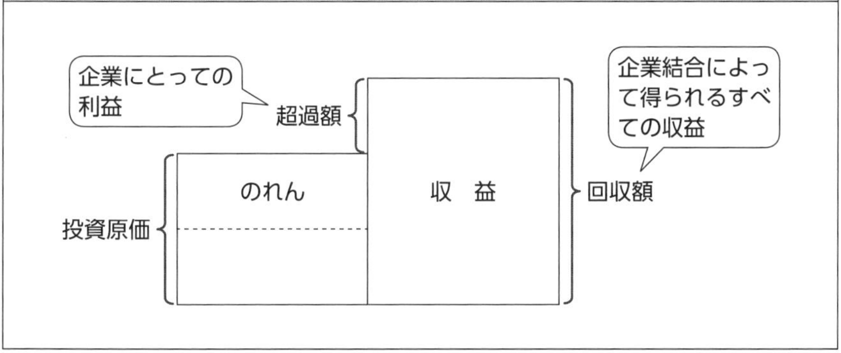

③　企業結合により生じたのれんは時間の経過とともに自己創設のれんに入れ替わる可能性があるため、企業結合により計上したのれんの非償却による自己創設のれんの実質的な資産計上を防ぐことができる。

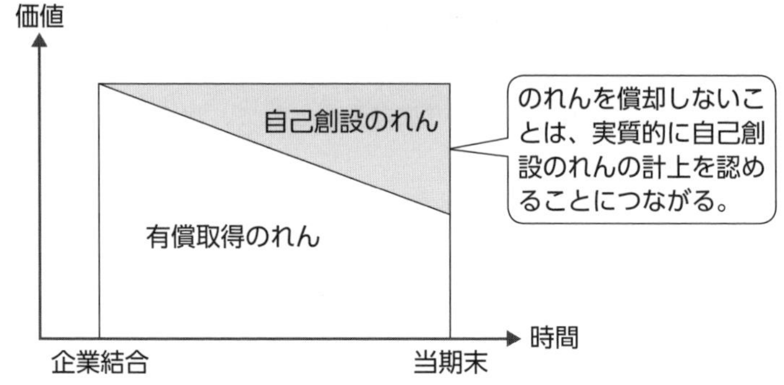

のれんの表示

のれんは無形固定資産の区分に表示し、のれんの当期償却額は販売費及び一般管理費の区分に表示します。

例題　**企業結合**

次の資料に基づいて、各問ののれんの額を求めなさい。

［資　料］

1．X5年3月31日、A社はB社を吸収合併し、B社発行済株式総数800株と交換に、A社株式300株をB社株主に交付した。

2．B社のX5年3月31日現在の貸借対照表は次のとおりである。

残　高　試　算　表　　　（単位：千円）

流動資産	10,000	流動負債	9,600
固定資産	16,000	固定負債	6,000
		資本金	4,800
		資本剰余金	2,400
		利益剰余金	3,200
資産合計	26,000	負債・純資産合計	26,000

３．Ｂ社の資産・負債の公正価値は次のように決定された。

	（単位：千円）
流　動　資　産	10,400
固　定　資　産	17,200
流　動　負　債	(9,600)
固　定　負　債	(5,200)
	12,800

問１　交付したＡ社株式の評価額が16,000千円である場合

問２　交付したＡ社株式の評価額が12,000千円である場合

解答

問１　3,200千円（のれん）

問２　　800千円（負ののれん）

問１　交付したＡ社株式の評価額が16,000千円である場合

〈のれんが発生する場合〉

①　被取得企業の取得原価	16,000千円
②　受け入れた資産および引き受けた負債に配分された純額	12,800千円
①－②＝のれん	3,200千円

問２　交付したＡ社株式の評価額が12,000千円である場合

〈負ののれんが発生する場合〉

①　被取得企業の取得原価	12,000千円
②　受け入れた資産および引き受けた負債に配分された純額	12,800千円
①－②＝負ののれん	△800千円

4：吸収合併

理　計　Rank A

吸収合併とは

合併とは2つ以上の会社が契約により1つの会社に合体する取引をいいます。

吸収合併とは、合併の当事者である会社のうち1つの会社（存続会社）が、他の会社（消滅会社）を吸収し、他の会社の権利義務の全部を承継させるものをいます。

Point　吸収合併

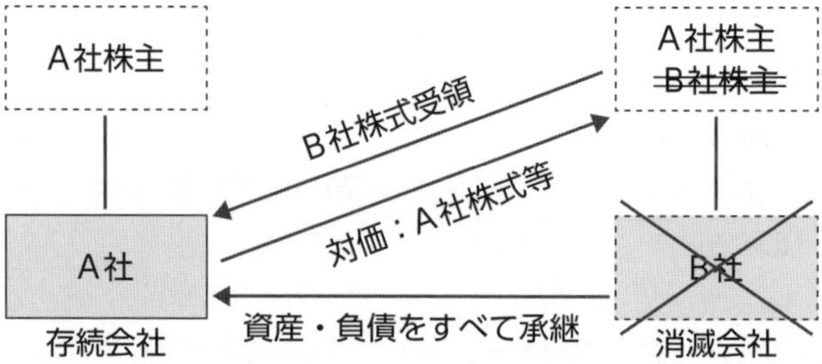

一般的に存続企業が取得企業、消滅会社が被取得企業となります。

プラスα　新設合併

合併の形態には、吸収合併の他に新設合併という形態もあります。新設合併とは、合併の当事者である企業が消滅し、当該消滅する会社の権利義務の全部を新設する会社に承継させるものをいいます。

合併の会計処理

吸収合併において、存続企業が取得企業、消滅会社が被取得企業と判定された場合はパーチェス法で処理します。

取得対価として新株を交付した場合

存続会社が取得対価として新株を交付する場合、取得原価となる新株の時価を払込資本として処理します。

例題 吸収合併①

次の資料に基づいて、A社における企業結合日の仕訳を示しなさい。

［資　料］

(1)　A社を取得企業、B社を被取得企業とする吸収合併をした。

(2)　A社はB社株主に対価としてA社の新株500千株（企業結合日における時価は1株200円）を交付した。

(3)　資本金組入額は増加する払込資本の金額の2分の1とし、残額は資本準備金とする。

(4)　B社の識別可能資産および負債の時価は、諸資産が127,000千円、諸負債が36,000千円であった。

解答

（仕訳の単位：千円）

（諸資産）	127,000	（諸負債）	36,000
（のれん）	9,000＊2	（資本金）	50,000＊1
		（資本準備金）	50,000＊1

＊1　200円×500千株÷2＝50,000千円

＊2　(200円×500千株)－(127,000千円－36,000千円)＝9,000千円

取得原価は交付した株式の企業結合日における時価となります。

通常の新株発行と異なり、企業結合において、具体的にどの払込資本を増加させるかについては、合併等の契約により自由に決定することができます。そのため、資本金、資本準備金、その他資本剰余金の内訳は問題文の指示に従ってください。

取得対価として自己株式の処分をした場合

存続会社が取得対価として株式を交付する場合に、交付する株式の一部として、自己株式を処分して交付することがあります。この場合、処分した自己株式を含む交付株式の企業結合日における時価により取得原価を算定します。また、払込資本の額は、取得原価から自己株式の帳簿価額を控除した額とします。

例題　**吸収合併②**

次の資料に基づいて、Ａ社における企業結合日の仕訳を示しなさい。

［資　料］

(1)　Ａ社を取得企業、Ｂ社を被取得企業とする吸収合併をした。

(2)　Ａ社はＢ社株主に対価としてＡ社の新株1,000千株（企業結合日における時価は１株200円）および自己株式500千株（帳簿価額80,000千円）を交付した。

(3)　増加する資本のうち、交付する株式１千株につき60円を資本金とし、残りは資本準備金とする。

(4)　Ｂ社の識別可能資産および負債の時価は、諸資産が960,000千円、諸負債が670,000千円であった。

解答

（仕訳の単位：千円）

（諸　資　産）	960,000	（諸　負　債）	670,000
（の　れ　ん）	10,000*3	（資　本　金）	90,000*1
		（資本準備金）	130,000*2
		（自　己　株　式）	80,000

＊1　60円×（1,000千株＋500千株）＝90,000千円
＊2　200円×（1,000千株＋500千株）－80,000千円－90,000千円
　　＝130,000千円
＊3　200円×（1,000千株＋500千株）－（960,000千円－670,000千円）
　　＝10,000千円

自己株式を処分した場合、取得原価は自己株式を含む交付した株式の企業結合日における時価となります。なお、払込資本の額は取得原価から自己株式の帳簿価額を控除した額となります。

合併以前から取得企業が被取得企業の株式を所有している場合

取得企業が合併以前から被取得企業の株式を所有している場合に、取得対価として株式を交付（または自己株式を処分）する場合、取得企業が所有する株式に対しては株式を交付しません。

この場合、交付する株式の時価と所有していた被取得企業の株式の帳簿価額の合計額が取得原価となります。

合併以前から所有している被取得企業の株式は、合併における取得原価の一部を構成します。

例題　吸収合併③

次の資料に基づいて、A社における企業結合日の仕訳を示しなさい。

［資　料］

(1)　A社を取得企業、B社を被取得企業とする吸収合併をした。

(2)　A社は前期にB社株式を5,000千円で購入しており、投資有価証券として処理している。なお、評価差額は発生していない。

(3)　A社はA社を除くB社株主に対価としてA社の新株1,200千株（企業結合日における時価は1株200円）を交付した。

(4)　増加する資本のうち、100,000千円を資本金とし、残りはその他資本剰余金とする。

(5)　B社の識別可能資産および負債の時価は、諸資産が780,000千円、諸負債が590,000千円であった。

解答

（仕訳の単位：千円）

（諸　資　産）	780,000	（諸　負　債）	590,000
（の　れ　ん）	55,000*2	（資　本　金）	100,000
		（その他資本剰余金）	140,000*1
		（投資有価証券）	5,000

＊1　200円×1,200千株－100,000千円＝140,000千円

＊2　(200円×1,200千株＋5,000千円)－(780,000千円－590,000千円)
＝55,000千円

合併以前から所有している被取得企業の株式は取得原価に含めます。

5：負ののれんの会計処理

理 計 Rank A

負ののれんの会計処理

負ののれんが生じると見込まれる場合には、一定の見直しを行います。それでもなお、負ののれんが生じる場合には、その負ののれんが生じた事業年度の利益として処理します。

一定の見直しとは、「取得企業は、すべての識別可能資産および負債が把握されているか、また、それらに対する取得原価の配分が適切に行われているかどうかを見直す」ことです。

負ののれんの会計処理の理由

負ののれんの会計処理には、次の理由があります。

- 負ののれんの発生原因を認識不能な項目やバーゲン・パーチェス（時価よりも低い価額で事業等を取得すること）であると位置づけ、現実には異常かつ発生の可能性が低いことから、異常利益としての処理が妥当であると考えるため。
- 負ののれんは負債として計上されるべき要件を満たしていないため。

負ののれんの表示

負ののれんは、原則として、特別利益に表示します。

問題 >>> 問題編の**問題１**～**問題２**に挑戦しましょう！

6：株式交換

計　Rank B

株式交換とは

株式交換とは、株式等を対価として、他の会社の株式のすべてを取得することにより、その会社を完全子会社とする手法をいいます。

株式交換の流れ

株式交換では、完全親会社となる会社が、完全親会社となる会社の株式と引換えに、完全子会社となる会社の株主が所有する完全子会社の発行済株式の総数（100％）を取得することによって、完全親会社・完全子会社の関係となります。

Point　株式交換の流れ

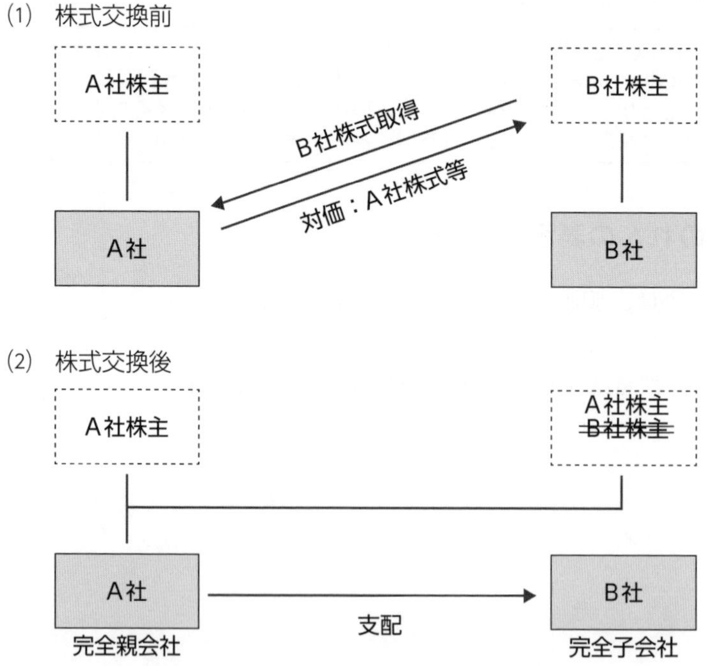

完全親会社とは、他の会社の発行済株式のすべてを保有する会社のことをいいます。また、完全子会社とは、他の会社に発行済株式のすべてを保有されている会社のことをいいます。

株式交換の会計処理

完全親会社が取得する完全子会社株式の取得原価は、株式交換日における完全親会社株式の時価に交付株式数を掛けた金額となります。

問題によっては、交付株式数ではなく「交換比率」が資料に与えられます。この場合、完全子会社となる会社の発行済株式総数に「交換比率」を掛けて交付株式数を算定します。

取得対価として新株を交付した場合

完全親会社が株式交換の対価として新株を交付する場合、取得原価となる新株の時価を払込資本として処理します。

例題　**株式交換①**

次の資料に基づいて、A社における株式交換日の仕訳を示しなさい。

[資　料]

(1)　A社を完全親会社、B社を完全子会社とする株式交換を行った。なお、取得企業はA社となった。

(2)　A社はB社株主に対価としてA社の新株500千株（株式交換日における時価は１株200円）を交付した。

(3)　増加する払込資本の40%を資本金とし、残りを資本準備金とする。

(4)　B社の識別可能資産および負債の時価は、諸資産が127,000千円、諸負債が36,000千円であった。

解答

(仕訳の単位：千円)

(関係会社株式)	100,000*1	(資　本　金)	40,000*2
		(資本準備金)	60,000*3

＊１　200円×500千株=100,000千円
＊２　200円×500千株×40%＝40,000千円
＊３　貸借差額

株式交換では、吸収合併と異なり完全子会社が消滅するわけではありません。そのため、完全子会社となる会社の資産や負債を時価で受け入れるという処理は行いません。

問題 ≫ 問題編の**問題３**に挑戦しましょう！

取得対価として自己株式の処分をした場合

完全親会社が株式交換の対価として株式を交付する場合に、交付する株式の一部として、自己株式を処分して交付することがあります。この場合、処分した自己株式を含む交付株式の時価により取得原価を算定します。また、払込資

本の額は、取得原価から自己株式の帳簿価額を控除した額とします。

例題 **株式交換②**

次の資料に基づいて、A社における株式交換日の仕訳を示しなさい。

［資　料］

⑴　A社を完全親会社、B社を完全子会社とする株式交換を行った。なお、取得企業はA社となった。

⑵　A社はB社株主に対価としてA社の新株1,000千株（株式交換日における時価は1株200円）および自己株式500千株（帳簿価額80,000千円）を交付した。

⑶　増加する払込資本の40%を資本金とし、残りを資本準備金とする。

⑷　B社の識別可能資産および負債の時価は、諸資産が960,000千円、諸負債が670,000千円であった。

解答

（仕訳の単位：千円）

（関係会社株式）	300,000*1	（資　本　金）	88,000*2
		（資本準備金）	132,000*3
		（自 己 株 式）	80,000

＊1　200円×(1,000千株＋500千株)＝300,000千円
＊2　{200円×(1,000千株＋500千株)－80,000千円}×40%＝88,000千円
＊3　貸借差額

増加する払込資本の処理は、吸収合併の場合と全く同じになります。

7：共通支配下の取引等

理 計

Rank A

共通支配下の取引の定義

共通支配下の取引とは、結合当事企業（または事業）のすべてが、企業結合の前後で同一の株主により最終的に支配され、かつ、その支配が一時的ではない場合の企業結合をいいます。

共通支配下の取引には、親会社と子会社の合併、子会社同士の合併などが該当します。

企業集団（企業グループ）内における企業結合は、会計上、⑴共通支配下の取引と、⑵非支配株主との取引に分類できます。これらを合わせて共通支配下の取引等といいます。
共通支配下の取引等は、通常の（経済的に独立した企業間での）企業結合とは区別して取り扱います。本章では本試験の出題傾向を踏まえて、⑴共通支配下の取引について、個別会計上の処理を解説します。
なお、非支配株主との取引には、親会社が非支配株主から子会社株式を追加取得するケースなどが該当しますが、こちらはChapter6連結財務諸表で取り扱います。

共通支配下の取引の基本的な考え方

親会社の立場からは「内部取引」と考えます。したがって、個別会計上、受け入れる資産および負債は移転元の「適正な帳簿価額」により計上します。

親会社と子会社の合併（完全親子会社）の会計処理

親会社は子会社の資産・負債をすべて引き継ぎます。そのさい、子会社から受け入れる資産および負債は、合併直前の適正な帳簿価額で受け入れる会計処理を行います。また、親会社が合併直前に保有していた子会社株式（抱合せ株式）の適正な帳簿価額と、受け入れる資産および負債との差額については、「抱合せ株式消滅差損益（特別損益）」で処理します。

例題 親会社と子会社の合併（完全親子会社）の会計処理

A社はB社を吸収合併した。次の資料に基づいて、A社における企業結合日の仕訳を示しなさい。

[資　料]

B社の合併前日の貸借対照表は以下のとおりである。なおA社はB社の設立から株式を保有しており（帳簿価額20,000千円）、A社以外の株主はいないものとする。

貸借対照表
X2年3月31日　　　（単位：千円）

借方科目	金額	貸方科目	金額
諸資産	33,000	諸負債	12,000
		資本金	20,000
		利益剰余金	1,000
合計	33,000	合計	33,000

解答

（仕訳の単位：千円）

（諸資産）	33,000	（諸負債）	12,000
		（B社株式）	20,000
		（抱合せ株式消滅差益）	1,000*

＊ （33,000千円－12,000千円）－20,000千円＝1,000千円

企業結合の前後で最終的な株主が変わらないことから、この合併は共通支配下の取引に該当します。そのため、もともと所有していた株式と受け入れた資産および負債との差額は抱合せ株式消滅差益勘定（特別利益）で処理します。
A社はB社の設立から株式を所有していたため、本問の取引は「取得」に該当せず、のれんは計上されません。

問題 >>> 問題編の**問題4**に挑戦しましょう！

CHAPTER 5

事業分離会計

ここでは、事業分離について学習していきます。出題頻度はあまり高くありませんが、企業結合の会計処理に関連してくる重要論点です。

分量的にはそれほど多くありませんので、ぜひマスターしておきましょう。

Chapter 5

構造論点・その他の論点

事業分離会計

>> 事業を譲り受けたときや譲渡したときの処理です！

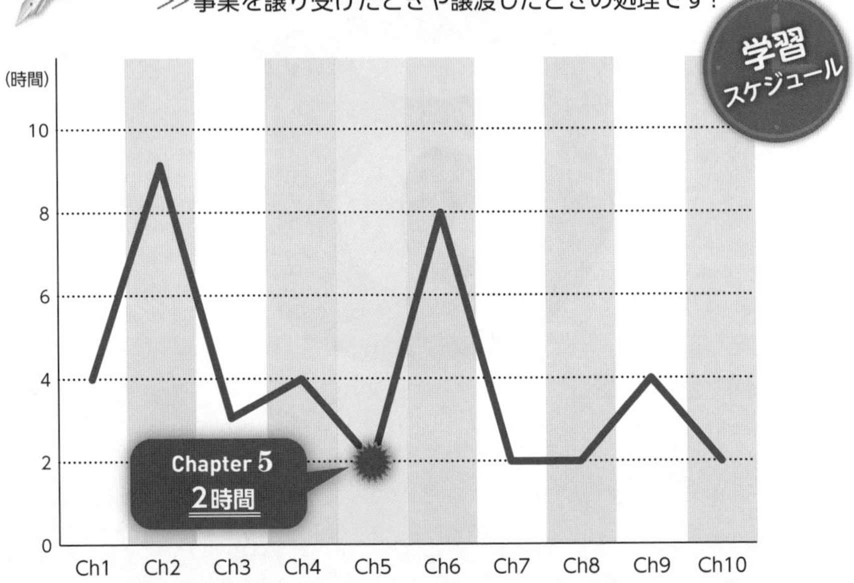

Check List

- □ 事業分離の意義を理解しているか？
- □ 事業分離と企業結合の関係を理解しているか？
- □ 分離元企業の会計処理を理解しているか？
- □ 被結合企業の株主の会計処理を理解しているか？

Link to 簿記論④　**Chapter5** 組織再編

このChapterでは理論的背景を中心に学習します。

しかし、事業分離に係る財務諸表の作成は簿記論でも当然問われますので、簿記論で計算している計算方法の背景も一緒に理解しておきましょう。

1：事業分離会計

理 計 Rank B

事業分離とは

事業分離とは、ある企業を構成する事業を他の企業（新設される企業を含む）に移転することをいいます。

事業分離と企業結合の関係

事業分離は、会社分割や事業譲渡、現物出資等の形式をとり、分離元企業が、その事業を分離先企業に移転し対価を受け取ります。分離元企業から移転された事業と分離先企業とが１つの報告単位に統合されることになる場合の事業分離は、分離先企業からみた場合、企業結合になります。

Point 事業分離と企業結合

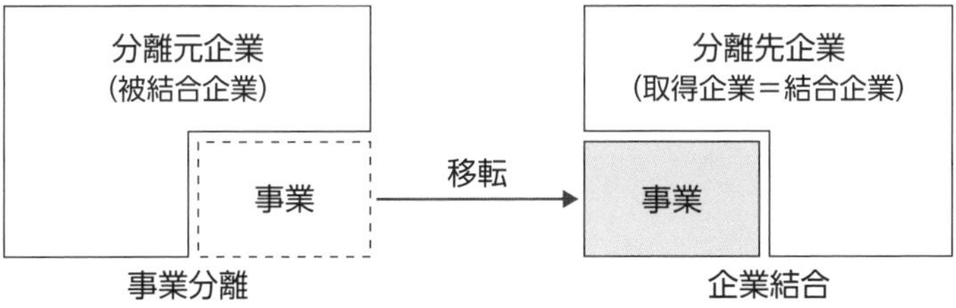

事業分離等に関する会計基準

5 「分離元企業」とは、事業分離において、当該企業を構成する事業を移転する企業をいう。

6 「分離先企業」とは、事業分離において、分離元企業からその事業を受け入れる企業（新設される企業を含む。）をいう。

7 「結合当事企業」とは、企業結合に係る企業をいい、このうち、他の企業又は他の企業を構成する事業を受け入れて対価（現金等の財産や自社の株式）を支払う企業を「結合企業」、当該他の企業を「被結合企業」という。（以下、省略）

2：分離元企業の会計処理　理 計　Rank B

基本的な考え方

分離した事業に関する投資が清算されたとみるか、継続しているとみるかによって、一般的な売却や交換にともなう損益認識と同様に、分離元企業において**移転損益**が認識される場合と認識されない場合があります。

Point 分離元企業の会計処理の基本的な考え方

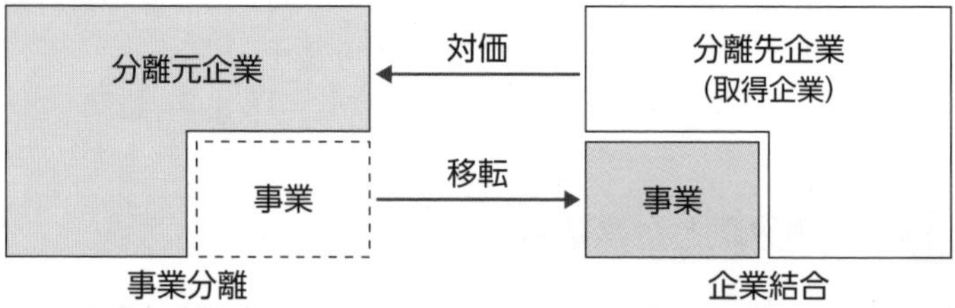

受け取った対価の種類により、投資が清算されたとみるか、継続しているとみるかを判定します。

対価の種類	投資
現金など	清算
子会社株式や関連会社株式となる分離先企業の株式のみ	継続

移転した事業に関する投資が清算されたとみる場合

分離元企業は、事業分離日に、その事業を分離先企業に移転したことにより受け取った対価となる財の時価と、移転した事業に係る株主資本相当額との差額を移転損益として認識します。

Point 投資が清算されたとみる場合の会計処理

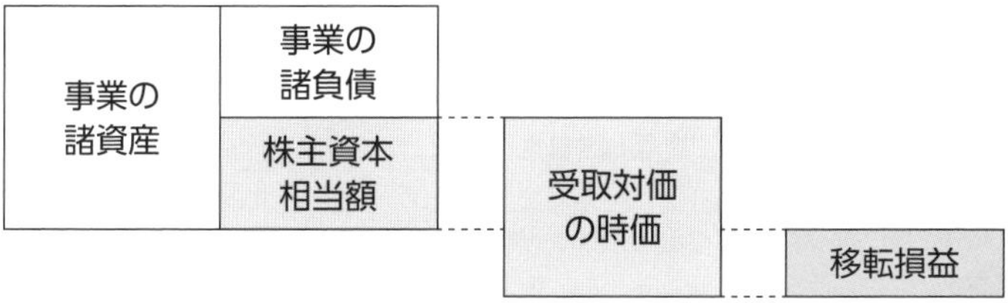

対価の種類	現金など
投資の継続・清算	投資の清算
会計処理	・移転損益の認識 ・受取対価の取得原価は受取対価の時価で算定

基準によれば、株主資本相当額とは、移転した事業に係る資産および負債の移転直前の適正な帳簿価額による差額から、当該事業に係る評価・換算差額等および新株予約権を控除した額をいいます。

例題

事業分離①

次の資料に基づいて、A社における仕訳を示しなさい。

［資　料］

1．A社は、B社に対してα事業を移転し、対価として現金20,000円を受け取った。

2．α事業の適正な帳簿価額

　諸資産：58,000円

　諸負債：40,000円

3．α事業の諸資産の時価は59,000円、諸負債の時価は簿価に等しかった。

4．A社とB社には資本関係はない。

解答

(現　　　金)	20,000	(諸　資　産)	58,000
(諸　負　債)	40,000	(移 転 損 益)	2,000*

＊　20,000円－(58,000円－40,000円)＝2,000円

A社とB社には資本関係はないため、事業に対する投資が清算されたと考えます。

なお、事業分離先であるB社は次のような処理を行います。

(諸　資　産)	59,000	(現　　　金)	20,000
(の　れ　ん)	1,000*	(諸　負　債)	40,000

＊　20,000円－(59,000円－40,000円)＝1,000円

移転した事業に関する投資がそのまま継続しているとみる場合

分離元企業は、事業分離日に、移転損益を認識せず、その事業を分離先企業に移転したことにより受け取る資産の取得原価は、移転した事業に係る株主資本相当額に基づいて算定します。

Point 投資がそのまま継続しているとみる場合の会計処理

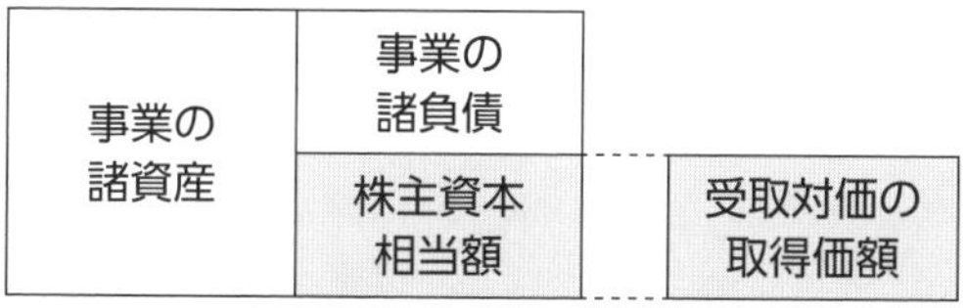

対価の種類	子会社株式や関連会社株式となる分離先企業の株式のみ
投資の継続・清算	投資の継続
会計処理	・移転損益は認識しない ・受取対価の取得原価は、移転した事業に係る株主資本相当額で算定

例題 事業分離②

次の資料に基づいて、A社における個別上の仕訳を示しなさい。

[資　料]

1．A社は、B社に対してα事業を移転し、対価として株式を受け取った。

2．α事業の適正な帳簿価額

諸資産：50,000円

諸負債：35,000円

3．α事業の時価は18,000円であった。

4．この事業分離の結果、B社はA社の子会社となった。

解答

(子会社株式)	15,000*	(諸　資　産)	50,000
(諸　負　債)	35,000		

＊　50,000円－35,000円＝15,000円

事業分離の結果、B社はA社の子会社となるため、α事業に対する投資は継続しているとみなします。

なお、事業分離先であるB社は個別上、次のような処理を行います。

(諸　資　産)	50,000	(資　本　金)	15,000*
		(諸　負　債)	35,000

＊　50,000円－35,000円＝15,000円

事業分離会計における持分の継続・非継続

「基準」において示されている「持分の継続・非継続」という概念は、企業結合の会計処理に固有のものではなく、一般に事業の成果をとらえる際の投資の継続・清算とも整合した概念です。このため、企業結合における結合企業の会計処理のみならず、分離元企業や結合当事企業の株主も合わせた組織再編の会計処理は、同じ考え方に沿って統一的に行うこととされています。

「**持分の継続・非継続**」の基礎になっている考え方、すなわち、一般的に事業の成果をとらえる際の**投資の継続・清算**という概念によって整理すると、分離元企業の会計処理および結合当事企業（分離元企業、分離先企業）の株主に係る会計処理は、次のように考えられます。

① いったん投資を清算したとみて、移転損益や交換損益を認識するとともに、改めて時価で投資を行ったとみる場合

この場合、事業分離時点や交換時点での時価が新たな投資原価となり、その後の損益計算の観点からは、この投資原価を超えて回収できれば、その超過額が企業にとっての利益となる。

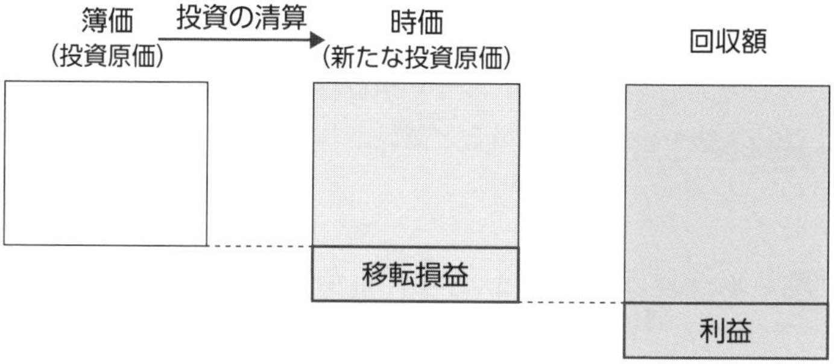

② これまでの投資がそのまま継続しているとみて、移転損益や交換損益を認識しない場合

この場合、投資の清算と再投資は行われていないとみるため、移転や交換直前の帳簿価額がそのまま投資原価となり、その後の損益計算の観点からは、この投資原価を超えて回収できれば、その超過額が企業にとっての利益となる。

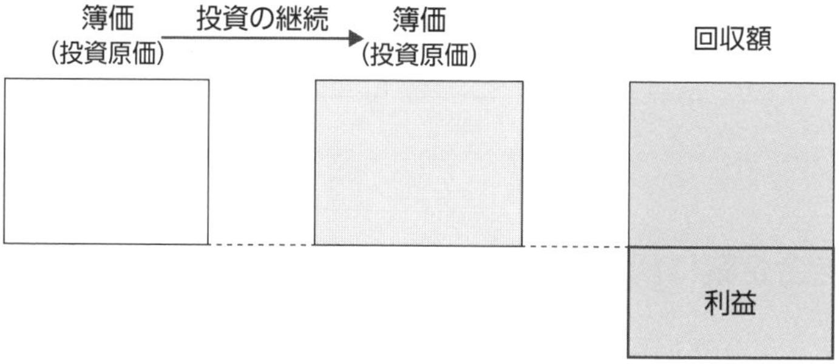

3：被結合企業の株主の会計処理 理

Rank B

基本的な考え方

被結合企業に関する投資が清算されたとみるか、継続しているとみるかによって、一般的な売却や交換にともなう損益認識と同様に、被結合企業の株主において**交換損益**が認識される場合と認識されない場合があります。

Point 被結合企業の株主の会計処理の基本的な考え方

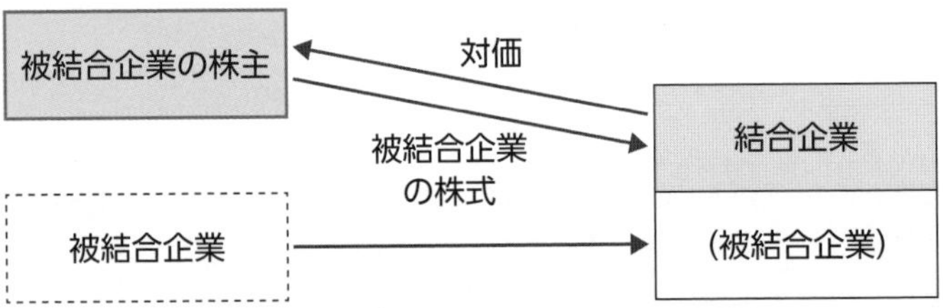

対価の種類	投資
現金など	清算
子会社株式や関連会社株式となる結合企業の株式のみ	継続

被結合企業に関する投資が清算されたとみる場合

被結合企業の株主は、企業結合日に、被結合企業の株式と引換えに受け取った対価となる財の時価と、被結合企業の株式に係る適正な帳簿価額との差額を交換損益として認識します。

Point 投資が清算されたとみる場合の会計処理

対価の種類	現金など
投資の継続・清算	投資の清算
会計処理	・交換損益の認識 ・受取対価の取得原価は受取対価の時価で算定

被結合企業に関する投資がそのまま継続しているとみる場合

被結合企業の株主は、企業結合日に、交換損益を認識せず、被結合企業の株式と引換えに受け取る資産の取得原価は、被結合企業の株式に係る適正な帳簿価額に基づいて算定します。

Point 投資がそのまま継続しているとみる場合

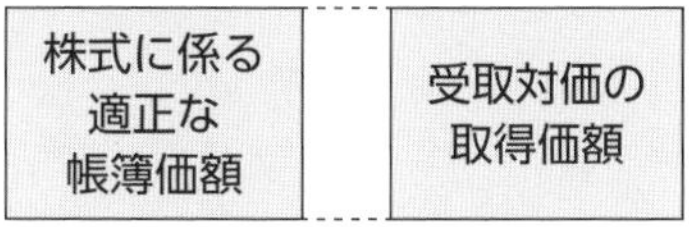

対価の種類	子会社株式や関連会社株式となる結合企業の株式のみ
投資の継続・清算	投資の継続
会計処理	・交換損益は認識しない ・受取対価の取得原価は被結合企業の株式に係る適正な帳簿価額に基づいて算定

問題 >>> 問題編の**問題1**～**問題2**に挑戦しましょう！

CHAPTER 6

連結財務諸表

ここでは、連結財務諸表について学習していきます。連結会計は企業結合会計との関連が深い構造論点です。出題頻度はそれほど高くはありませんが、内容は非常に重要なので、しっかり学習しておきましょう。

Chapter 6

構造論点・その他の論点

連結財務諸表

>> 子会社の財務諸表と合算して作成します！

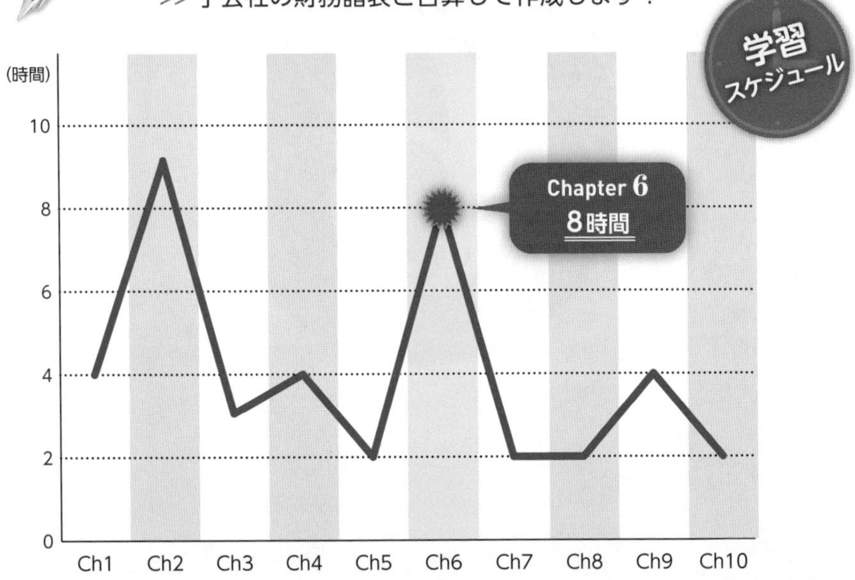

Check List

- ☐ 連結財務諸表の意義を理解しているか？
- ☐ 連結財務諸表作成の一般原則を理解しているか？
- ☐ 親会社説の特徴を理解しているか？
- ☐ 経済的単一体説の特徴を理解しているか？
- ☐ 資本連結の処理を理解しているか？
- ☐ 成果連結の処理を理解しているか？
- ☐ 持分法の処理を理解しているか？

Link to 簿記論④　Chapter6 連結財務諸表

簿記論では、連結財務諸表の計算方法について学習します。その内容は、財務諸表論に比べて応用的なものまで含まれていますので、余裕のある方は、簿記論も同時に学習すると効果的です。

1：連結財務諸表

理 Rank B

連結財務諸表とは

連結財務諸表とは、支配従属関係にある２つ以上の会社からなる企業集団を単一の組織体とみなして、親会社が当該企業集団の財政状態、経営成績およびキャッシュ・フローの状況を総合的に報告するために作成する財務諸表です。

Point 連結財務諸表の作成方法

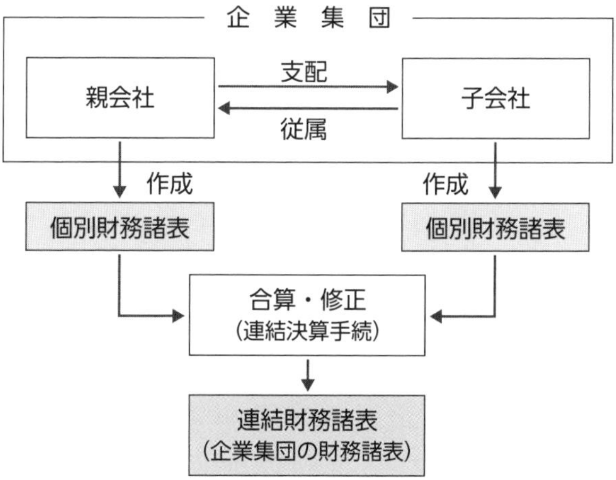

プラスα 連結財務諸表の種類

連結財務諸表の種類は次のとおりです。

1計算書方式	2計算書方式
① 連結貸借対照表 ② 連結損益及び包括利益計算書 ③ 連結株主資本等変動計算書 ④ 連結キャッシュ・フロー計算書 ⑤ 連結附属明細表	① 連結貸借対照表 ② 連結損益計算書 ③ 連結包括利益計算書 ④ 連結株主資本等変動計算書 ⑤ 連結キャッシュ・フロー計算書 ⑥ 連結附属明細表

個別財務諸表の修正

連結財務諸表は、親会社・子会社それぞれの個別財務諸表を合算して作成しますが、適正な連結財務諸表を作成するために、その作成の基礎となる個別財務諸表自体を修正する場合があります。

Point 個別財務諸表の修正

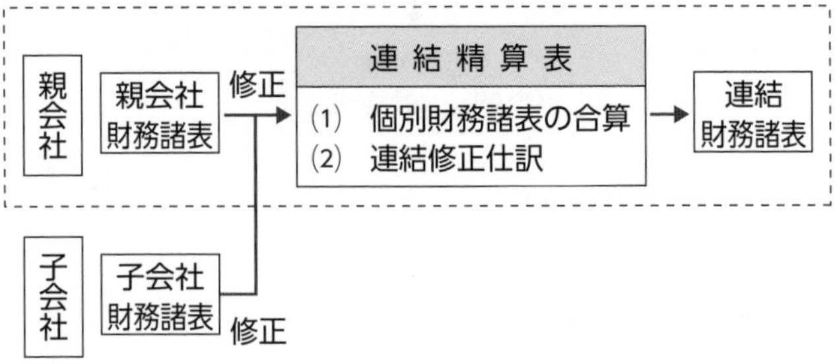

なお、連結修正仕訳は、帳簿上ではなく連結精算表上で行われます。

2：連結財務諸表作成の一般原則 理 Rank B

連結財務諸表における一般原則

連結財務諸表における一般原則は、次のとおりです。

真実性の原則	連結財務諸表は、企業集団の財政状態、経営成績およびキャッシュ・フローの状況に関して真実な報告を提供するものでなければならない。
基準性の原則	連結財務諸表は、企業集団に属する親会社および子会社が一般に公正妥当と認められる企業会計の基準に準拠して作成した個別財務諸表を基礎として作成しなければならない。
明瞭性の原則	連結財務諸表は、企業集団の状況に関する判断を誤らせないよう、利害関係者に対し必要な財務情報を明瞭に表示するものでなければならない。
継続性の原則	連結財務諸表作成のために採用した基準および手続は、毎期継続して適用し、みだりにこれを変更してはならない。

Point 一般原則の関連性

真実性の原則は、他の原則の上位に位置づけられています。

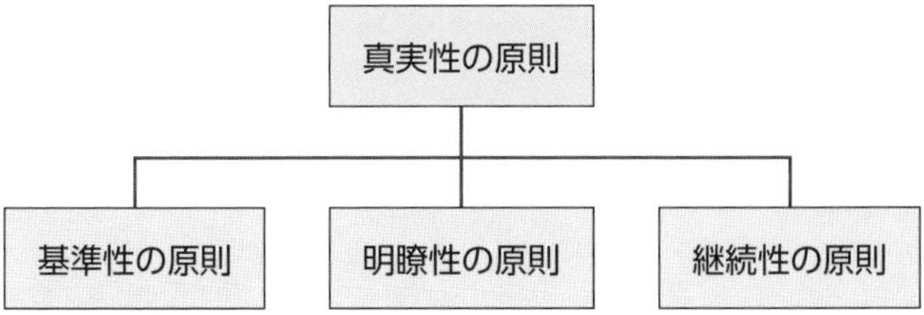

プラスα 基準性の原則の内容

基準性の原則には基準性と準拠性があります。具体的内容は、次のとおりです。

基準性	連結財務諸表は個別財務諸表を基礎として作成されなければならないことをいいます。
準拠性	基礎とされる個別財務諸表は、一般に公正妥当と認められる企業会計の基準に準拠して作成されなければならないことをいいます。

3：連結基礎概念

理 Rank A

連結基礎概念

連結基礎概念とは、連結財務諸表がどのような立場から、どのような性質を持つものとして作成されるのかという一種の仮定のことをいいます。

この連結基礎概念には、**親会社説**と**経済的単一体説**があります。

Point 親会社説と経済的単一体説

親会社説とは、連結財務諸表を親会社の株主のために作成するものと考え、親会社の株主の持分を強調する考え方です。

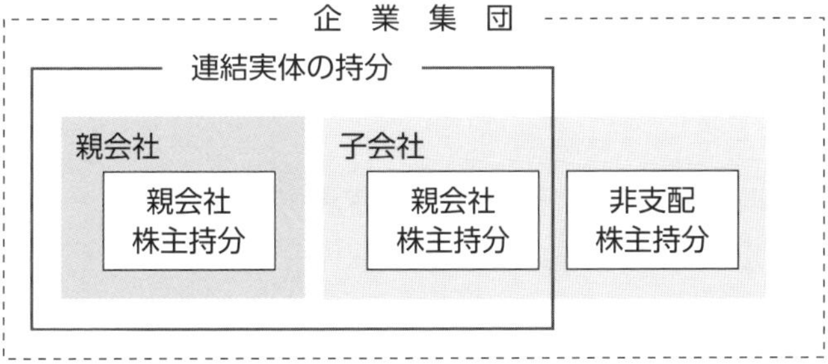

経済的単一体説とは、連結財務諸表を親会社の株主のためだけではなく、非支配株主も含めたすべての株主のために作成するものとする考え方です。

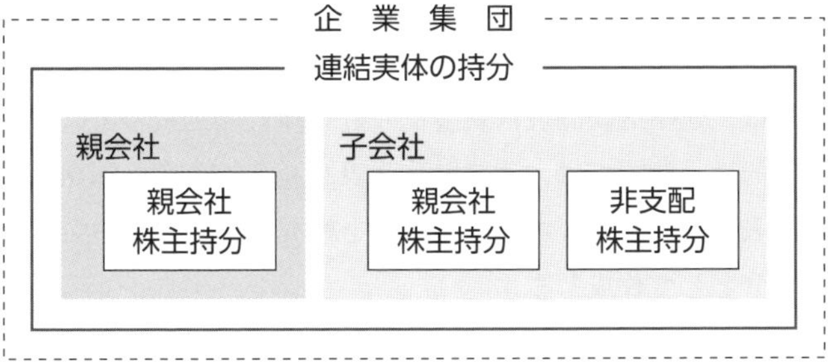

連結財務諸表に関する会計基準

51　連結財務諸表の作成については、親会社説と経済的単一体説の２つの考え方がある。いずれの考え方においても、単一の指揮下にある企業集団全体の資産・負債と収益・費用を連結財務諸表に表示するという点では変わりはないが、資本に関しては、親会社説は、連結財務諸表を親会社の財務諸表の延長線上に位置づけて、親会社の株主の持分のみを反映させる考え方であるのに対して、経済的単一体説は、連結財務諸表を親会社とは区別される企業集団全体の財務諸表と位置づけて、企業集団を構成するすべての連結会社の株主の持分を反映させる考え方であるという点で異なっている。

平成９年連結原則では、いずれの考え方によるべきかを検討した結果、従来どおり親会社説の考え方によることとしていた。（以下、省略）

親会社説の採用理由

平成９年連結原則で親会社説を採用した理由は、連結財務諸表が提供する情報は主として親会社の投資者を対象とするものであると考えられるとともに、親会社説による処理方法が企業集団の経営を巡る現実感覚をより適切に反映すると考えられるためです。

現行制度上の取扱いは、親会社説と整合するものもあれば、経済的単一体説と整合するものもあります。

連結財務諸表を作成した場合の相違点

親会社説と経済的単一体説は、いずれも企業集団の資産・負債と収益・費用を連結財務諸表に表示するという点では変わりがありませんが、資本の処理に関しては違いがあります。

親会社説では、連結財務諸表は親会社の財務諸表の延長線上に位置づけられますが、経済的単一体説では、連結財務諸表を親会社とは区別される企業集団全体の財務諸表として位置づけ、企業集団を構成するすべての会社の株主持分を連結上の持分として作成します。

Point 親会社説と経済的単一体説の相違点

	親　会　社　説	経済的単一体説
株主資本の位置づけ	親会社の株主に帰属する持分	企業集団を構成するすべての株主に帰属する持分
非支配株主持分の表示	純資産の部の株主資本以外に表示	純資産の部の株主資本に含める
連結純利益の位置づけ	親会社の株主に帰属する利益	企業集団を構成するすべての株主に帰属する利益
非支配株主に帰属する利益の表示	連結純利益の計算にあたり控除する形式で表示	連結純利益に含める

部分が現行制度上の取扱いです。

4：資本連結

理　計　Rank A

全面時価評価法

全面時価評価法とは、子会社の資産・負債のすべてを、支配獲得日の公正な評価額（時価）により評価する方法です。連結財務諸表の作成にあたっては、この評価方法によって行います。

資産・負債を時価評価したことによって生じた評価差額は、子会社の資本とし、投資と資本の相殺消去にあたって、他の資本項目と同様に相殺消去します。

資産・負債を時価評価した子会社の財務諸表と親会社の財務諸表を合算します。

プラスα　部分時価評価法と全面時価評価法

以前は、部分時価評価法も認められていましたが、平成20年の改正で部分時価評価法を削除し、全面時価評価法のみとしています。

	部分時価評価法	全面時価評価法
意　義	子会社の資産および負債のうち、親会社の持分に相当する部分については株式の取得日における時価により評価し、非支配株主持分に相当する部分については子会社の個別財務諸表上の金額による方法	支配獲得日において、子会社の資産および負債のすべてを支配獲得日の時価により評価する方法
立　場	親会社説と整合する	経済的単一体説と整合する

8：持分法で学習する関連会社に対する持分法の適用にあたっては、関連会社の資産・負債の評価方法として部分時価評価法が採用されています（ただし、本書では出題実績を踏まえ、この論点を省略しています）。

投資と資本の相殺消去

親会社の所有する子会社株式は、親会社の個別財務諸表では関係会社株式として表示され、子会社の個別財務諸表では株主資本として表示されますが、両者の財務諸表を単純に合算すると、関係会社株式と子会社の資本が両建てで表示されてしまいます。

そのため、この部分を相殺消去する必要があります。また、相殺消去の際に差額が生じることがありますが、借方に生じた場合は**のれん**として処理します。

Point 投資と資本の相殺消去

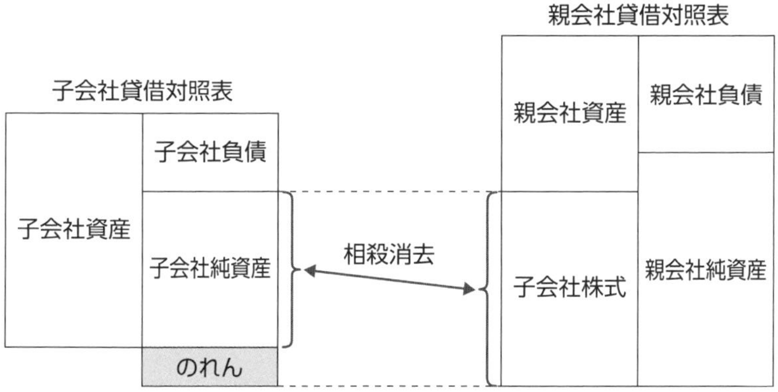

なお、差額が貸方に生じた場合は負ののれんとして処理します。

非支配株主持分

親会社が子会社の株式の100％を保有していない場合、親会社以外の子会社株主のことを、**非支配株主**といいます。

投資と資本の相殺消去の際は、子会社の純資産のうち非支配株主の株式保有割合にあたる部分を、**非支配株主持分**に振り替えます。

Point 非支配株主持分

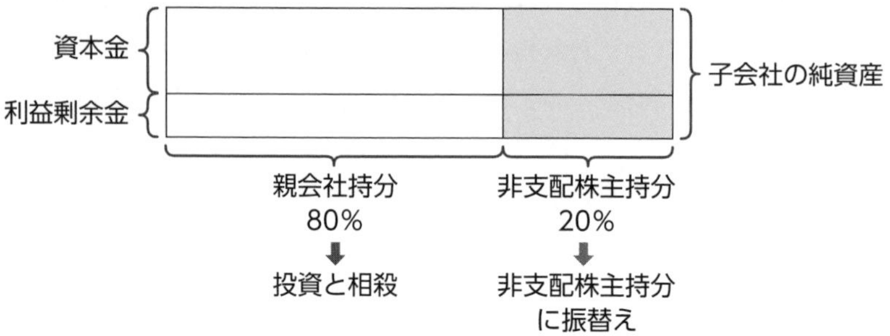

非支配株主持分は連結財務諸表の純資産の部に計上されます。

例題 連結財務諸表①

次の資料に基づいて、X2年3月31日における仕訳および連結貸借対照表を作成しなさい。

［資　料］

P社は、X2年3月31日にS社株式の80%を3,300千円で取得し、S社を子会社として支配した。なお、当事業年度は、両社ともX1年4月1日からX2年3月31日である。また、のれんは発生年度の翌年度から20年間で定額法により償却する。

1.　P社個別貸借対照表

貸　借　対　照　表

X2年3月31日　　　　（単位：千円）

借方科目	金　額	貸方科目	金　額
諸　資　産	46,500	諸　負　債	12,000
関係会社株式	3,300	資　本　金	30,000
		利益剰余金	7,800
合　　計	49,800	合　　計	49,800

2. S社個別貸借対照表

貸　借　対　照　表

X2年3月31日　　　　（単位：千円）

借方科目	金額	貸方科目	金額
諸資産	5,400	諸負債	1,800
		資本金	3,000
		利益剰余金	600
合計	5,400	合計	5,400

3. S社の諸資産のうち土地の帳簿価額は500千円であり、その時価は950千円である。

解答

（仕訳の単位：千円）

(1) 子会社の資産・負債の時価評価

（諸資産）	450	（評価差額）	450*

＊　時価950千円－簿価500千円＝450千円（評価差額）

(2) 連結修正仕訳

（資本金）	3,000	（関係会社株式）	3,300
（利益剰余金）	600	（非支配株主持分）	810*2
（評価差額）	450		
（のれん）	60*1		

＊1　関係会社株式3,300千円－（資本金3,000千円＋利益剰余金600千円＋評価差額450千円）×80%＝60千円

＊2　（資本金3,000千円＋利益剰余金600千円＋評価差額450千円）×（1－80%）＝810千円

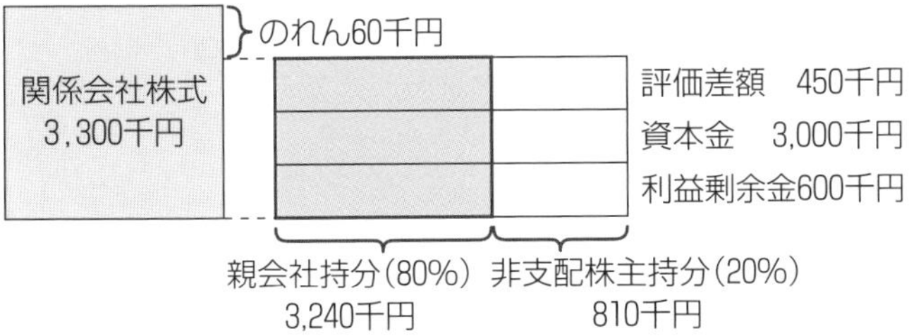

(3) **連結貸借対照表**

連結貸借対照表

X2年3月31日　　　　(単位：千円)

借方科目	金　額	貸方科目	金　額
諸資産	52,350	諸負債	13,800
のれん	60	資本金	30,000
		利益剰余金	7,800
		非支配株主持分	810
合計	52,410	合計	52,410

問題 >>> 問題編の**問題 1** に挑戦しましょう！

5：資本連結（支配獲得後）

計　Rank B

支配獲得後の連結財務諸表の作成と開始仕訳

支配獲得後の連結財務諸表の作成にあたっては、支配獲得後の親会社および子会社の個別財務諸表に基づいて、親会社が連結精算表により作成します。

また、連結財務諸表の作成を目的とする帳簿は設定されていないため、過去に行った処理を連結決算のつどやり直していかなければなりません。この処理は、連結決算にあたって最初に行われる連結修正仕訳であることから**開始仕訳**といいます。

開始仕訳においては、支配獲得日から前期末までに行った仕訳を再度行います。ただし、資本金や利益剰余金といった純資産項目については、連結株主資本等変動計算書の勘定科目に合わせて、資本金当期首残高、利益剰余金当期首残高を用います。

Point　支配獲得後の連結修正仕訳

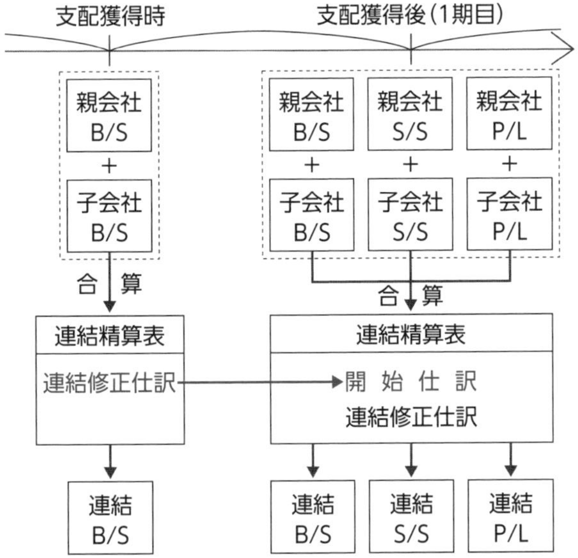

のれんの償却

投資と資本の相殺消去によってのれんが生じた場合、原則として20年以内に定額法等の方法で償却します。

負ののれんが生じた場合には、その期に一括で利益として処理します。

子会社の当期純利益の按分

連結損益計算書では、**当期純利益**から**非支配株主に帰属する当期純利益**を減額して、**親会社株主に帰属する当期純利益**を表示します。

ここで、子会社の当期純利益（子会社の利益剰余金の変動要因）のうち、連結損益計算書に計上される親会社株主に帰属する当期純利益の金額は、親会社株主持分のみです。

したがって、非支配株主持分相当額を親会社と子会社の当期純利益を単純合算した当期純利益から非支配株主に帰属する当期純利益として減額するとともに、**非支配株主持分当期変動額**として非支配株主持分に振り替える処理を行います。

Point 子会社の当期純利益の按分

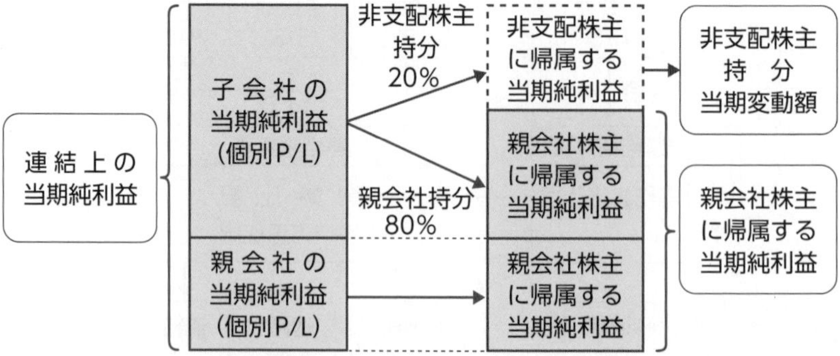

連結損益計算書のひな型は、**Chapter8の1：包括利益計算書**を参照してください。

子会社の剰余金の配当

(1) 非支配株主に対する配当

子会社の剰余金の配当のうち、非支配株主に対する配当（非支配株主持分相当額）は、連結上の剰余金の配当とはならないため消去するとともに、非支配株主持分当期変動額として非支配株主持分に振り替える処理を行います。

非支配株主に対する配当＝子会社の剰余金の配当×非支配株主持分比率

(2) 親会社に対する配当

子会社の剰余金の配当のうち、親会社に対する配当（親会社持分相当額）は受取配当金として親会社の損益計算書に計上されており、内部取引に該当するため、これを相殺消去しなければなりません。

親会社に対する配当＝子会社の剰余金の配当×親会社持分比率

プラスα

支配獲得後２期目以降の開始仕訳

２期目以降の開始仕訳は、その前の期までに行った連結修正仕訳をもう一度行います。

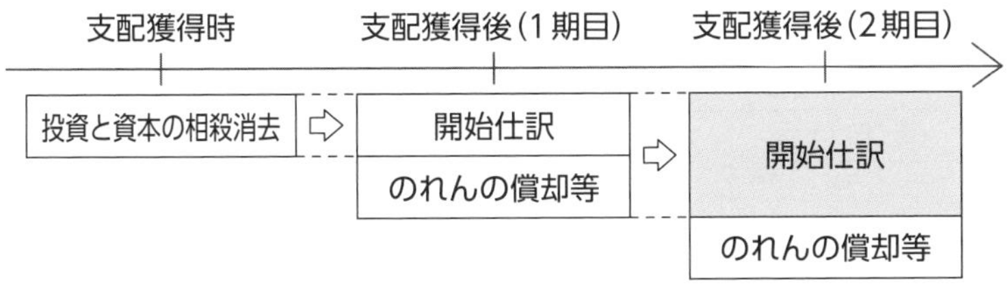

例題 連結財務諸表②

次の資料に基づいて、X3年3月31日における仕訳を示し、連結財務諸表を作成しなさい。

［資　料］

P社は、X2年3月31日にS社株式の80%を3,300千円で取得し、S社を子会社として支配した。なお、当事業年度は、両社ともX2年4月1日からX3年3月31日である。また、のれんは発生年度の翌年度から20年間で定額法により償却する。

(1)　P社個別財務諸表

損益計算書

自X2年4月1日　至X3年3月31日（単位：千円）

借方科目	金額	貸方科目	金額
諸費用	112,500	諸収益	120,000
当期純利益	7,500		
合計	120,000	合計	120,000

株主資本等変動計算書

自X2年4月1日　至X3年3月31日（単位：千円）

	株主資本		
	資本金	利益剰余金	株主資本合計
当期首残高	30,000	7,800	37,800
当期変動額			
剰余金の配当		△6,600	△6,600
当期純利益		7,500	7,500
当期末残高	30,000	8,700	38,700

貸借対照表

X3年3月31日　（単位：千円）

借方科目	金額	貸方科目	金額
諸資産	47,400	諸負債	12,000
関係会社株式	3,300	資本金	30,000
		利益剰余金	8,700
合計	50,700	合計	50,700

(2) S社個別財務諸表

損 益 計 算 書

自X2年4月1日 至X3年3月31日 (単位：千円)

借方科目	金 額	貸方科目	金 額
諸 費 用	9,870	諸 収 益	10,500
当期純利益	630		
合 計	10,500	合 計	10,500

株主資本等変動計算書

自X2年4月1日 至X3年3月31日 (単位：千円)

	株 主 資 本		
	資 本 金	利益剰余金	株主資本合計
当期首残高	3,000	600	3,600
当期変動額			
剰余金の配当		△540	△540
当期純利益		630	630
当期末残高	3,000	690	3,690

貸 借 対 照 表

X3年3月31日 (単位：千円)

借方科目	金 額	貸方科目	金 額
諸 資 産	5,430	諸 負 債	1,740
		資 本 金	3,000
		利益剰余金	690
合 計	5,430	合 計	5,430

(3) S社の諸資産のうち土地の帳簿価額は500千円であり、X2年3月31日における時価は950千円、X3年3月31日における時価は1,000千円であった。

解答

(仕訳の単位：千円)

(1) 子会社の資産・負債の時価評価

(諸　資　産)	450*	(評　価　差　額)	450

＊　時価950千円－簿価500千円＝450千円（評価差額）

(2) 連結修正仕訳

(資本金当期首残高)	3,000	(関係会社株式)	3,300
(利益剰余金当期首残高)	600	(非支配株主持分当期首残高)	810*[2]
(評　価　差　額)	450		
(の　れ　ん)	60*[1]		

＊1　関係会社株式3,300千円－(資本金3,000千円＋利益剰余金600千円＋評価差額450千円)×80%＝60千円

＊2　(資本金3,000千円＋利益剰余金600千円＋評価差額450千円)×(1－80%)＝810千円

(のれん償却額)	3*	(の　れ　ん)	3

＊　60千円×$\frac{1年}{20年}$＝3千円

(非支配株主に帰属する当期純利益)	126*	(非支配株主持分当期変動額)	126

＊　子会社当期純利益630千円×(1－80%)＝126千円

(非支配株主持分当期変動額)	108*[1]	(剰余金の配当)	540
(諸　収　益)	432*[2]		

＊1　子会社の剰余金の配当540千円×(1－80%)＝108千円

＊2　子会社の剰余金の配当540千円×80%＝432千円

(3) 連結財務諸表

連結損益計算書

自X2年4月1日　至X3年3月31日（単位：千円）

借方科目	金　額	貸方科目	金　額
諸　費　用	122,370	諸　収　益	130,068
のれん償却額	3		
非支配株主に帰属する当期純利益	126		
親会社株主に帰属する当期純利益	7,569		
合　計	130,068	合　計	130,068

連結株主資本等変動計算書

自X2年4月1日　至X3年3月31日　（単位：千円）

	株主資本			非支配株主持分
	資本金	利益剰余金	株主資本合計	
当期首残高	30,000	7,800	37,800	810
当期変動額				
剰余金の配当		△6,600	△6,600	
親会社株主に帰属する当期純利益		7,569	7,569	
株主資本以外の項目の当期変動額（純額）				18
当期末残高	30,000	8,769	38,769	828

連結貸借対照表

X3年3月31日　（単位：千円）

借方科目	金額	貸方科目	金額
諸資産	53,280	諸負債	13,740
のれん	57	資本金	30,000
		利益剰余金	8,769
		非支配株主持分	828
合計	53,337	合計	53,337

全面時価評価法で子会社の資産・負債を時価評価するため、土地は支配獲得日の時価で評価し、以降再評価しないことに注意しましょう。

問題 >>> 問題編の**問題2**に挑戦しましょう！

6：資本連結（追加取得と一部売却）理 計

Rank C

支配獲得後の追加取得

支配獲得日後に子会社株式を追加取得した場合、親会社が新たに取得した子会社株式を連結上、これに対応する子会社の資本と相殺消去する必要があります。

Point 追加取得

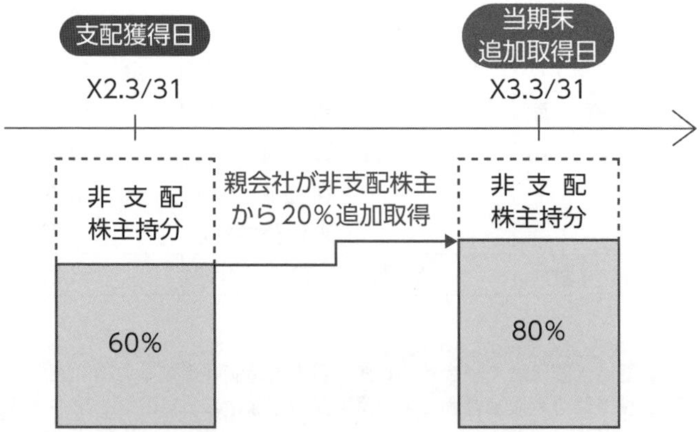

追加取得した子会社株式と、追加取得割合に相当する非支配株主持分を相殺し、差額があった場合には**資本剰余金**として処理します。

ただし、非支配株主持分は純資産項目なので、仕訳上は株主資本等変動計算書の項目である**非支配株主持分当期変動額**を用います。

なお、資本剰余金が負の値となる場合には、連結会計年度末において、資本剰余金をゼロとし、その負の値を利益剰余金から減額します。

プラスα

（参考）親会社持分の変動による差額を資本剰余金とする理由

国際的な会計基準では、支配を喪失する結果とならない親会社持分の変動（非支配株主との取引）は資本取引とされていました。これに対し、我が国の従来の会計処理方法では、以下のように損益に影響を与えてしまう実務上の課題が指摘されており、国際的な比較可能性が確保されていませんでした。そこで、平成25年改正会計基準では、親会社持分の変動による差額を資本剰余金として処理することになりました。

⑴　連結子会社による当該連結子会社の自己株式の取得と処分または非支配株主への第三者割当増資が繰り返された場合、親会社の投資に生じている評価益のうち、持分比率が上がった部分はのれんに計上され、持分比率が下がった部分は損益に計上されることが実務上起こり得ます。

⑵　連結財務諸表上、支配獲得時に子会社の資産および負債を全面的に評価替えしている限り、自社の株式を対価とする追加取得では、その前後において資産および負債に変化はありませんが、追加的なのれんが計上され、当該のれんの償却がその後の利益に影響してしまいます。

例題　追加取得

次の資料に基づいて、X3年3月31日における連結修正仕訳を示しなさい。

［資　料］

X2年3月31日にP社はS社の発行済株式の60％を240,000千円で取得し、支配を獲得した。

また、X3年3月31日にP社はS社の発行済株式の20％を100,000千円で追加取得した。X2年度のS社の当期純利益は60,000千円であった。

なお、S社の貸借対照表は次のとおりであり、S社のX2年3月31日における諸資産の時価は1,050,000千円である。のれんは発生年度の翌年度から10年間で定額法により償却する。

貸　借　対　照　表

X2年3月31日　　　　　(単位：千円)

借方科目	金　額	貸方科目	金　額
諸　資　産	1,020,000	諸　負　債	660,000
		資　本　金	210,000
		資本剰余金	50,000
		利益剰余金	100,000
合　計	1,020,000	合　計	1,020,000

貸　借　対　照　表

X3年3月31日　　　　　(単位：千円)

借方科目	金　額	貸方科目	金　額
諸　資　産	1,050,000	諸　負　債	630,000
		資　本　金	210,000
		資本剰余金	50,000
		利益剰余金	160,000
合　計	1,050,000	合　計	1,050,000

解答

(仕訳の単位：千円)

(1) 子会社の資産・負債の時価評価

(諸　資　産)	**30,000**	**(評　価　差　額)**	**30,000***

＊　時価1,050,000千円－簿価1,020,000千円＝30,000千円（評価差額）

(2) 投資と資本の相殺消去

(資本金当期首残高)	**210,000**	**(関係会社株式)**	**240,000**
(資本剰余金当期首残高)	**50,000**	**(非支配株主持分当期首残高)**	**156,000*1**
(利益剰余金当期首残高)	**100,000**		
(評　価　差　額)	**30,000**		
(の　れ　ん)	**6,000*2**		

＊1　(資本金210,000千円＋資本剰余金50,000千円
＋利益剰余金100,000千円＋評価差額30,000千円)×(1－60%)
＝156,000千円

＊2　関係会社株式240,000千円－(資本金210,000千円
＋資本剰余金50,000千円＋利益剰余金100,000千円
＋評価差額30,000千円)×60%＝6,000千円

(3) **子会社の当期純利益の按分**

(非支配株主に帰属する当期純利益)	24,000*	(非支配株主持分当期変動額)	24,000

＊ 子会社当期純利益60,000千円×(1－60%)＝24,000千円

期中の損益が確定した後の期末に追加取得しているため、純利益の振替えは追加取得前の非支配株主持分割合で行います。

(4) **のれんの償却**

(のれん償却額)	600*	(の　れ　ん)	600

＊ 6,000千円×$\frac{1年}{10年}$＝600千円

(5) **追加取得**

(非支配株主持分当期変動額)	90,000*1	(関係会社株式)	100,000
(資本剰余金持分の増減)	10,000*2		

＊1 (資本金210,000千円＋資本剰余金50,000千円
＋利益剰余金160,000千円＋評価差額30,000千円)×20%
＝90,000千円

＊2 貸借差額

追加取得の場合、のれんは出ません。なお、資本剰余金は、連結株主資本等変動計算書において、「非支配株主との取引に係る親会社の持分変動」として記載しますが、学習の便宜上、本書の仕訳では、「資本剰余金持分の増減」とします。

問題 >>> 問題編の**問題3**に挑戦しましょう！

子会社株式の一部売却

子会社株式を一部売却した場合、個別上では子会社株式の帳簿価額（取得原価）と売却価額との差額が売却損益として計上されています。

しかし、連結財務諸表では、支配が継続している限り、親会社の持分の減少額と売却価額との間に生じた差額は**資本剰余金**として処理します。そのため連結修正仕訳により、個別上の処理を修正します。

なお、資本剰余金が負の値となる場合には、連結会計年度末において、資本剰余金をゼロとし、その負の値を利益剰余金から減額します。

子会社株式を一部売却した場合、のれんの未償却額を減額しません。これは、支配が継続している限り、償却や減損を除き、のれんを減額すべきではないからです。また、追加取得時の処理と整合させるためでもあります。

Point 一部売却

〈個別上〉

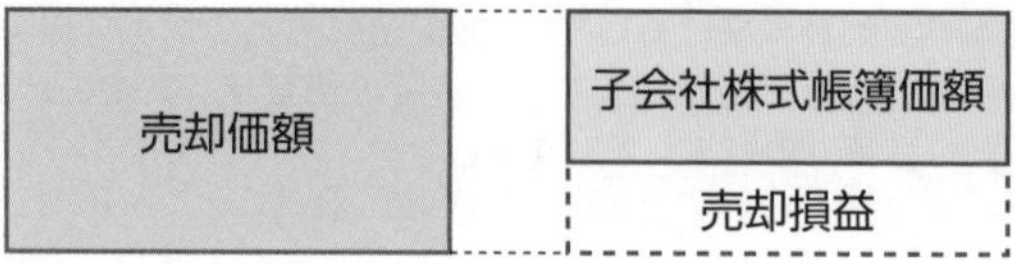

連結修正仕訳

〈連結上〉

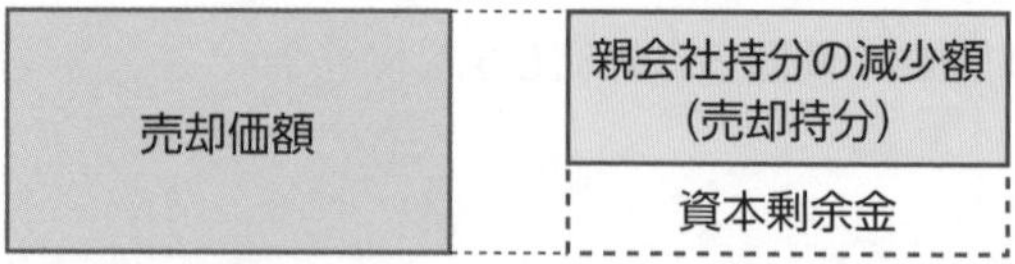

子会社の一部売却において関連する法人税等は、資本剰余金から控除されます。受験上は、問題の指示に従いましょう。

例題 **一部売却**

次の資料に基づいて、X3年3月31日における連結修正仕訳を示しなさい。

［資　料］

X2年3月31日にP社はS社の発行済株式の80%を318,000千円で取得し、支配を獲得した。

また、X3年3月31日にP社はS社の発行済株式の20%を91,000千円で売却した。X2年度のS社の当期純利益は75,000千円であり、当期に15,000千円の剰余金の配当を行っている。

なお、S社の貸借対照表は次のとおりであり、S社のX2年3月31日における諸資産の時価は1,050,000千円である。のれんは発生年度の翌年度から10年間で定額法により償却する。

P社は、S社株式の売却により、P社個別損益計算書に関係会社株式売却益11,500千円を計上している。

貸　借　対　照　表

X2年3月31日　　　　（単位：千円）

借方科目	金　額	貸方科目	金　額
諸　資　産	1,020,000	諸　負　債	660,000
		資　本　金	210,000
		資本剰余金	50,000
		利益剰余金	100,000
合　計	1,020,000	合　計	1,020,000

貸　借　対　照　表

X3年3月31日　　　　（単位：千円）

借方科目	金　額	貸方科目	金　額
諸　資　産	1,050,000	諸　負　債	630,000
		資　本　金	210,000
		資本剰余金	50,000
		利益剰余金	160,000
合　計	1,050,000	合　計	1,050,000

解答

（仕訳の単位：千円）

(1) 子会社の資産・負債の時価評価

（諸　資　産）	30,000	（評　価　差　額）	30,000*

＊　時価1,050,000千円－簿価1,020,000千円＝30,000千円（評価差額）

(2) 投資と資本の相殺消去

（資本金当期首残高）	210,000	（関係会社株式）	318,000
（資本剰余金当期首残高）	50,000	（非支配株主持分当期首残高）	78,000*1
（利益剰余金当期首残高）	100,000		
（評　価　差　額）	30,000		
（の　れ　ん）	6,000*2		

＊1　（資本金210,000千円＋資本剰余金50,000千円
　　＋利益剰余金100,000千円＋評価差額30,000千円）×（1－80%）
　　＝78,000千円

＊2　関係会社株式318,000千円－（資本金210,000千円
　　＋資本剰余金50,000千円＋利益剰余金100,000千円
　　＋評価差額30,000千円）×80%＝6,000千円

(3) 子会社の当期純利益の按分

（非支配株主に帰属する当期純利益）	15,000*	（非支配株主持分当期変動額）	15,000

＊　子会社当期純利益75,000千円×（1－80%）＝15,000千円

(4) 子会社の剰余金の配当

（受取配当金）	12,000*1	（剰余金の配当）	15,000
（非支配株主持分当期変動額）	3,000*2		

＊1　子会社の剰余金の配当15,000千円×80%＝12,000千円

＊2　子会社の剰余金の配当15,000千円×（1－80%）＝3,000千円

(5) のれんの償却

（のれん償却額）	600*	（の　れ　ん）	600

＊　6,000千円×$\frac{1\text{年}}{10\text{年}}$＝600千円

(6) **一部売却**

(関係会社株式)	79,500[*1]	(非支配株主持分当期変動額)	90,000[*2]
(関係会社株式売却益)	11,500	(資本剰余金持分の増減)	1,000[*3]

＊1　関係会社株式318,000千円×20%÷80%＝79,500千円

＊2　(資本金210,000千円＋資本剰余金50,000千円
＋利益剰余金160,000千円＋評価差額30,000千円)×20%
＝90,000千円

＊3　(帳簿価額79,500千円＋関係会社株式売却益11,500千円)
－親会社持分減少額90,000千円＝1,000千円

一部売却により親会社持分が減少しても、のれんの未償却額は減額せず、そのまま従来どおりの償却を続けます。なお、資本剰余金は、連結株主資本等変動計算書において、「非支配株主との取引に係る親会社の持分変動」として記載しますが、学習の便宜上、本書の仕訳では、「資本剰余金持分の増減」とします。

問題 >>> 問題編の**問題4**に挑戦しましょう！

7：成果連結

計　Rank A

内部取引の相殺消去

親会社と子会社は連携して事業を行っているため、連結会社間で資産を売買したり、資金の貸付け・借入れをしたりすることがあります。

しかし、連結会社間の取引は、企業集団全体の観点でみると単なる企業集団内での資産や資金の移動（内部取引）にすぎないので、連結財務諸表を作成するにあたって相殺消去する必要があります。

親子会社間の取引は、個別上ではどのように処理されていて、連結上はどうあるべきなのかをおさえることが重要です。なお、本書では、内部取引の相殺消去、債権・債務の相殺消去のことを成果連結とよびます。

商品売買取引

親子会社間で商品売買を行っている場合、企業集団全体の視点からみると、単なる企業集団内の商品の移動にすぎないため、消去する必要があります。

そのため、売上高と仕入高の相殺消去をするとともに、期末において売掛金および買掛金が存在している場合には、売掛金と買掛金の相殺消去も行うことになります。

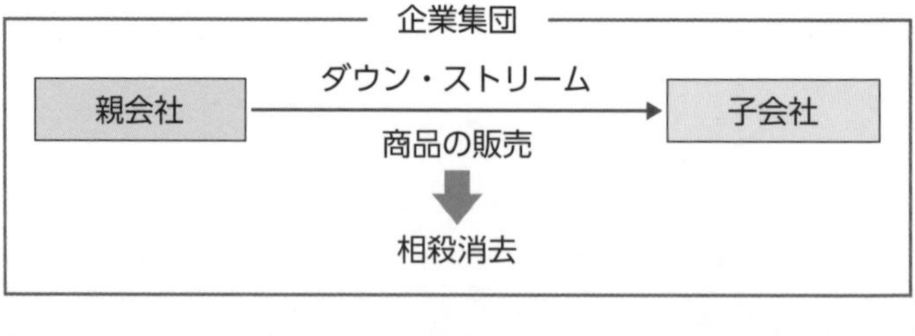

商品売買取引には、親会社が子会社に商品を販売する場合と、子会社が親会社に商品を販売する場合とがあり、前者をダウン・ストリーム、後者をアップ・ストリームといいます。本書では、ダウン・ストリームについて学習します。

貸倒引当金の調整

連結修正仕訳によって貸倒引当金の設定対象である金銭債権が減少した場合、当該債権に貸倒引当金が設定されているため、当該債権の減少に対応して貸倒引当金の減額修正を行います。

未実現損益の調整

子会社の期末商品に親会社からの仕入分がある場合、その商品には親会社が上乗せした利益が含まれているため、**未実現損益の調整**を行います。

Point 未実現損益の調整

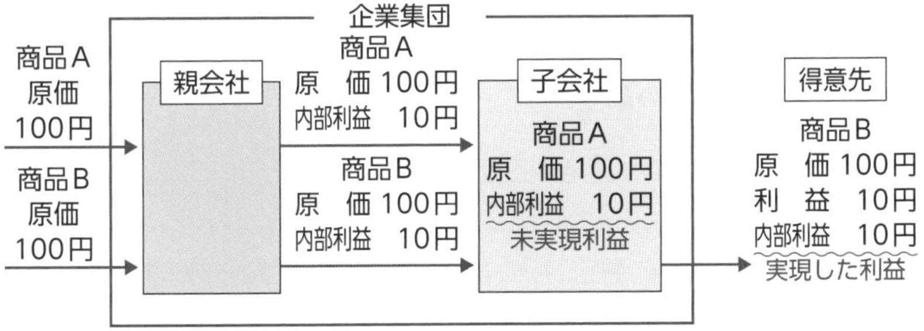

未達取引

親会社が販売した商品が子会社に未着であるなどの未達取引がある場合には、本支店会計と同様に、相殺消去に先立って未達取引の整理を行います。

未達商品がある場合、この商品は子会社の商品となるため、未達分も含めて未実現損益の調整を行うこととなります。

Point 未達取引（例：子会社への販売商品未達）

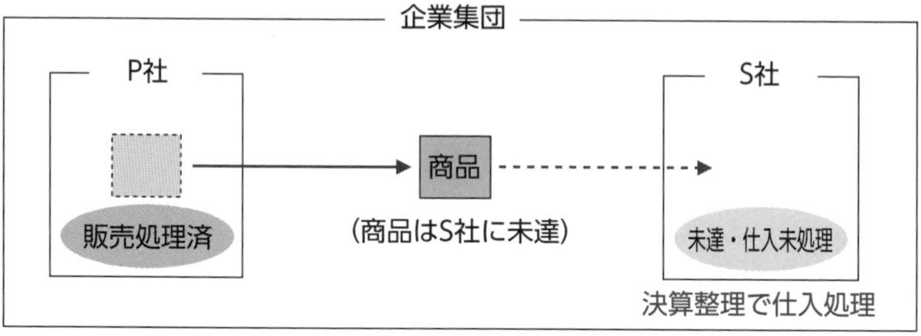

例題 **未実現損益の調整**

次の資料に基づいて、連結修正仕訳を示しなさい。

［資　料］

1．親会社Ｐ社は、子会社Ｓ社に対して、連結外部から仕入れた商品を、当期より利益率20%でＳ社に販売している。当期におけるＰ社からＳ社への売上高は10,800千円である。なお、Ｓ社の期末商品には、Ｐ社から仕入れた商品が810千円（未達商品を除く）含まれている。

2．Ｐ社の期末売掛金のうち、Ｓ社に対するものは1,500千円であり、Ｓ社の期末買掛金のうちＰ社に対するものは1,410千円（未達取引考慮前の金額）である。なお、Ｐ社のＳ社に対する売掛金とＳ社のＰ社に対する買掛金との差額は、未達商品によるものである。

　また、Ｐ社は金銭債権の期末残高に対して1%の貸倒引当金を設定している。

解答

（仕訳の単位：千円）

(1) 未達取引

(商　　　品)	90*	(買　掛　金)	90

＊　1,500千円－1,410千円＝90千円

(2) 売上高と仕入高の相殺消去

(売　上　高)	10,800	(売 上 原 価)	10,800

(3) 売掛金と買掛金の相殺消去

(買　掛　金)	1,500*	(売　掛　金)	1,500

＊　1,410千円＋90千円（未達）＝1,500千円

(4) 未実現損益の調整

(売 上 原 価)	180	(商　　　品)	180*

＊　(810千円＋90千円)×20%＝180千円

(5) 貸倒引当金の調整

(貸 倒 引 当 金)	15*	(貸倒引当金繰入額)	15

＊　売掛金1,500千円×1%＝15千円

本問では、子会社の期末商品在高が未達取引考慮前の金額で与えられています。未実現損益の調整をする際には、子会社の期末商品在高を未達取引考慮後の金額に修正してから計算することに注意しましょう。

問題 >>> 問題編の**問題5**に挑戦しましょう！

8：持分法

計 Rank C

概要

親会社は、原則としてすべての子会社を連結の範囲に含めなければなりません。

しかし、それだけでは、経営に対し重要な影響を与えている関連会社については連結の範囲から外されてしまうことになり、そのままでは、企業集団としての財務諸表である連結財務諸表の意義が薄れてしまいます。

そこで、連結財務諸表の作成に際し、これまで学習してきた連結会計を補充するものとして、関連会社に対して持分法が適用されます。

なお、持分法は連結財務諸表において適用されるものであり、本書では、他に子会社が存在しているという前提で学習していきます。

Point 持分法の適用範囲

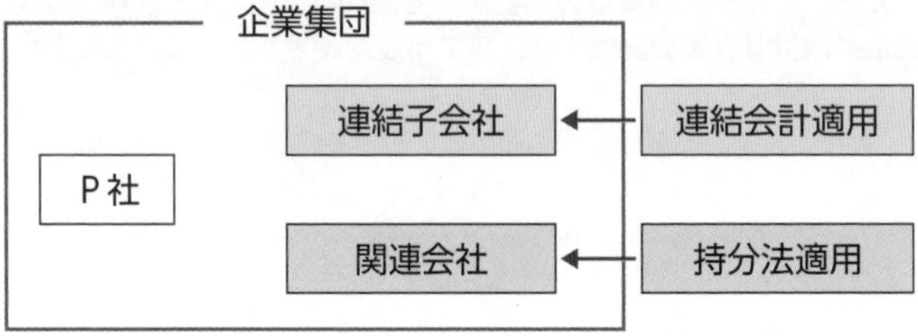

持分法

持分法とは、投資会社（親会社）が被投資会社（関連会社）の純資産および損益のうち投資会社（親会社）に帰属する部分の変動に応じて、その投資の額を連結決算日ごとに修正する方法をいいます。

Point 持分法の会計処理のイメージ

Ｐ社がＡ社発行済株式のうち20%を取得し、Ａ社の当期純利益が500千円だったときの持分法のイメージは次のようになります。

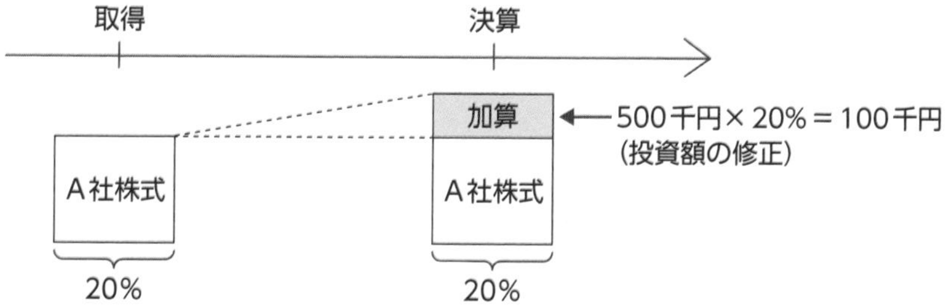

このとき、投資額の修正は、次のような持分法適用仕訳で処理します（単位：千円）。

(投資有価証券)	100	(持分法による投資損益)	100

持分法適用仕訳

(1) 持分法適用初年度

持分法適用初年度においては、関連会社の利益および純資産に変動はないため、持分法適用仕訳は不要です。

ただし、親会社の投資日における投資勘定の金額とこれに対応する関連会社の資本勘定の金額との間に差額がある場合には、当該差額は投資勘定の金額に含めたままで、のれんと同様の処理を行わなければなりません。したがって、持分法適用初年度には、のれん相当額を認識します。

仕訳なし

⑵ 持分法適用２年度

① のれんの償却

のれんの償却は、親会社の投資勘定を直接減算することにより行い、償却額は**持分法による投資損益勘定**として計上します。

(持分法による投資損益)	×××	(投資有価証券)	×××

② 当期純利益の計上

当期純利益のうち、親会社持分相当額を持分法による投資損益として計上し、投資勘定に加減する処理を行います。

(投資有価証券)	×××	(持分法による投資損益)	×××

③ 剰余金の配当

配当金のうち、親会社持分相当額を持分法による投資損益として計上し、投資勘定を減額する処理を行います。なお、配当金のうち親会社持分相当額については、親会社の損益計算書に受取配当金が計上されているため、これと相殺消去します。

(受取配当金)	×××	(投資有価証券)	×××

例題 持分法

次の資料に基づいて、X3年3月31日における連結決算に必要な持分法適用仕訳を示しなさい。

［資　料］

P社は、X2年3月31日にA社株式の20%を280千円で取得し、A社を持分法適用会社とした。なお、当事業年度は、両社ともX2年4月1日からX3年3月31日であり、A社への投資額は、投資有価証券へ組替修正済みである。また、のれん相当額は、発生年度の翌年度から20年間で定額法により償却する。

1.　P社のX2年3月31日における諸資本の構成

資本金：10,000千円　　利益剰余金：2,500千円

2.　A社個別財務諸表

損　益　計　算　書

自X2年4月1日　至X3年3月31日（単位：千円）

借方科目	金　額	貸方科目	金　額
諸　費　用	3,290	諸　収　益	3,500
当期純利益	210		
合　計	3,500	合　計	3,500

株主資本等変動計算書

自X2年4月1日　至X3年3月31日（単位：千円）

	株　主　資　本		
	資　本　金	利益剰余金	株主資本合計
当期首残高	1,000	200	1,200
当期変動額			
剰余金の配当		△180	△180
当期純利益		210	210
当期末残高	1,000	230	1,230

貸　借　対　照　表

X3年3月31日　　（単位：千円）

借方科目	金　額	貸方科目	金　額
諸　資　産	1,810	諸　負　債	580
		資　本　金	1,000
		利益剰余金	230
合　計	1,810	合　計	1,810

解答

（仕訳の単位：千円）

(1)　**開始仕訳**

仕　訳　な　し

⑵　**のれん相当額の償却**

(持分法による投資損益)	2*	(投資有価証券)	2

＊　のれん相当額の認識：
投資有価証券280千円－（Ａ社資本金1,000千円
＋Ａ社利益剰余金200千円）×20％＝40千円

$$40千円\times\frac{1年}{20年}=2千円$$

⑶　**当期純利益の認識**

(投資有価証券)	42	(持分法による投資損益)	42*

＊　210千円×20％＝42千円

⑷　**配当金の認識**

(受取配当金)	36	(投資有価証券)	36*

＊　180千円×20％＝36千円

参考 連結財務諸表における退職給付 理

連結財務諸表における退職給付の取扱い

平成24年に「退職給付に関する会計基準」が公表され、連結財務諸表における退職給付の会計処理が変更されました。

本試験での出題可能性はきわめて低いと考えられますので、個別財務諸表との相違点を中心におさえておきましょう。

Point 主な改正点

(1) 用語の変更について

改正前		改正後
退職給付引当金	→	退職給付に係る負債 ★
前払年金費用	→	退職給付に係る資産 ★
過去勤務債務	→	過去勤務費用
期待運用収益率	→	長期期待運用収益率

(2) 未認識数理計算上の差異と未認識過去勤務費用の処理

遅延認識 → その他の包括利益として即時認識 ★

(3) 退職給付見込額の計算方法

期間定額基準 → 期間定額基準 または 給付算定式基準

※★で示した箇所は、当面、連結財務諸表にのみ適用され、個別財務諸表は従来と同様の処理を行います。

連結貸借対照表の取扱い

⑴ 会計処理

退職給付債務から年金資産の額を控除した額（積立状況を示す額）を負債として計上します。

ただし、年金資産の額が退職給付債務を超える場合には、資産として計上します。

個別上ではオフバランスされていた「未認識数理計算上の差異」および「未認識過去勤務費用」を連結上ではオンバランスすることになります。なお、貸借対照表に計上することをオンバランス、計上しないことをオフバランスといいます。

⑵ 表示

積立状況を示す額について、負債となる場合は**退職給付に係る負債**等の適当な科目をもって固定負債に計上し、資産となる場合は**退職給付に係る資産**等の適当な科目をもって固定資産に計上します。

また、未認識数理計算上の差異および未認識過去勤務費用については、税効果を調整のうえ、純資産の部におけるその他の包括利益累計額に**退職給付に係る調整累計額**等の適当な科目をもって計上します。

Point 連結貸借対照表での取扱い

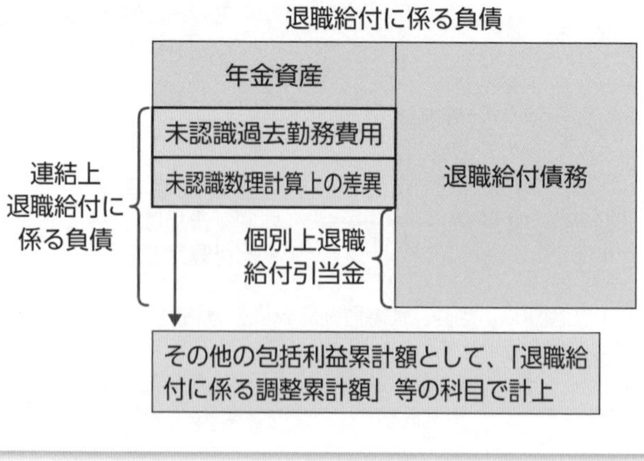

連結損益計算書および連結包括利益計算書（または連結損益および包括利益計算書）

(1) **会計処理**

数理計算上の差異の当期発生額および過去勤務費用の当期発生額のうち、費用処理されない部分（個別上、未認識数理計算上の差異および未認識過去勤務費用となる部分）は、**その他の包括利益**に含めて計上します。

その他の包括利益累計額に計上されている未認識数理計算上の差異および未認識過去勤務費用のうち、当期に費用処理された部分については、**その他の包括利益の調整（組替調整）**を行います。

(2) **表示**

退職給付費用については、原則として売上原価または販売費及び一般管理費に計上します。

Point 連結損益計算書上の取扱い

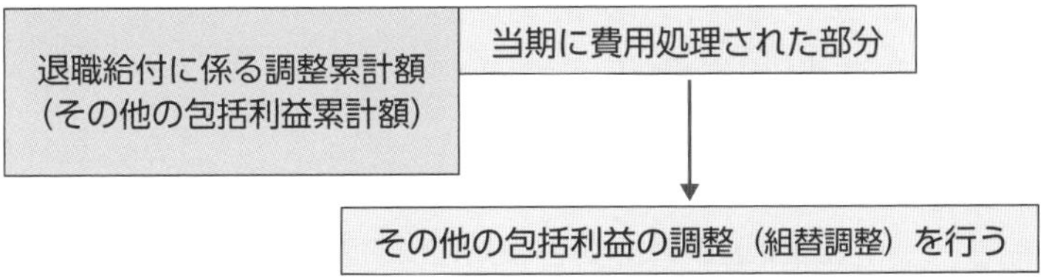

プラス α　従来の基準の問題点

従来、数理計算上の差異および過去勤務費用を平均残存勤務期間以内の一定の年数で規則的に処理することとし、費用処理されない部分（未認識数理計算上の差異および未認識過去勤務費用）については貸借対照表に計上せず、これに対応する部分を除いた、積立状況を示す額を負債（または資産）として計上することとしていました。

しかし、一部が除かれた積立状況を示す額を貸借対照表に計上する場合、積立超過のときに負債（退職給付引当金）が計上されたり、積立不足のときに資産（前払年金費用）が計上されたりすることがありうるなど、退職給付制度に係る状況について財務諸表利用者の理解を妨げているという指摘をふまえて、基準の改正に至りました。

(1)　積立超過の場合（年金資産＞退職給付債務）にもかかわらず従来の基準では負債が計上されるケース

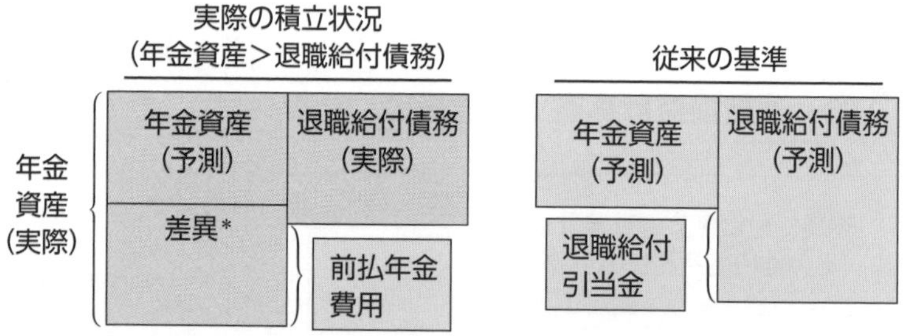

＊未認識数理計算上の差異および未認識過去勤務費用

(2)　積立不足の場合（年金資産＜退職給付債務）にもかかわらず従来の基準では資産が計上されるケース

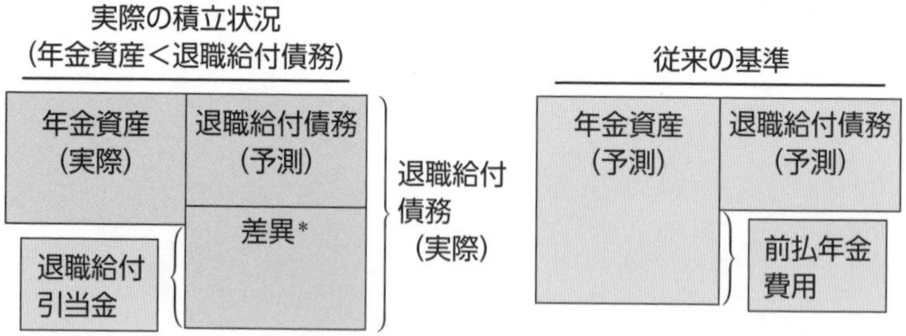

＊未認識数理計算上の差異および未認識過去勤務費用

CHAPTER

7

中間財務諸表・四半期財務諸表

ここでは、いったん年度の財務諸表から離れて、中間財務諸表と四半期財務諸表について学習します。試験ではまだ出題されていませんが、実務上の一般知識としてはそれなりに重要です。制度の概要に目を通しておくとともに、基礎的な論点を押さえましょう。

Chapter 7

構造論点・その他の論点

中間財務諸表・四半期財務諸表

>>期首から3、6、9カ月の期間について
作成される財務諸表です！

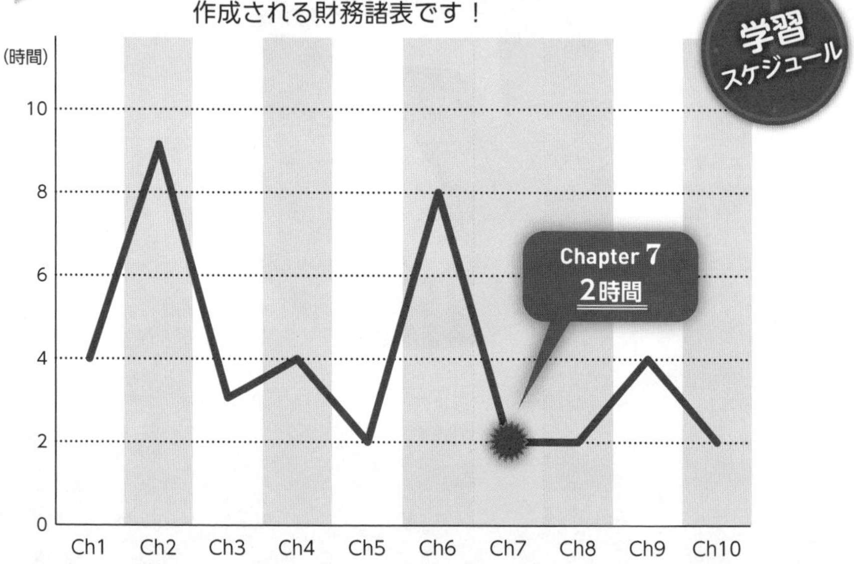

Check List

- □ 四半期財務諸表の性格、内容を理解しているか？
- □ 実績主義と予測主義の対比を理解しているか？
- □ 四半期財務諸表の範囲を理解しているか？
- □ 中間財務諸表の性格・内容・範囲を理解しているか？

Link to

簿記論では、中間財務諸表・四半期財務諸表については学習しません。

財務諸表論でも、出題されるとすれば中間財務諸表・四半期財務諸表の理論的背景を中心に出題されると思いますので、理論的背景を中心に学習しましょう。

1：中間財務諸表と四半期財務諸表 理

Rank C

中間財務諸表と四半期財務諸表

中間財務諸表・四半期財務諸表は、いずれも**上場企業等**に開示が義務づけられています。

中間財務諸表は、金融商品取引法に基づく開示書類である**半期報告書**に掲載されます。

四半期財務諸表は、証券取引所のルールに基づく開示書類である**四半期決算短信**に掲載されます。

学習上は、当然ながら中間財務諸表・四半期財務諸表より年度の財務諸表の方が重要です。また、会社法による開示を重視している税理士試験では、上場企業等が開示する中間財務諸表、四半期財務諸表はほとんど出題されない論点です。したがって、本章は実務上の一般知識として目を通しておきましょう。

プラスα （参考）企業内容等開示制度（ディスクロージャー）

根拠法令等	対象会社	年度決算開示書類	中間決算開示書類	四半期決算開示書類	財務諸表監査等の要否
会社法	全ての株式会社(*1)	事業報告、計算書類(*2)	-	-	不要(*3)
金融商品取引法	上場企業等	有価証券報告書	半期報告書(*4)	- (*4)	必要
証券取引所の規則	上場企業	決算短信	- (*5)	四半期決算短信	不要(*6)

＊1　大会社はB/S、P/Lの開示が必要。それ以外の会社はB/Sのみ。

＊2　自社のホームページで計算書類を開示する、官報、日刊新聞紙に計算書類の要旨を掲載するなど、複数の公告方法が認められている。また、事業報告及び計算書類は株主総会招集通知に添付される。

＊3　大会社等は必要。

＊4　2024年4月1日から四半期報告書を廃止し、半期報告書の作成開示を義務づけた。

＊5　四半期開示のひとつとして開示される（第2四半期）。

＊6　第1及び第3四半期開示について、任意で公認会計士等によるレビューを受けることができる。

会社法、金融商品取引法（金商法）に基づく開示は法定開示、証券取引所の規則に基づく決算短信は適時開示に分類されます。このうち決算短信は、もともと上場企業が投資家に向けて自主的に発信を始めたものであり、速報性を重視しているため、原則として、公認会計士等による監査やレビューは不要とされています。上場会社の場合、決算短信、会社法開示、金商法開示の順に開示内容が詳細になっていき、企業の作成負担も重くなります。

2：四半期財務諸表

理　Rank C

四半期財務諸表の性格

四半期財務諸表の性格づけについては、**実績主義**と**予測主義**という２つの考え方があります。

(1)　**実績主義**

実績主義とは、四半期会計期間を年度と並ぶ一会計期間とみたうえで、四半期財務諸表を、原則として、年度の財務諸表と同じ会計方針を適用して作成することにより、当該四半期会計期間に係る企業集団または、企業の財政状態、経営成績およびキャッシュ・フローの状況に関する情報を提供するという考え方です。

(2)　**予測主義**

予測主義とは、四半期会計期間を年度の一構成部分と位置づけて、四半期財務諸表を、年度の財務諸表と部分的に異なる会計方針を適用して作成することにより、当該四半期会計期間を含む年度の業績予測に資する情報を提供するという考え方です。

制度上は、実績主義の考え方が採用されています。
ただし、事業の性質上営業収益または営業費用に著しい季節的変動がある場合には、その状況を注記します。また、四半期特有の会計処理（原価差異の繰延処理と税金費用の計算）が認められています。

Point 実績主義と予測主義

実績主義と予測主義では、四半期の位置づけ、作成方法、情報提供の考え方にそれぞれ違いがあります。

	実績主義	予測主義
四半期の位置づけ	年度と並ぶ一会計期間	年度の一構成部分
作成方法	原則として年度の財務諸表と同じ会計方針を適用	年度の財務諸表と部分的に異なる会計方針を適用
情報提供の考え方	当該四半期会計期間に係る企業集団または企業の財政状態、経営成績およびキャッシュ・フローの状況に関する情報を提供	当該四半期会計期間を含む年度の業績予測に資する情報を提供

実績主義を採用する理由

基準では、次の理由により実績主義を採用しています。

理由	四半期会計期間の実績を明らかにすることにより、将来の業績予測に資する情報を提供するものと位置づけることが適当と考えられるため
	恣意的な判断が介入しにくいことや、実行面での計算手続が明確であることなどの点で、予測主義よりも優れていると考えられるため
	季節変動性については、実績主義によっても十分な定性的情報や前年同期比較を開示することにより対応できると考えられるため

プラスα 四半期財務諸表の範囲

四半期連結財務諸表	
1計算書方式	2計算書方式
・四半期連結貸借対照表 ・四半期連結損益及び包括利益計算書 ・四半期連結キャッシュ・フロー計算書	・四半期連結貸借対照表 ・四半期連結損益計算書 ・四半期連結包括利益計算書 ・四半期連結キャッシュ・フロー計算書
四半期個別財務諸表	
・四半期個別貸借対照表 ・四半期個別損益計算書 ・四半期個別キャッシュ・フロー計算書	

※　四半期連結財務諸表を開示する場合、四半期個別財務諸表の開示は必要ありません。

※　第１四半期および第３四半期において、四半期（連結）キャッシュ・フロー計算書の開示を省略することができますが、省略する場合、第１四半期より行います。

Study 四半期（連結）株主資本等変動計算書

株主資本等変動計算書は四半期財務諸表の範囲に含まれないのですか？

四半期制度が定着している米国の状況や四半期開示の適時性の要請などを踏まえて、四半期（連結）株主資本等変動計算書の開示は求めないことになっています。株主資本の金額に著しい変動があった場合には、主な変動事由を注記事項として開示すればいいのです。

四半期財務諸表に関する会計基準

四半期財務諸表等の開示対象期間

7　四半期報告書に含まれる財務諸表の開示対象期間は次のとおりとする。

(1)　四半期会計期間の末日の四半期貸借対照表及び前年度の末日の要約貸借対照表

(2)　期首からの累計期間の四半期損益及び包括利益計算書又は四半期損益計算書及び四半期包括利益計算書、並びに前年度における対応する期間の四半期損益及び包括利益計算書又は四半期損益計算書及び四半期包括利益計算書

(3)　期首からの累計期間の四半期キャッシュ・フロー計算書及び前年度における対応する期間の四半期キャッシュ・フロー計算書

四半期P/L、C/Sの開示対象期間は期首からの「累計期間」です。たとえば、第３四半期P/Lの開示対象期間は、第３四半期の期首からではなく、会計期間の期首から第３四半期の期末までです。なお、四半期「会計期間」のP/Lをあわせて開示することもできます。

四半期財務諸表の特徴

四半期財務諸表は、簡便的な会計処理によることが認められています。

これは、四半期財務諸表は年度の財務諸表よりも開示の迅速性が求められているためです。

四半期財務諸表に関する会計基準

47　四半期財務諸表は、年度の財務諸表（中略）よりも開示の迅速性が求められている。本会計基準では、この点を踏まえ、四半期会計期間及び期首からの累計期間に係る企業集団又は企業の財政状態、経営成績及びキャッシュ・フローの状況に関する財務諸表利用者の判断を誤らせない限り、（中略）簡便的な会計処理によることができることとした。（以下、省略）

問題 >>> 問題編の**問題１**に挑戦しましょう！

3：中間財務諸表

理 Rank C

中間財務諸表とは

中間財務諸表とは、期首から６か月間を１つの会計期間（中間会計期間）とする財務諸表をいいます。

（注）以下、上場企業の場合を前提として説明します。

上場企業については、従来は、金融商品取引法により、第１四半期、第２四半期及び第３四半期に四半期財務諸表を作成し開示するものとされていましたが、2024年４月１日より第１四半期及び第３四半期においては、四半期財務諸表を作成し開示する義務が廃止され、中間会計期間に中間財務諸表を作成し開示することになりました。

この結果、上場企業は、第１四半期及び第３四半期には四半期財務諸表を作成し（四半期決算短信）、中間会計期間には中間財務諸表を作成し（四半期決算短信と半期報告書）、開示することになります。年度決算では財務諸表を作成し開示します（決算短信、事業報告及び計算書類、有価証券報告書）。

中間財務諸表の取扱い

⑴　性格

中間財務諸表の性格づけについては、四半期会計基準の考え方を踏襲し、**実績主義**の考え方が採用されています。

⑵　範囲

中間財務諸表の範囲は、四半期財務諸表と同様であり、具体的には、以下のとおりになります。

中間連結財務諸表	
1計算書方式	2計算書方式
・中間連結貸借対照表	・中間連結貸借対照表
・中間連結損益及び包括利益計算書	・中間連結損益計算書
	・中間連結包括利益計算書
・中間連結キャッシュ・フロー計算書	・中間連結キャッシュ・フロー計算書
中間個別財務諸表	
・中間個別財務諸表	
・中間個別損益計算書	
・中間個別キャッシュ・フロー計算書	

※　中間連結財務諸表を開示する場合、中間個別財務諸表の開示は必要ありません。

(3) 特徴

中間財務諸表は、四半期財務諸表と同様に、**簡便的な会計処理**によることが認められています。

Point 中間財務諸表と四半期財務諸表

中間財務諸表は「中間財務諸表に関する会計基準」に、四半期財務諸表は「四半期財務諸表に関する会計基準」に基づいて作成されます。

「中間財務諸表に関する会計基準」は、中間財務諸表の記載内容が従前の第２四半期報告書と同程度の記載内容となるように、基本的には「四半期財務諸表に関する会計基準」の会計処理及び開示を引き継いでいます。

したがって、中間財務諸表と四半期財務諸表の間には、企業の報告頻度（中間または四半期）が異なることにより生じる取扱いの差異を除いて、大きく異なる点はありません。

プラスα （参考）今後の基準開発の方向性

上場会社の観点からは、四半期財務諸表と中間財務諸表は連続したものとして作成することから、同じ会計基準に基づいて四半期財務諸表と中間財務諸表を作成すべきであると考えられます。

また、財務諸表利用者の観点からも、四半期財務諸表と中間財務諸表との間で期間比較できるように、四半期財務諸表と中間財務諸表は同じ会計基準に基づいて作成すべきであると考えられます。

こうした点を踏まえて、今後、企業の報告頻度（中間または四半期）が異なることにより生じる「中間財務諸表に関する会計基準」と「四半期財務諸表に関する会計基準」の取扱いの差異を解消するため、2つの基準を統合した会計基準等の開発の要否について検討することとされています。

CHAPTER

8

包括利益計算書

　ここでは、包括利益計算書について学習します。

　包括利益計算書については比較的新しい論点なので、用語や理論的背景についてはしっかりおさえましょう。

Chapter 8

構造論点・その他の論点

包括利益計算書

>>純利益とは別の利益を計算します！

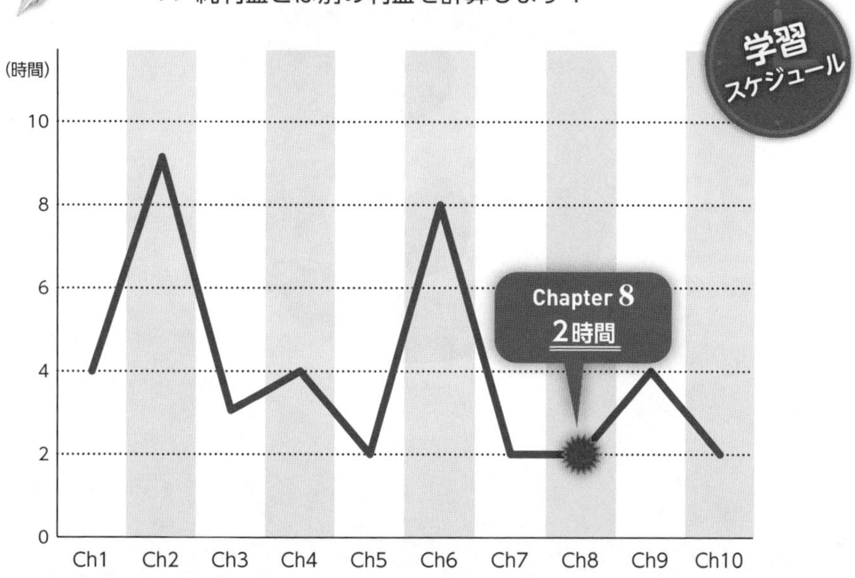

Check List

- □ 包括利益およびその他の包括利益の意義を理解しているか？
- □ 包括利益を表示する計算書を２つ答えられるか？
- □ 包括利益と純利益の関係を理解しているか？
- □ 包括利益を表示する目的を理解しているか？

Link to 簿記論④　Chapter6 連結財務諸表

簿記論では、この論点については参考として扱う程度です。

したがって、このChapterでは理論問題を前提とした、基本的な用語の定義や包括利益計算書が導入された背景などをおさえておきましょう。

1：包括利益計算書

理 計 Rank A

包括利益の表示に関する会計基準

　これまでわが国の会計基準では、**包括利益**の表示は求められておらず、国際的な会計基準においてその他の包括利益として表示されている項目の期末残高は、評価・換算差額等として貸借対照表に計上されていました。

　しかし、近年、国際的な会計基準の動きに対応するため、当期純利益の表示の維持を前提としたうえで、包括利益の表示の導入を検討し、「包括利益の表示に関する会計基準」を公表しました。

なお、「包括利益の表示に関する会計基準」では個別財務諸表における包括利益の規定も定められていますが、当面の間は個別財務諸表には適用しないこととされています。

包括利益とその他の包括利益

包括利益と**その他の包括利益**は次のように定義されます。

<table>
<tr><td rowspan="2">包括利益</td><td>包括利益とは、ある企業の特定期間の財務諸表において認識された純資産の変動額のうち、当該企業の純資産に対する持分所有者との直接的な取引によらない部分をいう。
純資産に対する持分所有者には、当該企業の株主のほか、当該企業の発行する新株予約権者等が含まれ、連結財務諸表においては、当該企業の子会社の非支配株主も含まれる。</td></tr>
<tr><td>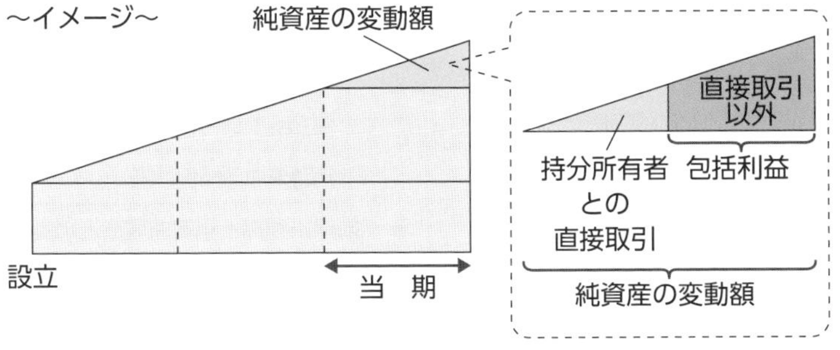
</td></tr>
</table>

その他の包括利益

その他の包括利益とは、包括利益のうち当期純利益に含まれない部分をいう。具体的には、評価・換算差額等として貸借対照表に表示されていたものをいう。

～イメージ～

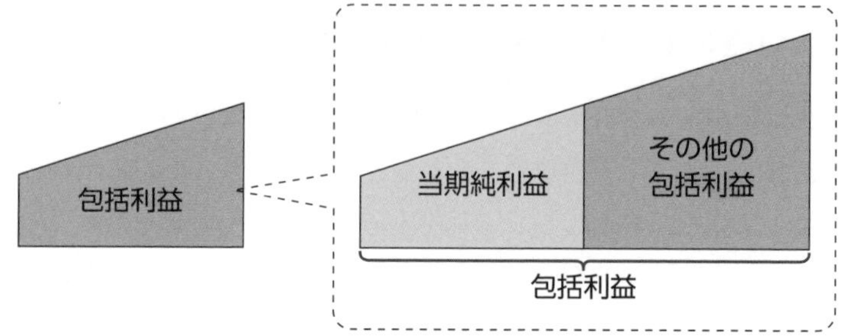

包括利益を表示する計算書

包括利益を表示する計算書は、**2計算書方式**および**1計算書方式**のいずれかの形式により表示します。

2 計 算 書 方 式

当期純利益を計算する連結損益計算書と、包括利益を計算する連結包括利益計算書とで表示する形式

連 結 損 益 計 算 書

⋮	⋮	⋮
税金等調整前当期純利益		××
法人税、住民税及び事業税	××	
法人税等調整額	××	××
当期純利益		××
非支配株主に帰属する当期純利益		××
親会社株主に帰属する当期純利益		××

連結包括利益計算書

当期純利益		××
その他の包括利益		
その他有価証券評価差額金	××*	
繰延ヘッジ損益	××*	××
包括利益		××
(内訳)		
親会社株主に係る包括利益		××
非支配株主に係る包括利益		××

* 前期末残高と当期末残高との純増減額

1計算書方式

当期純利益の計算と包括利益の計算を1つの計算書（連結損益及び包括利益計算書）で表示する形式

連結損益及び包括利益計算書

：	：	：
税金等調整前当期純利益		××
法人税、住民税及び事業税	××	
法人税等調整額	××	××
当期純利益		××
（内訳）		
親会社株主に帰属する当期純利益		××
非支配株主に帰属する当期純利益		××
その他の包括利益		
その他有価証券評価差額金	××*	
繰延ヘッジ損益	××*	××
包括利益		××
（内訳）		
親会社株主に係る包括利益		××
非支配株主に係る包括利益		××

＊　前期末残高と当期末残高との純増減額

1計算書方式と2計算書方式の選択適用が認められた理由

当期純利益を重視する観点からは、1計算書方式では包括利益が強調されすぎる可能性がある等の理由で、当期純利益と包括利益が明確に区分される2計算書方式が支持されました。

しかし、1計算書方式には、一覧性、明瞭性、理解可能性等の点で利点があり、また、包括利益の内訳として表示される内容は2計算書方式と同様です。

したがって、選択制にしても比較可能性を著しく損なうものではないと考えられること等を考慮して、2計算書方式とともに、1計算書方式の選択も認められました。

プラスα 包括利益の計算の表示

当期純利益にその他の包括利益の内訳項目を加減して包括利益を表示します。

包括利益と純利益（親会社株主に帰属する部分）の関係

包括利益のうち投資のリスクから解放されていない部分を除き、過年度に計上された包括利益のうち期中に投資のリスクから解放された部分を加え、非支配株主に帰属する当期純利益を控除すると、純利益（親会社株主に帰属する部分）が求められます。

親会社株主に帰属する当期純利益
　＝当期の包括利益－投資のリスクから解放されていない部分
　＋過年度の包括利益のうち期中に投資のリスクから解放された部分
　－非支配株主に帰属する当期純利益

プラスα 組替調整（リサイクリング）

過年度に計上された包括利益のうち、期中に投資のリスクから解放された部分を加えることを組替調整（リサイクリング）といいます。

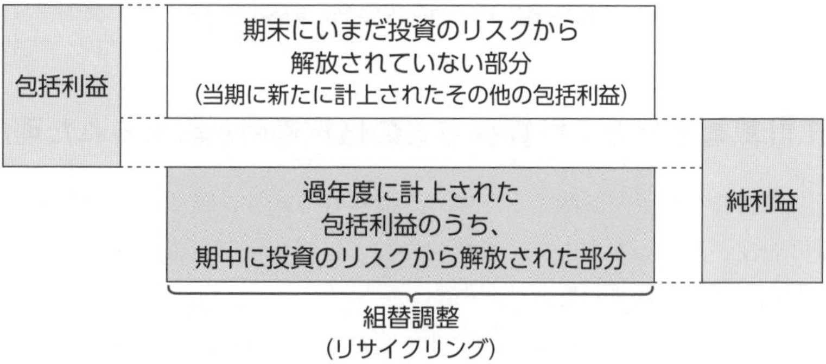

例題　包括利益

次の取引に基づいて、第１期および第２期の当期純利益、その他の包括利益および包括利益の金額を算定しなさい。

(1)　第１期首においてＡ社株式（その他有価証券）を150千円で取得した。

(2)　第１期末における当該株式の時価は180千円であった。

(3)　第２期末において当該株式を225千円で売却した。

解答

〈第１期〉

当期純利益	0円
その他の包括利益	30千円
包括利益	30千円[*1]

〈第２期〉

当期純利益	75千円[*2]
その他の包括利益	△30千円
包括利益	45千円[*3]

＊１　第１期における純資産の増加額

＊２　第２期における純資産の増加額のうち、第２期において投資のリスクから解放された額

＊３　第２期における純資産の増加額

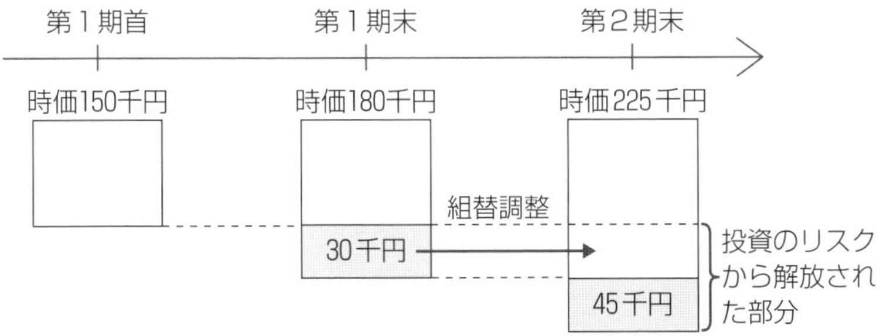

プラスα 利益を生み出す投資の正味ストック（元本）との関係

利益の情報を利用することは、同時に、その利益を生み出す投資のストックの情報を利用するという意味も含まれています。

その理由は、投資の成果については、その絶対的な大きさのみならず、投資のストックと比較した収益性（あるいは効率性）も重視されるからです。

純利益（親会社株主に帰属する部分）
を生み出す投資の正味ストック…株主資本
包括利益を生み出す投資の正味ストック…純 資 産

2：包括利益を表示する目的

理 Rank A

包括利益を表示する目的

包括利益を表示する目的は、期中に認識された取引および経済的事象（企業の純資産に対する持分所有者との直接的な取引を除く）により生じた純資産の変動を報告することです。これにより、次のような効果が期待されます。

- 包括利益の表示によって提供される情報は、投資家等の財務諸表利用者が企業全体の事業活動について検討するのに役立つこと。
- 貸借対照表との連携（純資産と包括利益とのクリーン・サープラス関係）を明示することを通じて、財務諸表の理解可能性と比較可能性を高めるものと考えられること。
- 当期純利益に関する情報とあわせて利用することにより、企業活動の成果についての情報の全体的な有用性を高めるものと考えられること。

Point 損益及び包括利益計算書と貸借対照表の連携

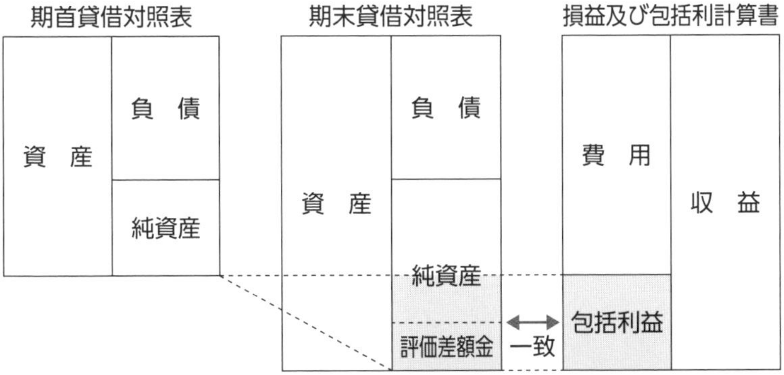

損益及び包括利益計算書と貸借対照表との連携を明示
（クリーン・サープラス関係の成立）

↓

財務諸表の理解可能性と比較可能性を高める

問題 >>> 問題編の**問題 1** に挑戦しましょう！

CHAPTER 9

キャッシュ・フロー計算書

ここでは、キャッシュ・フロー計算書について学習します。これは損益計算書・貸借対照表と同様に企業活動全体について重要な情報を提供する計算書類です。

Chapter 9

構造論点・その他の論点

キャッシュ・フロー計算書

>>現金主義による計算書です！

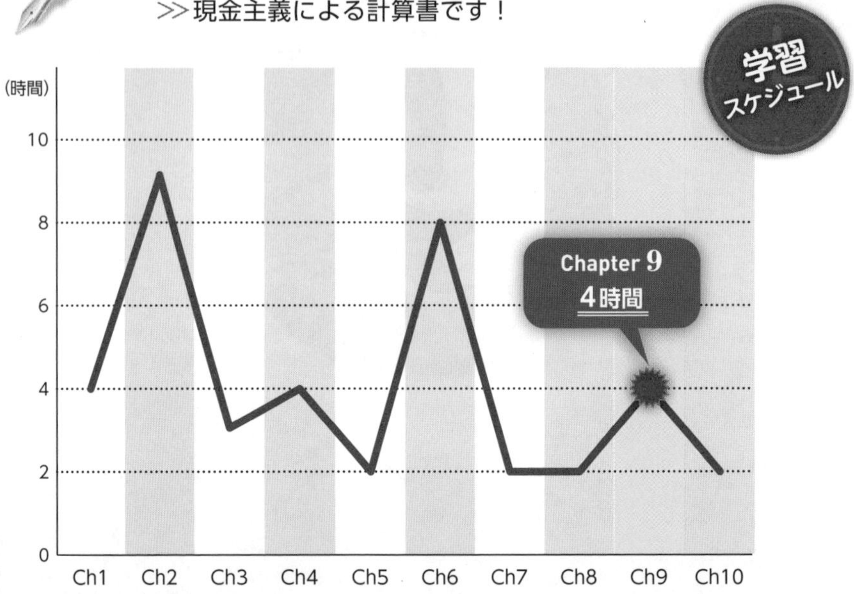

Check List

- □キャッシュ・フロー計算書の目的を理解しているか？
- □キャッシュ・フロー計算書の必要性を理解しているか？
- □キャッシュ・フロー計算書における資金の範囲を理解しているか？
- □キャッシュ・フロー計算書の表示区分を理解しているか？
- □直接法と間接法を理解しているか？

Link to **簿記論④　Chapter7 キャッシュ・フロー計算書**

簿記論でも、このChapterで扱うキャッシュ・フロー計算書の直接法や間接法の計算を学習します。理論的背景は財務諸表論特有の論点となりますが、双方の理解のために、簿記論も同時に学習しましょう。

1：キャッシュ・フロー計算書の概要 理 Rank A

キャッシュ・フロー計算書の目的

キャッシュ・フロー計算書は、企業の資金活動状況を明らかにするために、一会計期間におけるキャッシュ・フローの状況を一定の活動区分別に表示したものです。

キャッシュ・フロー計算書は、次の目的のために作成されます。

収益性・安全性に関する情報の提供	企業の収益性や安全性を投資者が判断するためには、損益計算書に加え、企業の資金情報を提供することが必要
比較可能性の向上	損益計算書に比べ、代替的方法が少ないため、企業間の比較可能性の観点からも有用

連結キャッシュ・フロー計算書等の作成基準の設定に関する意見書

二　キャッシュ・フロー計算書の位置付け

『キャッシュ・フロー計算書』は、一会計期間におけるキャッシュ・フローの状況を一定の活動区分別に表示するものであり、貸借対照表及び損益計算書と同様に企業活動全体を対象とする重要な情報を提供するものである。

我が国では、資金情報を開示する資金収支表は、財務諸表外の情報として位置付けられてきたが、これに代えて『キャッシュ・フロー計算書』を導入するに当たり、これを財務諸表の一つとして位置付けることが適当であると考える。

なお、国際的にもキャッシュ・フロー計算書は財務諸表の一つとして位置付けられている。

プラスα キャッシュ・フロー計算書の必要性

キャッシュ・フロー計算書は、次の理由により作成されます。

投資者による企業の収益性・安全性の判断に資する情報の提供
現行の制度会計においては、収益は実現主義により（収益認識基準を適用する場合は、履行義務の充足に応じて）、費用は発生主義により認識されるため、損益計算書からだけでは、企業におけるキャッシュ・フローを十分に把握することができない。 企業は一般に十分な利益を獲得していれば、その利益は資金的裏づけがあるものとして、債務の返済能力等があると評価される一方、損益計算書に利益を計上していても、債務の支払いに資金が確保できない場合には、いわゆる黒字倒産に追い込まれることになる。 したがって、投資者や債権者といった財務諸表の利用者が合理的な意思決定を行うためには、収益性の面からも、安全性の面からも貸借対照表や損益計算書に加えて、資金情報を示すキャッシュ・フロー計算書が必要となる。
企業間の比較可能性の向上
キャッシュ・フロー計算書におけるキャッシュ・フロー計算には、キャッシュ・フロー（収支額）の期間配分の手続は必要とされないが、損益計算においては、キャッシュ・フロー（収支額）の期間配分の手続が必要とされる。 この期間配分の手続には、通常、経営者による恣意性が介入することとなる。期間配分のための会計処理には複数の方法が認められていることがあり、その選択は経営者の判断に委ねられているため、損益計算は、キャッシュ・フロー計算と比べて、経営者の恣意性が介入する余地が大きいといわれる。 キャッシュ・フロー計算書にも後述する資金の範囲については企業ごとに異なる場合があるが、それらを加味しても、経営者の恣意性が介入する余地は損益計算書と比べ、小さいと考えられる。

2：キャッシュ・フロー計算書における資金の範囲 理 計

Rank A

キャッシュ・フロー計算書における資金の範囲

資金の範囲は、現金及び現金同等物とします。

ここでいう**現金**とは、手許現金、要求払預金及び特定の電子決済手段のことで、**現金同等物**とは、容易に換金可能であり、かつ、価値の変動について僅少なリスクしか負わない短期投資をいいます。

現　　金	手許現金	
	要求払預金	・普通預金 ・当座預金 ・通知預金（一定の資金を短期間預けるための預金）
	特定の電子決済手段	
現金同等物	・定期預金（取得日から満期日までの期間が３カ月以内のもの） ・譲渡性預金（金融市場で譲渡が可能な預金） ・コマーシャル・ペーパー（短期的に振り出す手形） ・売戻条件付現先（元利が確定している金融商品） ・公社債投資信託（MMFなどの貯蓄商品）	

連結キャッシュ・フロー計算書等の作成基準の設定に関する意見書

三「連結キャッシュ・フロー計算書等の作成基準」の概要

2　資金の範囲

⑴　現行の資金収支表においては、現預金及び市場性のある一時所有の有価証券が資金とされているが、資金の範囲が広く、企業における資金管理活動の実態が的確に反映されていないとの問題点が指摘されている。

このため、『キャッシュ・フロー計算書』では、対象とする資金の範囲を現金（中略）及び現金同等物とし、現金同等物は、「容易に換金可能であり、かつ、価値の変動について僅少なリスクしか負わない短期投資」であるとして、価格変動リスクの高い株式等は資金の範囲から除くこととしている。

なお、現金同等物に具体的に何を含めるかについては経営者の判断に委ねることが適当と考えられるが、『キャッシュ・フロー計算書』の比較可能性を考慮して、取得日から３カ月以内に満期日又は償還日が到来する短期的な投資を、一般的な例として示している。

要求払預金とは、預金者が一定の期間を待つことなく引き出すことができる権利をいいます。つまり、当座預金、普通預金などがその具体例であり、預入期間の定めがある定期預金は、要求払預金に該当しません。

3：キャッシュ・フロー計算書の表示区分 理 Rank A

キャッシュ・フロー計算書の表示区分

キャッシュ・フロー計算書は、次のように区分されます。

営業活動によるキャッシュ・フローの区分
営業損益計算の対象となった取引のほか、投資活動および財務活動以外の取引によるキャッシュ・フローを記載して、営業活動によるキャッシュ・フローを計算する。これにより、企業の本務である営業活動における現金創造能力の現在の結果が明らかとなる。
投資活動によるキャッシュ・フローの区分
設備投資、証券投資および融資などに係るキャッシュ・フローを記載して、投資活動によるキャッシュ・フローを計算する。これにより、将来の現金創造能力を高めるために、投資活動を通して企業の資金がどのように投下されまたは回収されたかが明らかとなる。
財務活動によるキャッシュ・フローの区分
資金調達および返済によるキャッシュ・フローを記載して、財務活動によるキャッシュ・フローを計算する。これにより、営業活動および投資活動を維持するためにどの程度の資金が調達されまたは返済されたかが明らかとなる。

4：営業活動によるキャッシュ・フローの表示方法 理

Rank A

営業活動によるキャッシュ・フロー

「**営業活動によるキャッシュ・フロー**」の表示方法には、主要な取引ごとに収入総額と支出総額を表示する方法（**直接法**）と、税引前当期純利益に必要な調整項目を加減して表示する方法（**間接法**）があり、継続適用を条件として、これらの方法の選択適用を認めています。

両者を比較すると、次のようになります。

Point　直接法と間接法の比較

	直接法	間接法
意義	主要な取引ごとに収入総額と支出総額を表示する方法	税引前当期純利益に必要な調整項目を加減して表示する方法
特徴	総額で表示されるため、理解可能性が高い	会計上の利益とキャッシュ・フローの関係が明瞭に表示される
実務上の対応	実務上、手数がかかるため、あまり採用されていない	損益計算書と貸借対照表を利用し、利益から逆算的な修正で求めるため、計算が簡単である

プラスα 法人税等、利息及び配当金の表示区分

(1) 法人税等の表示区分

法人税等は、営業活動によるキャッシュ・フローの区分に一括して記載します。

法人税等は、それぞれの活動から生じる課税所得をもとに算定されるものであるため、理論的には、それぞれの活動区分に分けて記載すべきですが、それぞれの活動ごとに課税所得を分割することは、一般的に困難であると考えられます。そのため、営業活動によるキャッシュ・フローの区分に一括して記載する方法を採用しています。

(2) 利息及び配当金の表示区分

利息及び配当金の表示区分については、次の２つの方法があります。

表示方法	理　由
受取利息、受取配当金および支払利息を「営業活動によるキャッシュ・フロー」の区分に、支払配当金を「財務活動によるキャッシュ・フロー」の区分に記載する方法	このように記載するのは、受取利息、受取配当金および支払利息が損益の算定に含まれるものであり、損益の算定に含まれない支払配当金と区別して表示するためである。
受取利息および受取配当金を「投資活動によるキャッシュ・フロー」の区分に、支払利息および支払配当金を「財務活動によるキャッシュ・フロー」の区分に記載する方法	このように記載するのは、投資活動に関連する受取利息および受取配当金と財務活動に関連する支払利息および支払配当金を、活動区分で区別して表示するためである。

キャッシュ・フロー計算書のひな形

直接法によるキャッシュ・フロー計算書のひな形は、次のとおりです。

キャッシュ・フロー計算書（直接法）

区　　分	金　額
Ⅰ　営業活動によるキャッシュ・フロー	
営業収入	××
原材料又は商品の仕入れによる支出	△××
人件費の支出	△××
その他の営業支出	△××
小　　計	××
利息及び配当金の受取額	××
利息の支払額	△××
損害賠償金の支払額	△××
法人税等の支払額	△××
営業活動によるキャッシュ・フロー	××
Ⅱ　投資活動によるキャッシュ・フロー	
有価証券の取得による支出	△××
有価証券の売却による収入	××
有形固定資産の取得による支出	△××
有形固定資産の売却による収入	××
投資有価証券の取得による支出	△××
投資有価証券の売却による収入	××
貸付けによる支出	△××
貸付金の回収による収入	××
投資活動によるキャッシュ・フロー	××
Ⅲ　財務活動によるキャッシュ・フロー	
短期借入れによる収入	××
短期借入金の返済による支出	△××
長期借入れによる収入	××
長期借入金の返済による支出	△××
社債の発行による収入	××
社債の償還による支出	△××
株式の発行による収入	××
自己株式の取得による支出	△××
配当金の支払額	△××
財務活動によるキャッシュ・フロー	××
Ⅳ　現金及び現金同等物に係る換算差額	××
Ⅴ　現金及び現金同等物の増減額（△は減少）	××
Ⅵ　現金及び現金同等物の期首残高	××
Ⅶ　現金及び現金同等物の期末残高	××

Point 直接法による記載事項

営業活動によるキャッシュ・フロー	
営業収入	商品の売上による受取額（現金売上、売掛金の回収額、受取手形の回収額）
	前受金の受取額
	貸倒処理した債権の受取額
原材料又は商品の仕入れによる支出	原材料や商品の仕入による支払額（現金仕入、買掛金の支払額、支払手形の支払額）
	前渡金の支払額
人件費の支出	従業員の給料、賞与、退職金等の支払額
	役員の報酬、賞与、退職金等の支払額
その他の営業支出	人件費以外の販売費及び一般管理費の支払額
利息及び配当金の受取額	預金、貸付金に係る受取利息の受取額
	保有株式に係る受取配当金の受取額
	保有債券に係る有価証券利息の受取額
利息の支払額	借入金に係る利息の支払額
	発行社債に係る社債利息の支払額
法人税等の支払額	法人税、住民税及び事業税の前期未払額、当期中間納付額

投資活動によるキャッシュ・フローと財務活動によるキャッシュ・フローには、直接法の様式にあげた事項以外にも次のようなものが含まれます。

投資活動によるキャッシュ・フロー
定期預金（3カ月超）の預入による支出、払戻による収入
無形固定資産の取得による支出、売却による収入
合併及び買収による支出、事業譲渡等による収入
資産除去債務の履行による支出

財務活動によるキャッシュ・フロー
ファイナンス・リースの元本返済による支出

短期借入金のように期間が短く、かつ、回転が速いものについては、収入額と支出額を相殺した純増加額または純減少額で表示することもできます。

例題　キャッシュ・フロー計算書―直接法

下記の資料に基づいて、直接法によるキャッシュ・フロー計算書を作成しなさい。なお、金額がマイナスとなる科目については、金額に△の符号を付すこと。

貸借対照表（単位：円）

	前期末	当期末
現金預金	12,330	16,740
受取手形・売掛金	10,800	12,600
貸倒引当金	△ 180	△ 270
商品	5,400	3,600
前払費用	540	720
未収収益	180	90
有形固定資産	11,700	17,100
長期貸付金	4,500	2,700
資産合計	45,270	53,280
支払手形・買掛金	7,200	6,300
未払法人税等	1,800	2,340
未払費用	270	180
長期借入金	6,300	4,500
資本金	18,000	25,200
資本剰余金	2,700	2,700
利益剰余金	9,000	12,060
負債及び純資産合計	45,270	53,280

損益計算書（単位：円）

売上高	61,200
売上原価	△39,600
人件費	△ 5,400
減価償却費	△ 1,800
貸倒引当金繰入額	△ 180
その他の営業費	△ 2,340
受取利息配当金	360
支払利息	△ 540
税引前当期純利益	11,700
法人税等	△ 5,040
当期純利益	6,660

〈補足事項〉

1．経過勘定の内訳は、次に示すとおりである。

① 前払費用：その他の営業費

② 未収収益：受取利息

③ 未払費用：支払利息

2．新規の貸付けおよび借入れはない。
3．期中に増資を行い、払込金額の全額を資本金に組み入れた。
4．期中に剰余金の配当を行い、配当金3,600円を支払った。
5．受取手形・売掛金の期末残高に対して、貸倒引当金を設定している。

解答　直接法によるキャッシュ・フロー計算書

キャッシュ・フロー計算書　（単位：円）

Ⅰ　営業活動によるキャッシュ・フロー	
営業収入	59,310
商品の仕入れによる支出	△ 38,700
人件費の支出	△ 5,400
その他の営業支出	△ 2,520
小　　計	12,690
利息及び配当金の受取額	450
利息の支払額	△ 630
法人税等の支払額	△ 4,500
営業活動によるキャッシュ・フロー	8,010
Ⅱ　投資活動によるキャッシュ・フロー	
有形固定資産の取得による支出	△ 7,200
貸付金の回収による収入	1,800
投資活動によるキャッシュ・フロー	△ 5,400
Ⅲ　財務活動によるキャッシュ・フロー	
長期借入金の返済による支出	△ 1,800
株式の発行による収入	7,200
配当金の支払額	△ 3,600
財務活動によるキャッシュ・フロー	1,800
Ⅳ　現金及び現金同等物の増加額	4,410
Ⅴ　現金及び現金同等物の期首残高	12,330
Ⅵ　現金及び現金同等物の期末残高	16,740

〈収支額の算定〉

直接法によるキャッシュ・フロー計算書を作成する場合、収入額および支出額は、勘定分析により推定して算定します。

(1) 営業収入

受取手形・売掛金

借方		貸方	
期首	10,800	収入	(59,310)
売上	61,200	貸倒	90
		期末	12,600

貸倒引当金

借方		貸方	
貸倒	(90)	期首	180
期末	270	繰入額	180

(2) 商品の仕入れによる支出

支払手形・買掛金

借方		貸方	
支出	(38,700)	期首	7,200
期末	6,300	仕入	37,800

商　品

借方		貸方	
期首	5,400	売上原価	39,600
仕入	(37,800)	期末	3,600

(3) 人件費の支出：人件費5,400円

(4) その他の営業支出

その他の営業費

借方		貸方	
期首前払	540	P/L	2,340
支出	(2,520)	期末前払	720

(5) 利息及び配当金の受取額

受取利息配当金

借方		貸方	
期首未収	180	収入	(450)
P/L	360	期末未収	90

(6) 利息の支払額

支払利息

借方		貸方	
支出	(630)	期首未払	270
期末未払	180	P/L	540

(7) 法人税等の支払額

法人税等

借方		貸方	
支出	(4,500)	期首	1,800
期末	2,340	P/L	5,040

⑻　有形固定資産の取得による支出

有形固定資産

借方		貸方	
期首	11,700	減費	1,800
		期末	17,100
支出	（7,200）		

⑼　貸付金の回収による収入：期首貸付金4,500円－期末貸付金2,700円
＝1,800円

⑽　長期借入金の返済による支出：期首借入金6,300円－期末借入金4,500円
＝1,800円

⑾　株式の発行による収入：期末資本金25,200円－期首資本金18,000円
＝7,200円

⑿　配当金の支払額：3,600円

問題文から落ち着いてデータを拾いましょう。各勘定ボックス図などを作り、埋められるところからデータを埋めていくことがポイントです。

間接法によるキャッシュ・フロー計算書のひな形は、次のとおりです。

キャッシュ・フロー計算書（間接法）

区　　　分	金　額
Ⅰ　営業活動によるキャッシュ・フロー	
税引前当期純利益	××
減価償却費	××
貸倒引当金の増減額（△は減少）	××
受取利息及び受取配当金	△××
支払利息	××
為替差損益（△は益）	××
有形固定資産売却損益（△は益）	△××
損害賠償損失	××
売上債権の増減額（△は増加）	△××
棚卸資産の増減額（△は増加）	××
前払費用の増減額（△は増加）	××
仕入債務の増減額（△は減少）	△××
小　　　計	××
利息及び配当金の受取額	××
利息の支払額	△××
損害賠償金の支払額	△××
法人税等の支払額	△××
営業活動によるキャッシュ・フロー	××
Ⅱ　投資活動によるキャッシュ・フロー 　直接法と同じ（前ページ参照）	
投資活動によるキャッシュ・フロー	××
Ⅲ　財務活動によるキャッシュ・フロー 　直接法と同じ（前ページ参照）	
財務活動によるキャッシュ・フロー	××
Ⅳ　現金及び現金同等物に係る換算差額	××
Ⅴ　現金及び現金同等物の増減額（△は減少）	××
Ⅵ　現金及び現金同等物の期首残高	××
Ⅶ　現金及び現金同等物の期末残高	××

キャッシュ・フロー計算書は直接法であっても、間接法であっても営業活動によるキャッシュ・フローの区分の小計以下は同じものになります。

Point 間接法の調整方法

税引前当期純利益

↓

①小計欄以降のＣＦに係る営業外損益・特別損益の加減

（税引前当期純利益には営業活動に関係のない営業外損益・特別損益が含まれているので、これらを加減し、営業活動によるＣＦに対応する営業利益を算出します。）

↓

営業利益

↓

②非資金損益項目の調整

③営業資産・営業負債の増減の調整

（営業利益をキャッシュ・フローに調整するために②と③の調整によって、収益・費用と収入・支出のズレを加減し、小計（本来の営業ＣＦ）を算出します。）

↓

小計（本来の営業ＣＦ）

① 営業外収益、特別利益は減算、営業外費用、特別損失は加算します。

② 非資金損益項目には、減価償却費や貸倒引当金増減額などがあります。

③ 営業活動に係る資産・負債の増減額は次のように調整します。

営業資産・営業負債	項　　目		調　　整
売上債権、棚卸資産、前払費用*、仕入債務、貸倒引当金、未払費用*など	営業資産	増　加	減　算
	営業負債	減　少	
	営業資産	減　少	加　算
	営業負債	増　加	

＊　営業活動に係るもののみが調整対象となります。

営業債権に係る貸倒損失、償却債権取立益、棚卸減耗費は、たとえ営業外損益や特別損益に該当しても、③営業活動に係る資産・負債の増減の調整で行われるので、税引前当期純利益に加減しません。

例題　キャッシュ・フロー計算書―間接法

下記の資料に基づいて、間接法によるキャッシュ・フロー計算書（小計まで）を作成しなさい。なお、金額がマイナスとなる科目については、金額に△の符号を付すこと。

貸借対照表（単位：円）

	前期末	当期末
現金預金	12,330	16,740
受取手形・売掛金	10,800	12,600
貸倒引当金	△　180	△　270
商品	5,400	3,600
前払費用	540	720
未収収益	180	90
有形固定資産	11,700	17,100
長期貸付金	4,500	2,700
資産合計	45,270	53,280
支払手形・買掛金	7,200	6,300
未払法人税等	1,800	2,340
未払費用	270	180
長期借入金	6,300	4,500
資本金	18,000	25,200
資本剰余金	2,700	2,700
利益剰余金	9,000	12,060
負債及び純資産合計	45,270	53,280

損益計算書（単位：円）

売上高	61,200
売上原価	△39,600
人件費	△ 5,400
減価償却費	△ 1,800
貸倒引当金繰入額	△　180
その他の営業費	△ 2,340
受取利息配当金	360
支払利息	△　540
税引前当期純利益	11,700
法人税等	△ 5,040
当期純利益	6,660

〈補足事項〉

1．経過勘定の内訳は、次に示すとおりである。

　①　前払費用：その他の営業費

　②　未収収益：受取利息

　③　未払費用：支払利息

2．新規の貸付けおよび借入れはない。

3．期中に増資を行い、払込金額の全額を資本金に組み入れた。

4．期中に剰余金の配当を行い、配当金3,600円を支払った。

5．受取手形・売掛金の期末残高に対して、貸倒引当金を設定している。

解答　間接法によるキャッシュ・フロー計算書

キャッシュ・フロー計算書	（単位：円）
Ⅰ　営業活動によるキャッシュ・フロー	
税引前当期純利益	11,700
減価償却費	1,800
貸倒引当金の増加額	90
受取利息及び受取配当金	△　360
支払利息	540
売上債権の増加額	△　1,800
棚卸資産の減少額	1,800
前払費用の増加額	△　180
仕入債務の減少額	△　900
小　　計	12,690

(1)　税引前当期純利益から営業活動以外による損益の除去

受取利息及び受配配当金：360円（減算）

支払利息：540円（加算）

損益計算書

受取利息配当金	360
支払利息	△　540
税引前当期純利益	11,700

(2)　非資金損益の調整

減価償却費：1,800円（加算）

損益計算書

減価償却費	△1,800

(3)　営業活動に係る資産・負債の調整

①　売上債権の増加額：12,600円－10,800円＝1,800円（減算）

②　貸倒引当金の増加額：270円－180円＝90円（加算）

売上債権

期首	10,800	収入	(59,310)
売上	61,200	貸倒	90
		期末	12,600

貸倒引当金

貸倒	(90)	期首	180
期末	270	繰入額	180

③　仕入債務の減少額：6,300円－7,200円＝△900円（減算）

④　棚卸資産の減少額：3,600円－5,400円＝△1,800円（加算）

仕入債務

借方		貸方	
支出	(38,700)	期首	7,200
期末	6,300	仕入	37,800

商品

借方		貸方	
期首	5,400	売上原価	39,600
仕入	(37,800)	期末	3,600

⑤ 前払費用の増加額：720円－540円＝180円（減算）

その他の営業費

借方		貸方	
期首前払	540	期末前払	720
支出	(2,520)	P/L	2,340

営業活動に係る資産・負債の増減額の加算と減算を間違えないように注意しましょう。

財務諸表論においてキャッシュ・フロー計算書を作成する問題は出題頻度が低いですが、上記の例題で作成手順を確認しておきましょう。

プラスα 損益計算とキャッシュ・フロー計算の関係

企業会計原則は、「すべての費用及び収益は、その支出及び収入に基づいて計上し、その発生した期間に正しく割り当てられるように処理しなければならない。」としています。

損益計算の基礎となる収益および費用と、キャッシュ・フロー計算の基礎となるキャッシュ・インフロー（以下CIF）とキャッシュ・アウトフロー（以下COF）はいずれもキャッシュ・フローの一側面を表したものであると考えられるからです。

たとえば、売上で考えてみると、売上はそれが現金売上であれば売上と同時にキャッシュが回収され、掛け売上等であれば、現金回収を行うことでキャッシュが回収されます。つまり、収益というのは、過去または将来のキャッシュ・フローの抽象的側面を表したものであるといえます。これは、費用についても同様のことがいえます。

キャッシュ・フロー計算では、その現金収支のみに焦点を当てるため、すでに収入・支出されたキャッシュ・フローの実質的側面を表したものであるといえます。

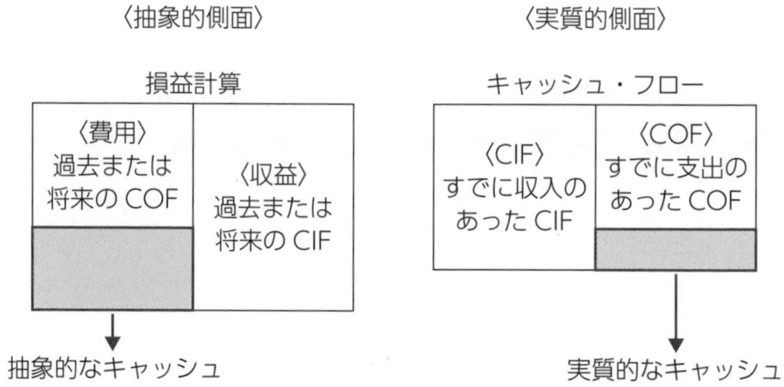

問題 >>> 問題編の**問題１**～**問題２**に挑戦しましょう！

CHAPTER 10

財務諸表等規則

財務諸表等規則は金融商品取引法会計の表示基準として機能するものです。ここでは、財務諸表等規則の概要について確認します。

以前に学習した会社計算規則とは違いますので混同しないようにしましょう。

Chapter 10

構造論点・その他の論点

財務諸表等規則

>> 企業内容開示制度における財務諸表に関する規則です！

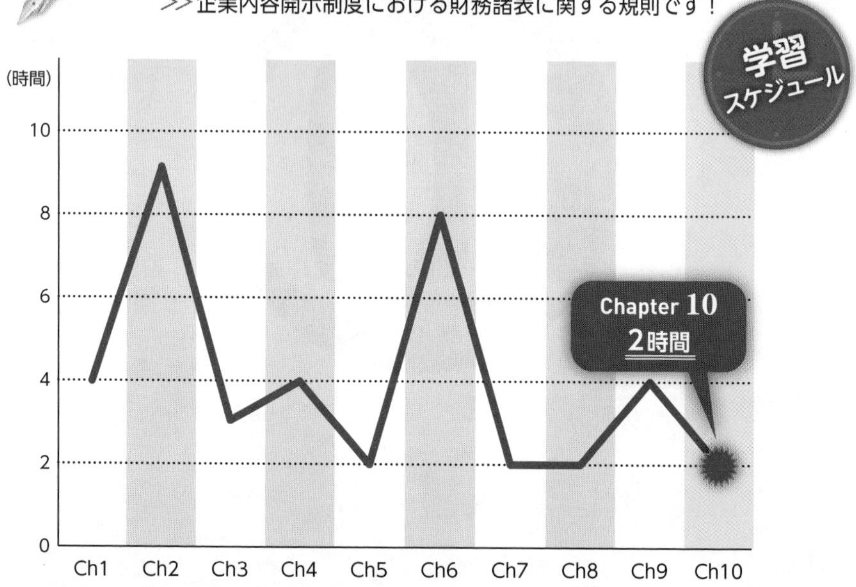

Check List

- □ 財務諸表の体系を理解しているか？
- □ 会社法会計と金融商品取引法会計の比較を理解しているか？
- □ 関係会社等に対する金銭債権・債務の表示を理解しているか？
- □ 有価証券の表示科目と表示区分を理解しているか？

Link to

このChapterで学習することは、簿記論では深く問われるものではありません。しかし、財務諸表論では、表示や注記が重要になってきますので、しっかり学習しましょう。

1：財務諸表の体系

理 Rank B

財務諸表の体系

有価証券報告書の「経理の状況」に記載される財務諸表は、財務諸表等規則および財務諸表等規則ガイドラインの定めに従って作成されます。

有価証券報告書における財務諸表の体系および注記事項等の記載順序は、次のとおりです。

Point 財務諸表の記載順序

〈有価証券報告書〉

「経理の状況」
　財務諸表
　(1)　貸借対照表
　(2)　損益計算書*
　(3)　株主資本等変動計算書
　(4)　キャッシュ・フロー計算書
　　⋮
　　重要な会計方針
　　会計方針の変更
　　注記事項（一括注記表）
　　重要な後発事象
　(5)　附属明細表

*　当期製品製造原価については、その内訳を記載した明細書を損益計算書に添付します。

企業内容開示制度（ディスクロージャー制度）

金融商品取引法では、発行市場においては有価証券届出書、流通市場においては有価証券報告書の情報を公開することを要求しています。

金融商品取引法のもとで要求されているこれらに付属される財務諸表については、それぞれの会計処理、表示において準拠すべき基準が定められています。

たとえば、個々の企業の年次決算の財務諸表（個別財務諸表）は、「一般に公正妥当と認められる企業会計の基準」に従って会計処理を行い、財務諸表の表示については「財務諸表等規則」と略称される内閣府令（正式名称は「財務諸表等の用語、様式及び作成方法に関する規則」）に基づいて行われることとなります。

プラスα　会社法会計と金融商品取引法会計の比較

	会社法会計	金融商品取引法会計
制度の目的	主に株主と債権者との間の利害関係の調整	国民経済の健全な発展および投資者の保護
規制の対象	すべての会社	上場会社等
会計処理基準	会社法の計算規則および会社計算規則等	一般に公正妥当と認められる企業会計の基準
表示基準	会社計算規則等	財務諸表等規則
財務諸表（計算書類等）の体系	1.貸借対照表 2.損益計算書 3.株主資本等変動計算書 4.個別注記表 5.事業報告書 6.附属明細書	1.貸借対照表 2.損益計算書 3.株主資本等変動計算書 4.キャッシュ・フロー計算書 5.附属明細表
開示の方法	1.計算書類等の株主への提出 2.計算書類等の定時株主総会への提出 3.計算書類等の公示 4.計算書類等の備置および閲覧等	有価証券報告書および半期報告書等を内閣総理大臣に提出

会社法会計では表示基準として会社計算規則等が使われ、金融商品取引法会計では表示基準として財務諸表等規則が使われます。この点に注意して、**2：金銭債権・債務の表示**より表示の違いについてみていきましょう。

2：金銭債権・債務の表示

理 計 Rank B

関係会社等に対する金銭債権・債務の表示

関係会社に対する金銭債権・債務および株主、役員、従業員に対する金銭債権・債務の表示は、次のようになります。

Point 関係会社等に対する金銭債権・債務の具体的な表示

金銭債権・債務	表　示
関係会社に対する長期貸付金・長期借入金	独立科目
関係会社に対する長期貸付金・長期借入金以外の金銭債権・債務	注記事項
株主、役員、従業員に対する金銭債権・債務	独立科目

貸　借　対　照　表

資産の部		負債の部	
Ⅰ　流　動　資　産		Ⅰ　流　動　負　債	
株主短期貸付金	××	役員短期借入金	××
Ⅱ　固　定　資　産		Ⅱ　固　定　負　債	
3　投資その他の資産		関係会社長期借入金	××
関係会社長期貸付金	××	株主長期借入金	××
従業員長期貸付金	××		

(注 1)　関係会社に対する資産
売掛金　××
(注 2)　関係会社に対する負債
短期借入金　××

上記の表示は財務諸表等規則に定められているものです。会社計算規則の注記は財務諸表論2Chapter4金銭債権に詳しく説明されています。

例題　財務諸表等規則における金銭債権・債務の表示

次の資料に基づいて、貸借対照表を作成しなさい。

[資　料]

決算整理前残高試算表の項目の一部（単位：千円）

売掛金：40,000　　貸付金：22,500　　借入金：42,500

(1)　売掛金のうちには関係会社に対するものが14,000千円ある。

(2)　貸付金の内訳は次のとおりである。

①　株主に対する短期貸付金　　　6,000千円

②　関係会社に対する長期貸付金　10,000千円

③　従業員に対する長期貸付金　　6,500千円

(3)　借入金の内訳は次のとおりである。

①　取締役からの短期借入金　　　5,000千円

②　関係会社からの短期借入金　　7,500千円

③　関係会社からの長期借入金　23,000千円

④　株主からの長期借入金　　　　7,000千円

解答

貸　借　対　照　表　　　　（単位：千円）

資産の部		負債の部	
Ⅰ　流動資産		Ⅰ　流動負債	
売掛金	40,000	短期借入金	7,500
株主短期貸付金	6,000	役員短期借入金	5,000
Ⅱ　固定資産		Ⅱ　固定負債	
3　投資その他の資産		関係会社長期借入金	23,000
関係会社長期貸付金	10,000	株主長期借入金	7,000
従業員長期貸付金	6,500		

（注 1）　関係会社に対する資産
売掛金　14,000 千円

（注 2）　関係会社に対する負債
短期借入金　7,500 千円

財務諸表等規則における上記の独立科目表示や注記による開示は、当該項目の金額が資産の総額または負債・純資産の合計額の100分の5を超える場合のみですが、本試験では、特に指示がなければ100分の5を超えているとみなして解答しましょう。

問題 >>> 問題編の**問題1**～**問題2**に挑戦しましょう！

3：有価証券の表示

計　Rank B

有価証券の表示科目と表示区分

財務諸表等規則による関係会社に対する有価証券の表示科目は次のようになります。

区　　分	科　　目	内　　容
流動資産	有価証券	①　売買目的有価証券 ②　1年内に満期の到来する社債その他の債券
	親会社株式	当社の親会社の発行する株式のうち貸借対照表日後1年内に処分予定のもの
投資その他の資産	投資有価証券	所有有価証券のうち、有価証券、親会社株式、関係会社株式、関係会社社債、その他の関係会社有価証券のいずれにも該当しないもの
	関係会社株式	当社の子会社、関連会社および当社を関連会社とする会社の発行する株式
	親会社株式	当社の親会社の発行する株式のうち貸借対照表日後1年を超えて処分予定のもの
	関係会社社債	当社の親会社、子会社、関連会社および当社を関連会社とする会社の発行する社債
	その他の関係会社有価証券	当社の親会社、子会社、関連会社および当社を関連会社とする会社の発行する株式、社債以外の有価証券
	出資金	株式会社等以外に対する出資金（次の関係会社出資金となるものを除く）
	関係会社出資金	株式会社等以外の関係会社に対する出資金

例題 **財務諸表等規則における有価証券の表示**

次の資料に基づいて、財務諸表等規則に準拠した貸借対照表（一部）を作成しなさい。

［資　料］

X株式会社（当事業年度：X4年4月1日からX5年3月31日まで）の期末における有価証券の内訳は次のとおりである。

（単位：千円）

銘　柄	保有目的	帳簿価額	保有比率	備　　考
A社株式	その他	2,900	2％	A社は当社の議決権の60％を保有している。なお、1年以内に処分予定のものである。
B社株式	影響力行使	54,520	21％	当社はB社の財務および営業の方針に対して重要な影響を与えている。
B社社債	満期保有	47,000	10％	償還期日はX8年3月31日である。
C社株式	売買目的	12,500	0.5％	―
D社社債	その他	19,000	8％	償還期日はX7年3月31日である。
E社出資金	影響力行使	4,800	25％	―

解答

貸借対照表	(単位：千円)
Ⅰ　流動資産	
有価証券	12,500
親会社株式	2,900
Ⅱ　固定資産	
3　投資その他の資産	
投資有価証券	19,000
関係会社株式	54,520
関係会社社債	47,000
関係会社出資金	4,800

⑴　A社は当社の親会社に該当し、また、A社株式は1年以内に処分予定であるため、流動資産に親会社株式として表示する。

⑵　B社は当社の関連会社に該当するため、B社株式は関係会社株式として投資その他の資産に表示する。

⑶　B社は当社の関連会社に該当し、かつ、B社社債は償還期日が1年を超えて到来するため、関係会社社債として投資その他の資産に表示する。

⑷　C社株式は売買目的有価証券に該当するため、有価証券として流動資産に表示する。

⑸　D社社債は償還期日が1年を超えて到来するため、投資有価証券として投資その他の資産に表示する。

⑹　E社は当社の関連会社に該当するため、E社出資金は関係会社出資金として投資その他の資産に表示する。

財務諸表等規則では、株式だけでなく社債についても関係会社の発行するものは独立科目表示とします。会社計算規則上はこのような表示は行わないので注意しましょう。

問題 >>> 問題編の**問題3**に挑戦しましょう！

索　引

な行

は行

ま行

や行

ら行

〈執　筆〉TAC出版開発グループ
資格書籍に特化した執筆者グループ。会計士試験・司法試験等、難関資格の合格者が集結し、会計系から法律系まで幅広く、資格試験対策書の執筆・校閲をオールマイティにこなす。TAC税理士講座とタッグを組み、「みんなが欲しかった！　税理士　簿記論の教科書＆問題集」「みんなが欲しかった！　税理士　財務諸表論の教科書＆問題集」を執筆。主な著書に「みんなが欲しかった！　簿記の教科書日商１級」ほか。
〈装　幀〉Malpu Design

2025年度版《ねんどばん》
みんなが欲《ほ》しかった！　税理士《ぜいりし》　財務諸表論《ざいむしょひょうろん》の教科書《きょうかしょ》＆問題集《もんだいしゅう》
4　構造論点《こうぞうろんてん》・その他編《たへん》

(2014年度版 2014年２月10日　初版　第１刷発行)

2024年９月６日　初　版　第１刷発行

編 著 者　ＴＡＣ株式会社
(税理士講座)
発 行 者　多 田 敏 男
発 行 所　TAC株式会社　出版事業部
(TAC出版)
〒101-8383
東京都千代田区神田三崎町3-2-18
電 話 03(5276)9492(営業)
FAX 03(5276)9674
https://shuppan.tac-school.co.jp
印　　刷　株式会社　光　邦
製　　本　東京美術紙工協業組合

ISBN 978-4-300-11295-3
N.D.C. 336

税理士講座のご案内

2025年合格目標コース

反復学習でインプット強化！ ＆ 豊富な演習量で実践力強化！

対象者：初学者／次の科目の学習に進む方

2024年				2025年							
9月	10月	11月	12月	1月	2月	3月	4月	5月	6月	7月	8月

9月入学 基礎マスター＋上級コース（簿記・財表・相続・消費・酒税・固定・事業・国徴）
3回転学習！年内はインプットを強化、年明けは演習機会を増やして実践力を鍛える！
※簿記・財表は5月・7月・8月・10月入学コースもご用意しています。

9月入学 ベーシックコース（法人・所得）
2回転学習！週2ペース、8ヵ月かけてインプットを鍛える！

9月入学 年内完結＋上級コース（法人・所得）
3回転学習！年内はインプットを強化、年明けは演習機会を増やして実践力を鍛える！

12月・1月入学　速修コース（全11科目）
7ヵ月～8ヵ月間で合格レベルまで仕上げる！

3月入学　速修コース（消費・酒税・固定・国徴）
短期集中で税法合格を目指す！

税理士試験（8月）

対象者：受験経験者（受験した科目を再度学習する場合）

2024年				2025年							
9月	10月	11月	12月	1月	2月	3月	4月	5月	6月	7月	8月

9月入学　年内上級講義＋上級コース（簿記・財表）
年内に基礎・応用項目の再確認を行い、実力を引き上げる！

9月入学　年内上級演習＋上級コース（法人・所得・相続・消費）
年内から問題演習に取り組み、本試験時の実力維持・向上を図る！

12月入学　上級コース（全10科目）
※住民税の開講はございません
講義と演習を交互に実施し、答案作成力を養成！

税理士試験（8月）

※2024年7月12日時点の情報です。最新の情報は、TAC税理士講座ホームページをご確認ください。

料請求は
ちらから!!

詳しい資料をお送りいたします。
右記電話番号もしくはTACホームページ
(https://www.tac-school.co.jp/)にてご請求ください。

通話無料 0120-509《ゴウカク》-117《イイナ》
受付時間　10:00〜19:00(月〜金)　10:00〜17:00(土・日・祝)
※営業時間短縮の場合がございます。詳細はHPでご確認ください。

"入学前サポート"を活用しよう!

無料セミナー＆個別受講相談

無料セミナーでは、税理士の魅力、試験制度、科目選択の方法や合格のポイントをお伝えしていきます。セミナー終了後は、個別受講相談でみなさんの疑問や不安を解消します。

TAC 税理士 セミナー　検索

https://www.tac-school.co.jp/kouza_zeiri/zeiri_gd_gd.htm

無料Webセミナー

TAC動画チャンネルでは、校舎で開催しているセミナーのほか、Web限定のセミナーも多数配信しています。受講前にご活用ください。

TAC 税理士 動画　検索

https://www.tac-school.co.jp/kouza_zeiri/tacchannel.html

体験入学

教室講座開講日（初回講義）は、お申込み前でも無料で講義を体験できます。講師の熱意や校舎の雰囲気を是非体感してください。

TAC 税理士 体験　検索

https://www.tac-school.co.jp/kouza_zeiri/zeiri_gd_taiken.html

税理士11科目Web体験

「税理士11科目Web体験」では、TAC税理士講座で開講する各科目・コースの初回講義をWeb視聴いただけるサービスです。講義の分かりやすさを確認いただき、学習のイメージを膨らませてください。

TAC 税理士　検索

https://www.tac-school.co.jp/kouza_zeiri/taiken_form.html

料請求は
らから!!

詳しい資料をお送りいたします。
右記電話番号もしくはTACホームページ
(https://www.tac-school.co.jp/)にてご請求ください。

通話無料 0120-509《ゴウカク》-117《イイナ》
受付時間 10:00～19:00(月～金) 10:00～17:00(土・日・祝)
※営業時間短縮の場合がございます。詳細はHPでご確認ください。

全国公開模試

6月中旬実施!

全11科目実施

TACの模試はここがスゴイ!

1 信頼の母集団

2023年の受験者数は、会場受験・自宅受験合わせて10,316名!この大きな母集団を分母とした正確な成績(順位)を把握できます。

信頼できる実力判定

10,316名が受験!

※11科目延べ人数

2 本試験を擬似体験

全国の会場で緊迫した雰囲気の中「真の実力」が発揮できるかチャレンジ!

3 個人成績表

現時点での全国順位を確認するとともに「講評」等を通じて本試験までの学習の方向性が定まります。

4 充実のアフターフォロー

解説Web講義を無料配信。また、質問電話による疑問点の解消も可能です。

※TACの受講生はカリキュラム内に全国公開模試の受験料が含まれています(一部期別申込を除く)。

直前オプション講座

最後まで油断しない!ここからのプラス5点!

6月中旬～8月上旬実施!

【重要理論確認ゼミ】
～理論問題の解答作成力UP!～

【ファイナルチェック】
～確実な5点UPを目指す!～

【最終アシストゼミ】
～本試験直前の総仕上げ!～

全国公開模試および直前オプション講座の詳細は4月中旬発刊予定の
「全国公開模試パンフレット」「直前オプション講座パンフレット」をご覧ください。

消費税法

25	消費税法	個別計算問題集	(10月)
26	消費税法	総合計算問題集 基礎編	(10月)
27	消費税法	総合計算問題集 応用編	(12月)
28	消費税法	過去問題集	(12月)
41	消費税法	理論マスター	(8月)
	※消費税法	理論マスター 暗記音声	(9月)
42	消費税法	理論ドクター	(12月)
	消費税法	完全無欠の総まとめ	(12月)

固定資産税

29	固定資産税	計算問題+過去問題集	(12月)
43	固定資産税	理論マスター	(8月)

事業税

30	事業税	計算問題+過去問題集	(12月)
44	事業税	理論マスター	(8月)

住民税

31	住民税	計算問題+過去問題集	(12月)
45	住民税	理論マスター	(12月)

国税徴収法

32	国税徴収法	総合問題+過去問題集	(12月)
46	国税徴収法	理論マスター	(8月)

※暗記音声はダウンロード商品です。TAC出版書籍販売サイト「サイバーブックストア」にてご購入いただけます。

●2025年度版 みんなが欲しかった! 税理士 教科書&問題集シリーズ

「効率的に税理士試験対策の学習ができないか? これを突き詰めてできあがったのが、「みんなが欲しかった!税理士 教科書&問題集シリーズ」です。必要十分な内容をわかりやすくまとめたテキスト(教科書)と内容確認のためのトレーニング(問題集)が1冊になっているので、効率的な学習に最適です。」

みんなが欲しかった! 税理士簿記論の教科書&問題集 1	損益会計編	(8月)
みんなが欲しかった! 税理士簿記論の教科書&問題集 2	資産会計編	(8月)
みんなが欲しかった! 税理士簿記論の教科書&問題集 3	資産・負債・純資産会計編	(9月)
みんなが欲しかった! 税理士簿記論の教科書&問題集 4	構造論点・その他編	(9月)

みんなが欲しかった! 税理士消費税法の教科書&問題集 1	取引分類・課税標準編	(8月)
みんなが欲しかった! 税理士消費税法の教科書&問題集 2	仕入税額控除編	(9月)
みんなが欲しかった! 税理士消費税法の教科書&問題集 3	納税義務編	(10月)
みんなが欲しかった! 税理士消費税法の教科書&問題集 4	申告制度・新論点その他編	(11月)

みんなが欲しかった! 税理士財務諸表論の教科書&問題集 1	損益会計編	(8月)
みんなが欲しかった! 税理士財務諸表論の教科書&問題集 2	資産会計編	(8月)
みんなが欲しかった! 税理士財務諸表論の教科書&問題集 3	資産・負債・純資産会計編	(9月)
みんなが欲しかった! 税理士財務諸表論の教科書&問題集 4	構造論点・その他編	(9月)
みんなが欲しかった! 税理士財務諸表論の教科書&問題集 5	理論編	(9月)

●解き方学習用問題集

現役講師の解答手順、思考過程、実際の書込みなど、㊙テクニックを完全公開した書籍です。

簿記論 個別問題の解き方 〔第7版〕
簿記論 総合問題の解き方 〔第7版〕
財務諸表論 理論答案の書き方 〔第7版〕
財務諸表論 計算問題の解き方 〔第7版〕

●その他関連書籍

好評発売中!

消費税課否判定要覧 〔第5版〕
法人税別表4、5(一)(二)書き方完全マスター 〔第6版〕
女性のための資格シリーズ 自力本願で税理士
年商倍々の成功する税理士開業法
Q&Aでわかる 税理士事務所・税理士法人勤務 完全マニュアル

TACの書籍はこちらの方法でご購入いただけます

1 全国の書店・大学生協
2 TAC各校 書籍コーナー
3 CYBER BOOK STORE TAC出版書籍販売サイト アドレス https://bookstore.tac-school.co.jp/

・2024年7月現在 ・年度版各巻の価格は、決定しだい上記3のサイバーブックストアに掲載されますのでご参照ください

書籍の正誤に関するご確認とお問合せについて

書籍の記載内容に誤りではないかと思われる箇所がございましたら、以下の手順にてご確認とお問合せをしてくださいますよう、お願い申し上げます。
なお、正誤のお問合せ以外の**書籍内容に関する解説および受験指導などは、一切行っておりません。**
そのようなお問合せにつきましては、お答えいたしかねますので、あらかじめご了承ください。

1 「Cyber Book Store」にて正誤表を確認する

TAC出版書籍販売サイト「Cyber Book Store」の
トップページ内「正誤表」コーナーにて、正誤表をご確認ください。

CYBER TAC出版書籍販売サイト
BOOK STORE

URL:https://bookstore.tac-school.co.jp/

2 1の正誤表がない、あるいは正誤表に該当箇所の記載がない ⇒ 下記①、②のどちらかの方法で文書にて問合せをする

★ご注意ください★

お電話でのお問合せは、お受けいたしません。
①、②のどちらの方法でも、お問合せの際には、「お名前」とともに、
「対象の書籍名(○級・第○回対策も含む)およびその版数(第○版・○○年度版など)」
「お問合せ該当箇所の頁数と行数」
「誤りと思われる記載」
「正しいとお考えになる記載とその根拠」
を明記してください。
なお、回答までに1週間前後を要する場合もございます。あらかじめご了承ください。

① ウェブページ「Cyber Book Store」内の「お問合せフォーム」より問合せをする

【お問合せフォームアドレス】

https://bookstore.tac-school.co.jp/inquiry/

② メールにより問合せをする

【メール宛先　TAC出版】

syuppan-h@tac-school.co.jp

※土日祝日はお問合せ対応をおこなっておりません。
※正誤のお問合せ対応は、該当書籍の改訂版刊行月末日までといたします。

乱丁・落丁による交換は、該当書籍の改訂版刊行月末日までといたします。なお、書籍の在庫状況等により、お受けできない場合もございます。
また、各種本試験の実施の延期、中止を理由とした本書の返品はお受けいたしません。返金もいたしかねますので、あらかじめご了承くださいますようお願い申し上げます。

(2022年7月現在)

別冊①
問題集

この冊子には、問題集の問題と解答・解説がとじこまれています。

別冊ご利用時の注意

この色紙を残したまま冊子をていねいに抜き取り、ご利用ください。また、抜き取りの際の損傷についてのお取替えはご遠慮願います。

問題集

みんなが欲しかった！　税理士

財務諸表論の教科書＆問題集 4

問題集

問題

Chapter 1　会計上の変更・誤謬の訂正

問題1　会計方針の変更の取扱い

基礎　5分　解答>>>40P

C株式会社は当期より棚卸資産の評価方法を総平均法から先入先出法に変更した。この会計方針の変更は、財政状態の適正開示のため、棚卸資産の貸借対照表価額と時価との乖離を減らすことを目的として行ったものである。

当期（X5年4月1日からX6年3月31日まで）における遡及処理後の計算書類（一部抜粋）を会社計算規則に基づいて作成し、会計方針の変更に関する注記を記載しなさい。なお、税効果会計については考慮しないものとする。

(1)　当期首および当期末の当該棚卸資産の増減について、先入先出法を遡及適用した場合の金額と従来の方法である総平均法の金額は次のとおりである。なお、収益性の低下に基づく簿価切下げは考慮外とする。

	当期首残高	当期末残高
総平均法	2,500 千円	5,000 千円
先入先出法	3,500 千円	6,250 千円

(2)　前期における遡及処理前の計算書類（一部抜粋）は、次のとおりである。

貸　借　対　照　表　　（単位：千円）

科　　目	金　　額	科　　目	金　　額
資　産　の　部		負　債　の　部	
商　　品	2,500	⋮	⋮
⋮	⋮	純　資　産　の　部	
		⋮	⋮
		繰越利益剰余金	30,000

問題2 会計上の見積りの変更の取扱い

応用 8分 解答>>>43P

問1 次の資料により、A株式会社（事業年度：X5年4月1日からX6年3月31日）の会社計算規則に準拠した損益計算書（必要部分のみ）を作成しなさい。

【資料1】残高試算表の一部

残 高 試 算 表 （単位：千円）

⋮		⋮	
車両運搬具	75,000	車両運搬具減価償却累計額	18,750
器具備品	45,000	器具備品減価償却累計額	11,250
⋮		⋮	

【資料2】参考事項

有形固定資産に関する資料は、次のとおりである。なお、残存価額は0円とする。

区分	取得原価	期首減価償却累計額	償却方法	備考
車両運搬具	75,000千円	18,750千円	定額法	（注1）
器具備品	45,000千円	11,250千円	定率法	（注2）

（注1）当該車両運搬具は当期に新たに得られた情報に基づき従来の耐用年数を8年から5年に変更を行った。なお、当該車両運搬具はX3年4月1日に取得したものであり、残存価額を0円とした定額法により償却を行っている。

（注2）当該器具備品は定率法により減価償却をしていたが当期より定額法に会計方針の変更を行った。

なお、当該器具備品はX4年4月1日に取得したものであり、当社は耐用年数を10年として定率法（償却率0.250）により減価償却をしている。

問2 次の資料により、A株式会社（事業年度：X5年4月1日からX6年3月31日）の会社計算規則に準拠した損益計算書（必要部分のみ）を作成しなさい。

【資　料】残高試算表の一部

残 高 試 算 表 （単位：千円）

⋮		⋮	
売掛金	15,000	貸倒引当金	3,750
⋮		⋮	

売掛金15,000千円のうち、前期末に発生した売掛金4,500千円が当期に回収不能となったが会計処理が未済である。なお、残高試算表の貸倒引当金はすべて前期末に一般債権に対して設定したものであり、不足額は当期における状況変化によるものである。

また、前期に貸倒処理した売掛金15,000千円のうち、3,000千円については当期に現金で回収することができたが会計処理が未済である。当該償却済債権の回収は当期における状況変化によるものであり、会計上の見積りの変更に該当する。当該回収に係る損益は営業外収益の区分に表示するものとする。

問3　次の資料により、A株式会社（事業年度：X5年４月１日からX6年３月31日）の会社計算規則に準拠した損益計算書（必要部分のみ）を作成しなさい。

【資　料】残高試算表の一部

残　高　試　算　表　　　　（単位：千円）

⋮		⋮	
売　　掛　　金	15,000	貸　倒　引　当　金	3,750
⋮		⋮	

当期末において、期末売掛金15,000千円に対して２％の貸倒引当金を設定する。

貸倒引当金の繰入額と戻入額は相殺して純額で表示するものとし、戻入額が繰入額を超過する部分については当期における状況変化によるものであり、会計上の見積りの変更に該当する。なお当該差額は営業外収益の区分に表示するものとする。

問題3　過去の誤謬の取扱い(1)

基礎　5分　解答>>>45P

C株式会社の当期（X5年４月１日からX6年３月31日まで）における遡及処理後の計算書類（一部抜粋）を会社計算規則に基づいて作成しなさい。なお、税効果会計については考慮しないものとする。また、控除項目には数値の前に「△」を付すこと。

⑴　当期の財務諸表を作成する過程で、前期の財務諸表の誤謬が発見された。当該誤謬の内容は、前期に外部に販売した商品3,000千円を誤って商品残高として計上し、その結果、売上原価が過少に計上されているというものであった。当該誤謬について、当期の報告の中で訂正を行う。

⑵　前期における遡及処理前の計算書類（一部抜粋）は、次のとおりである。

貸　借　対　照　表　　　　（単位：千円）

科　　　目	金　　額	科　　　目	金　　額
資　産　の　部		負　債　の　部	
商　　　　品	6,000	⋮	⋮
⋮	⋮	純　資　産　の　部	
		⋮	⋮
		繰越利益剰余金	36,000

問題 4　過去の誤謬の取扱い(2)

応用　5分　解答>>>47P

次の資料に基づき、B株式会社の当期（X1年4月1日からX2年3月31日）における(1)期首繰越利益剰余金の修正額（修正再表示の累積的影響額）、決算整理および遡及処理後の(2)繰延税金資産、(3)法人税等調整額の金額をそれぞれ求めなさい。なお、法人税等調整額が貸方残高となる場合には金額の前に「△」印を付すこと。また、賞与引当金は修正再表示を含めて税効果会計を適用し、法定実効税率は30%とする。

【資　料】

残　高　試　算　表　　　　（単位：千円）

⋮		⋮	
繰延税金資産	8,000	賞与引当金	16,000
従業員給料及び賞与	87,000	繰越利益剰余金	43,000
⋮		⋮	

B株式会社の賞与の支給は毎年6月（賞与支給対象期間：12月初日～5月末日）及び12月（賞与支給対象期間：6月初日～11月末日）の年2回であり、当期の支給分は全額を従業員給料及び賞与に計上している。

残高試算表の賞与引当金の金額は前期末残高であるが、X1年6月の賞与支給時に、前期末に引当すべきであった金額は19,000千円であり、前期末の実際引当額との間に差異があることが判明した。原因を調査したところ、前期末の引当計算に誤謬が発見されたため、期首の賞与引当金および繰越利益剰余金を修正再表示することとした。

また、X2年6月の賞与支給額は36,000千円と見込まれており、当期負担額を賞与引当金に計上する。なお、賞与引当金に対する法定福利費は考慮する必要はない。

問題 5　会計上の変更等

基礎　20分　解答>>>48P

問1　会計上の変更等の取扱いに関する次の表を埋めなさい。

<table>
<tr><td rowspan="3">会計上の変更</td><td>会計方針の変更</td><td></td></tr>
<tr><td>表示方法の変更</td><td></td></tr>
<tr><td>会計上の見積りの変更</td><td></td></tr>
<tr><td colspan="2">過去の誤謬</td><td></td></tr>
</table>

問2　「会計方針の開示、会計上の変更及び誤謬の訂正に関する会計基準（以下、「基準」）」に基づいて、次の文章中の空欄に当てはまる語句を答えなさい。

> 4(1)「会計方針」とは、財務諸表の作成にあたって採用した ① の ② 及び ③ をいう。
>
> (2)「表示方法」とは、財務諸表の作成にあたって採用した ④ の方法をいい、財務諸表の ⑤ 、 ⑥ 及び ⑦ が含まれる。
>
> ⋮
>
> (5)「会計方針の変更」とは、 ⑧ 採用していた ⑨ から他の ⑨ に変更することをいう。
>
> (6)「表示方法の変更」とは、 ⑧ 採用していた ⑩ から他の ⑩ に変更することをいう。

問3　会計方針を変更した場合の取扱いおよびその根拠を答えなさい。

問4　財務諸表の表示方法を変更した場合の取扱いおよびその根拠を答えなさい。

問5　会計上の見積りおよび会計上の見積りの変更の意義を答えなさい。

問6　会計上の見積りを変更した場合の取扱いおよびその根拠を答えなさい。

問7　「基準」に基づいて、次の文章中の空欄に当てはまる語句を答えなさい。

> 4(8)「誤謬」とは、 ① となる行為が ② であるか否かに ③ 、財務諸表 ④ 時に ⑤ 可能な ⑥ を使用しなかったことによる、又はこれを ⑦ したことによる、次のような ⑧ をいう。

問8　過去の財務諸表における誤謬が発見された場合の取扱いおよびその根拠を答えなさい。

Chapter 2 外貨換算会計

問題1 外貨建取引に関する処理(1)

基礎 4分 解答>>>51P

外貨建資産・負債の内訳は次のとおりであり、「外貨建取引等会計処理基準」に準拠して期末の換算替えを実施する。なお、決算日レートは1ドル＝110円とする。

外貨建項目	円貨額	外貨額
現金	230千円	2,000ドル
預金	660千円	6,000ドル
売掛金	1,000千円	8,000ドル
短期貸付金	368千円	3,200ドル
長期貸付金	2,900千円	20,000ドル
支払手形	1,050千円	10,000ドル
買掛金	810千円	6,000ドル
短期借入金	4,600千円	40,000ドル

問1　各外貨建項目につき期末の円換算額を答案用紙の所定の箇所に記入しなさい。

問2　損益計算書に記載する為替差益または為替差損の金額を答案用紙の所定の箇所に記入しなさい。

問題2 外貨建取引に関する処理(2)

基礎 4分 解答>>>53P

次の資料により、甲株式会社（X5年4月1日からX6年3月31日）の当期の貸借対照表に記載される売掛金および買掛金の金額ならびに損益計算書に記載される為替差益または為替差損の金額を答案用紙の所定の箇所に記載しなさい。なお、外貨建項目については「外貨建取引等会計処理基準」に準拠して処理すること。

【資料1】残高試算表

残高試算表　　（単位：千円）

⋮		⋮	
売掛金	120,000	買掛金	100,000
為替差損	100	仮受金	9,900
⋮		為替差益	400
		⋮	

【資料２】参考事項

1　売掛金に関する事項

売掛金のうち22,440千円はドル建てのもの（220千ドル）であり、取引発生時（輸出日）の直物為替レートで換算している。このうち100千ドルが期中において決済されているが、決済代金9,900千円につき仮受金として処理しているのみである。なお、当期末における直物為替レートは１ドル＝99円である。

2　買掛金に関する事項

X5年10月21日に商品80千ドルを掛けで輸入し、X6年２月19日に代金決済した。この取引は次のとおり会計処理されている。

記帳日	借方		貸方		為替レート
	勘定科目	金額	勘定科目	金額	
X5年10月21日	商品仕入	8,080千円	買掛金	8,080千円	1ドル＝101円
X6年2月19日	買掛金	8,080千円	現金預金	7,840千円	1ドル＝98円
			商品仕入	240千円	

また、買掛金のうち15,520千円はドル建てのもの（160千ドル）であり、取引発生時（輸入日）の直物為替レートで換算している。

問題3　為替予約の処理(1)

基礎　10分　解答>>>55P

会社計算規則に準拠して、次の各問に答えなさい。なお、当社は「外貨建取引等会計処理基準」によっている。

問１　当社（事業年度：X5年４月１日からX6年３月31日）は、アメリカのA社より商品600千ドルを掛け（決済日：X6年５月31日）で輸入した。

そこで、次の(1)～(3)の時点において、必要な仕訳を示しなさい。なお、為替予約差額の会計処理は振当処理によるものとする。

(1)　輸　入　日（X6年２月１日、為替レートは１ドル＝98円）

(2)　為替予約日（X6年３月１日、為替レートは１ドル＝102円、予約レートは１ドル＝108円）

(3)　決　算　日（X6年３月31日、為替レートは１ドル＝106円）

問2　当社（事業年度：X5年4月1日からX6年3月31日）は、アメリカのA社に対し経営資金1,200千ドルの貸付け（決済日：X6年10月31日）を行った。

そこで、次の(1)～(3)の時点において、必要な仕訳を示しなさい。なお、為替予約差額の会計処理は振当処理によるものとする。

(1)　貸　付　日（X6年2月1日、為替レートは1ドル＝98円）

(2)　為替予約日（X6年3月1日、為替レートは1ドル＝102円、予約レートは1ドル＝108円）

(3)　決　算　日（X6年3月31日、為替レートは1ドル＝106円）

問題4　為替予約の処理(2)

基礎　10分　解答>>>57P

会社計算規則に準拠して、次の各問に答えなさい。なお、当社は「外貨建取引等会計処理基準」によっている。

問1　当社（事業年度：X5年4月1日からX6年3月31日）は、アメリカのA社より商品600千ドルを掛け（決済日：X7年11月30日）で輸入した。

そこで、次の(1)～(3)の時点において、必要な仕訳を示しなさい。なお、為替予約差額の会計処理は振当処理によるものとする。

(1)　輸　入　日（X5年6月1日、為替レートは1ドル＝98円）

(2)　為替予約日（X5年11月1日、為替レートは1ドル＝102円、予約レートは1ドル＝108円）

(3)　決　算　日（X6年3月31日、為替レートは1ドル＝106円）

問2　当社（事業年度：X5年4月1日からX6年3月31日）は、アメリカのA社に対し経営資金1,200千ドルの貸付け（決済日：X7年11月30日）を行った。

そこで、次の(1)～(3)の時点において、必要な仕訳を示しなさい。なお、為替予約差額の会計処理は振当処理によるものとする。

(1)　貸　付　日（X5年6月1日、為替レートは1ドル＝98円）

(2)　為替予約日（X5年11月1日、為替レートは1ドル＝102円、予約レートは1ドル＝108円）

(3)　決　算　日（X6年3月31日、為替レートは1ドル＝106円）

問題5 為替予約の処理(3)

基礎　4分　解答>>>58P

当社（事業年度：X5年4月1日からX6年3月31日）は、アメリカのA社に対し経営資金600千ドルの貸付け（決済日：X6年6月30日）を行った。

そこで、次の(1)、(2)の時点において、必要な仕訳を示しなさい。なお、為替予約差額の会計処理は振当処理によるものとする。

(1) 貸付日（X5年11月1日、為替レートは1ドル＝98円）
なお、為替予約は貸付時に付した（予約レートは1ドル＝102円）。

(2) 決算日（X6年3月31日、為替レートは1ドル＝106円）

問題6 為替予約の処理(4)

応用　5分　解答>>>59P

下記の【資料】に基づき、ＫＳＡ商事株式会社の第4期（自X4年4月1日　至X5年3月31日）における貸借対照表および損益計算書を、会社法および会社計算規則に準拠して作成しなさい。

【資料1】決算整理前残高試算表（一部）

決算整理前残高試算表（一部）　　（単位：千円）

売　掛　金	276,000	売　　上	2,869,000

【資料2】決算整理の未済事項および参考事項

売掛金には以下のドル建売掛金が含まれている。

売上日	売上外貨額	入金予定日	備考
X5年2月28日	300千ドル	X5年6月30日	下記参照

① 売上日の直物為替相場は115円/ドル

② X5年3月1日に110円/ドルで為替予約を行い、当該予約レートで売上計上を行った。

③ X5年3月1日の直物為替相場は114円/ドル

④ 当該為替処理については振当処理を行い、直先差額は月割により期間配分する。

問題7 外貨建有価証券の期末換算(1)

基礎 8分 解答>>>61P

H株式会社（事業年度：X5年4月1日からX6年3月31日）が期末現在保有する有価証券は下記の資料のとおりである。これに基づき、会社計算規則に準拠した貸借対照表および損益計算書（必要な部分のみ）を作成しなさい。

なお、H社は有価証券の評価につき「金融商品に関する会計基準」に基づく評価方法を採用している。また、その他有価証券の評価差額の処理は税効果会計を適用のうえ、全部純資産直入法によるものとする。

【資　料】期末現在保有する有価証券の内訳（決算整理前残高試算表の有価証券の金額）

銘　柄	保有目的	帳簿価額	市場価格
A社株式	売買目的	153,510千円 （1,290千ドル）	1,260千ドル
B社株式	その他	181,440千円 （1,620千ドル）	1,680千ドル
C社社債	売買目的	129,960千円 （1,140千ドル）	1,155千ドル
D社株式	その他	193,230千円 （1,710千ドル）	1,755千ドル

（注1）保有目的の「その他」とは「金融商品に関する会計基準」における「その他有価証券」に該当するものを指す。

（注2）H社は税効果会計を適用しており、法定実効税率は40％であった。また、期末現在の直物為替相場は1ドル＝116円である。

（注3）議決権保有割合は、すべて15％未満である。

問題8 外貨建有価証券の期末換算(2)

基礎　12分　解答>>>65P

B株式会社（事業年度：X4年4月1日からX5年3月31日）が期末現在保有する有価証券は下記の資料のとおりである。これに基づき、会社計算規則に準拠した貸借対照表および損益計算書（必要な部分のみ）を作成しなさい。

なお、B社は有価証券の評価につき「金融商品に関する会計基準」に基づく評価方法を採用している。また、その他有価証券の評価差額の処理は税効果会計を適用のうえ、全部純資産直入法によるものとする。

【資　料】期末現在保有する有価証券の内訳（決算整理前残高試算表の有価証券の金額）

銘　柄	保有目的	帳簿価額	市場価格	備　考
M社株式	売買目的	204,750千円 （1,950千ドル）	1,920千ドル	――
O社株式	その他	231,120千円 （2,160千ドル）	2,205千ドル	（注4）
P社株式	支配目的	378,000千円 （3,600千ドル）	3,480千ドル	（注1）
S社株式	その他	178,200千円 （1,650千ドル）	――	（注4）
T社社債	満期保有	144,000千円 （1,440千ドル）	1,450千ドル	（注2）
Z社株式	その他	126,000千円 （1,050千ドル）	1,080千ドル	（注4）

（注1）B社はP社の議決権の55%を保有している。

（注2）償還期日はX9年3月31日である。

（注3）決算日の直物為替相場は1ドル＝110円である。

（注4）保有目的のうち「その他」とは、売買目的有価証券、満期保有目的の債券、子会社株式および関連会社株式以外の有価証券を指す。

（注5）B社は税効果会計を適用しており、法定実効税率は40%であった。

問題 9 外貨建有価証券の期末換算(3)

基礎 10分 解答>>>69P

M株式会社（事業年度：X4年4月1日からX5年3月31日）が期末現在保有する有価証券は下記の資料のとおりである。これに基づき、会社計算規則に準拠した貸借対照表および損益計算書（必要な部分のみ）を作成しなさい。

なお、M社は有価証券の評価につき「金融商品に関する会計基準」に基づく評価方法を採用している。また、その他有価証券の評価差額の処理は税効果会計を適用のうえ、全部純資産直入法によるものとする。

【資　料】期末現在保有する有価証券の内訳（決算整理前残高試算表の有価証券の金額）

銘　柄	保有目的	帳簿価額	市場価格	備　考
O社株式	売買目的	92,400千円 （840千ドル）	810千ドル	——
S社株式	支配目的	283,500千円 （2,700千ドル）	1,140千ドル	（注1）
T社株式	その他	157,380千円 （1,290千ドル）	——	（注2） （注4）
W社社債	満期保有	135,000千円 （1,080千ドル）	1,090千ドル	（注3）
Y社株式	その他	55,200千円 （480千ドル）	480千ドル	（注4）

（注1）M社はS社の議決権の60%を保有している。なお、S社株式の時価は著しく下落しており、回復の見込みはない。

（注2）T社の財政状態の悪化により、M社の持分に対する実質価額は570千ドルと著しく低下している。

（注3）満期日はX9年9月30日である。

（注4）保有目的の「その他」とは、「金融商品に関する会計基準」における「その他有価証券」に該当するものを指す。

（注5）M社は税効果会計を適用しており、法定実効税率は40%であった。また、期末現在の直物為替相場は1ドル＝120円である。

問題 10 外貨建有価証券の期末換算(4)

応用 10分 解答>>>72P

ダイキ株式会社（以下、当社。事業年度：X5年4月1日からX6年3月31日）が期末現在保有する有価証券は下記の資料のとおりである。これに基づき、会社計算規則に準拠した貸借対照表および損益計算書（必要な部分のみ）を作成しなさい。

【資料1】残高試算表

残 高 試 算 表 （単位：千円）

⋮		⋮	
有価証券	459,315	有価証券利息	9,186
⋮		⋮	

【資料2】有価証券に関する事項

有価証券の内訳は、次のとおりである。

なお、当社は有価証券の評価につき「金融商品に関する会計基準」に基づく評価方法を採用している。また、その他有価証券の評価差額の処理は税効果会計（法定実効税率は40％として計算する）を適用のうえ、全部純資産直入法によるものとする。

銘柄	保有目的	帳簿価額	期末時価	備考
P社社債	その他	149,040千円 （1,380千ドル）	1,419千ドル	下記②参照
Q社社債	満期保有	310,275千円 （2,955千ドル）	2,967千ドル	下記③参照

① 決算時の直物為替レートは1ドルあたり115円、期中平均為替レートは1ドルあたり112円である。

② X4年4月1日に発行と同時に取得したものであり、額面金額1,500千ドル、取得価額1,350千ドル、償還期間は5年間である。なお、額面金額と取得価額の差額（以下、取得差額という）の性格は、すべて金利の調整と認められることから償却原価法（定額法）を適用しており、上記表中の帳簿価額は前期において償却原価法を適用して算定した価額を適正に換算した金額である。また、評価差額の戻入れは当期首に適正に行われている。

③ X5年12月1日に発行と同時に取得したものであり、額面金額は3,000千ドル、取得価額2,955千ドル、償還期間は5年間である。なお、取得差額の性格は、すべて金利の調整と認められることから償却原価法（定額法）を適用することとする。

問題11 外貨建取引に関連する注記事項

基礎　5分　解答>>>74P

以下の資料をもとに、外貨建取引に関して、必要となる重要な会計方針に係る事項に関する注記（重要な会計方針の変更に関する注記を除く）を答案用紙の所定の箇所に記載しなさい。

【資料1】残高試算表の一部

残　高　試　算　表　　　　（単位：千円）

⋮	⋮	
	長　期　借　入　金	10,500
	⋮	

【資料2】参考事項

長期借入金はすべてX5年6月1日に米国のＡＴ銀行から借り入れた100,000ドルである（返済期日はX8年11月30日である）。当社はX5年8月1日に当該借入金について為替予約を行ったが未処理であった。予約日の直物為替相場は1ドル＝100円、当該借入金の決済に係る先物為替相場は1ドル＝98円であった。なお、為替予約の処理は振当処理によるものとする。

問題12 外貨換算会計

基礎　25分　解答>>>75P

問1　外貨換算の方法に関する以下の文章について、空欄に入る適切な語句を答えなさい。

① 決算日レート法

決算日レート法とは、すべての外貨表示財務諸表項目を、［　①　］により換算する方法をいう。

② 流動・非流動法

流動・非流動法とは、流動項目を［　②　］によって、非流動項目を［　③　］によって換算する方法をいう。

③ 貨幣・非貨幣法

貨幣・非貨幣法とは、貨幣項目を［　④　］によって、非貨幣項目を［　⑤　］によって換算する方法をいう。

④ テンポラル法

テンポラル法とは、外貨表示財務諸表項目のうち、取得時または発生時の外貨で測定されている項目については［　⑥　］で換算し、決算時の外貨で測定されている項目については［　⑦　］で換算する方法をいう。

問2　外貨換算の基準に関連して、次の各問に答えなさい。

(1)　本国主義の意義を答えなさい。

(2)　現地主義の意義を答えなさい。

(3)　在外支店の財務諸表項目の換算基準として、「外貨会計基準」が採用している換算基準を答えなさい。また、その論拠を答えなさい。

(4)　在外子会社の財務諸表項目の換算基準として、「外貨会計基準」が採用している換算基準を答えなさい。また、その論拠を答えなさい。

問3　次に掲げる外貨建資産および負債の「外貨建取引等会計処理基準（以下、外貨基準)」における決算時の換算方法および換算理由を答えなさい。

(1)　外貨建金銭債権債務

(2)　外貨建売買目的有価証券

(3)　外貨建満期保有目的の債券

(4)　外貨建子会社株式および関連会社株式

(5)　外貨建その他有価証券

問4　外貨建取引の処理方法に関連して、次の各問に答えなさい。

(1)　一取引基準の意義を答えなさい。

(2)　二取引基準の意義を答えなさい。

(3)「外貨基準」において二取引基準が採用されている理由を２つ答えなさい。

問5　為替予約等の処理方法に関連して、次の各問に答えなさい。

(1)　独立処理とはどのような方法か答えなさい。

(2)　振当処理とはどのような方法か答えなさい。

(3)「外貨基準」における取扱いを答えなさい。

Chapter 3　製造業会計

問題 1　製造原価報告書と製造業の損益計算書(1)　基礎　13分　解答>>>78P

A＆W株式会社の当期（X5年4月1日からX6年3月31日まで）における下記の資料により、以下の各問に答えなさい。なお、注記事項の記載は要しない。

問1　製造原価報告書（内訳を示す方式による）を作成しなさい。

問2　会社計算規則に準拠した損益計算書（営業利益まで）を作成しなさい。

【資料1】決算修正前残高試算表の一部（一部修正済み）

残　高　試　算　表　　　　（単位：千円）

材料	11,000	売上高	320,000
仕掛品	14,000		
製品	24,000		
材料仕入	79,600		
賃金	4,760		
広告宣伝費	4,060		
電力料	1,920		
外注加工費	1,648		
通信費	1,560		
給料	3,600		
法定福利費	700		
賃借料	3,600		
租税公課	3,000		
保険料	1,600		
修繕費	470		
雑費	250		

【資料2】参考事項

1　期末材料の帳簿棚卸高は10,600千円であり、実地棚卸高は10,500千円である。差額は調査の結果、原価性のある減耗と認められた。なお、残高試算表の材料は前期末残高である。

2　仕掛品の期末棚卸高は12,000千円であり、製品の期末棚卸高は26,000千円である。なお、残高試算表の仕掛品および製品は前期末残高である。

3　有形固定資産は定率法により減価償却しており、当期の減価償却費は2,200千円（製造部門に60％帰属）である。

4　退職給付費用の当期計上額は1,800千円（製造部門に70%帰属）である。

5　保険料の繰延べ分（翌期分）が200千円ある。

6　主な費目の各部門への帰属割合は次のとおりである。

費　　　目	製　造　部　門	営　業　部　門
電　力　料	60%	40%
租　税　公　課	25%	75%
修　繕　費	100%	−
通　信　費	−	100%
給　　　料	40%	60%
法定福利費	50%	50%
賃　借　料	20%	80%
保　険　料	70%	30%
雑　　　費	20%	80%

問題 2　期末仕掛品の評価(1)

基礎　6分　解答>>>82P

下記の【資料】に基づき、完成度換算法により次の２つのケースにおける期末仕掛品原価を求めなさい。

（ケース１）　平　均　法

（ケース２）　先入先出法

【資料１】　原価データ

(1)　期首仕掛品原価

材　料　費	9,000千円
加　工　費	1,248千円

(2)　当期総製造費用

材　料　費	43,200千円
加　工　費	46,632千円

なお、材料は工程の始点において投入している。

【資料２】　生産データ

期首仕掛品（進捗度20%）	90個
当期投入量	360個
合　　計	450個
期末仕掛品（進捗度50%）	60個
完　成　品	390個

問題3 期末仕掛品の評価(2)

応用 8分 解答>>>84P

K.F株式会社（自X5年4月1日　至X6年3月31日）の次の【資料】により、会社計算規則に準拠した損益計算書（売上総利益まで）を作成しなさい。

【資料1】残高試算表の一部

残高試算表　（単位：千円）

材料	9,000	売上	444,000
仕掛品	25,620		
製品	30,000		
材料仕入	132,600		
労務費	78,000		
経費	35,580		

【資料2】参考事項

1　期首仕掛品25,620千円のうち、22,500千円は材料費、3,120千円は加工費である。

2　期末材料および期末仕掛品は先入先出法による原価法、期末製品は平均法による原価法によりそれぞれ評価している。

3　期末材料に関する資料は次のとおりである。

(1)　帳簿棚卸高：21,000千円（原価）

(2)　実地棚卸高：18,000千円（原価）

なお、差額は正常な減耗と判断される。

4　仕掛品に関する資料は次のとおりである。なお、材料は、作業開始時にすべて投入されている。

期首仕掛品	450個	（加工進捗度20%）
当期投入品	1,800個	
合計	2,250個	
期末仕掛品	300個	（加工進捗度50%）
当期完成品	1,950個	

5　製品に関する資料は次のとおりである。

期首製品	450個
当期完成品	1,950個
合計	2,400個
期末製品	180個
当期販売品	2,220個

6　期末棚卸資産に係る収益性の低下は考慮外とする。

問題4 製造原価報告書と製造業の損益計算書(2) 基礎 18分 解答>>>86P

F株式会社の当期（X5年4月1日からX6年3月31日まで）に係る次の【資料】により、製造原価報告書および会社計算規則に準拠した損益計算書（営業利益まで）を作成しなさい。また、重要な会計方針に係る事項に関する注記を答案用紙の所定の箇所に記載しなさい。

（注1） 製造原価報告書の作成にあたっては、各費目の内訳も示すこと。

（注2） 損益計算書の作成にあたっては、売上原価の内訳並びに販売費及び一般管理費の明細も示すこと。

【資料1】決算修正前残高試算表の一部（一部修正済み）

残高試算表　（単位：千円）

材料（期首）	16,000	売上高	300,000
仕掛品（期首）	8,000	材料（期末）	14,000
製品（期首）	24,000	仕掛品（期末）	10,800
材料仕入	80,000	製品（期末）	16,000
賃金	14,000		
減価償却費	9,200		
電力料	10,800		
修繕費	1,760		
旅費交通費	11,700		
給料	18,000		
法定福利費	4,400		
賃借料	26,400		
租税公課	4,440		
保険料	3,400		
通信費	1,300		
外注加工費	12,600		
研究開発費	15,000		
退職給付費用	6,000		
広告宣伝費	7,400		
雑費	500		

【資料２】参考事項

1　減価償却費、給料、法定福利費、保険料および退職給付費用のうち半分は製造部門に係るものである。

2　電力料、旅費交通費のうち３分の２は製造部門に係るものである。

3　租税公課のうち３分の１は製造部門に係るものである。

4　修繕費、賃借料は全額が製造部門に係るものである。

5　通信費、雑費について製造部門に係るものはない。

6　研究開発費は、すべて一般管理費として処理する。

7　**【資料１】**の材料（期末）は帳簿棚卸高であり、減耗損（原価性あり）が200千円生じている。なお､収益性の低下による正味売却価額の下落は生じていない。

8　製品、材料および仕掛品は総平均法による原価法（収益性の低下による簿価切下げの方法による）により評価している。

9　有形固定資産は、定額法により減価償却している。

Chapter 4 企業結合会計

問題 1 企業結合会計(1)

基礎 20分 解答>>>92P

問1 企業結合の意義を答えなさい。

問2 企業結合の会計処理に関する以下の文章について、空欄に入る適切な語句を答えなさい。

> 「企業結合に関する会計基準」では企業結合には「[①]」と「[②]」という異なる経済的実態を有するものが存在する以上、それぞれの実態に対応する適切な会計処理方法を適用する必要があるとの考え方に立っている。
> 「[①]」とは、ある企業が他の企業または企業を構成する事業に対する[③]を獲得することをいう。
> 「[②]」とは、いずれの企業（または事業）の株主（または持分保有者）も他の企業（または事業）を[③]したとは認められず、結合後企業のリスクや便益を引続き相互に共有することを達成するため、それぞれの事業のすべてまたは事実上のすべてを統合して一つの報告単位となることをいう。

問3 パーチェス法の意義を答えなさい。

問4 パーチェス法の採用理由を現行の一般的な会計処理との整合性の観点から答えなさい。

問5 パーチェス法を採用した場合の被取得企業または取得した事業の取得原価の決定方法を答えなさい。

問6 のれんの会計処理に関連して、次の各問に答えなさい。

(1) のれんの会計処理の内容を答えなさい。

(2) 上記(1)のような会計処理が採用される理由を３つ答えなさい。

(3) のれんおよびのれんの当期償却額の表示区分を答えなさい。

問7 負ののれんの会計処理に関連して、次の各問に答えなさい。

(1) 負ののれんの会計処理の内容を答えなさい。

(2) 上記(1)のような会計処理が採用される理由を２つ答えなさい。

(3) 負ののれんの表示区分を答えなさい。

問題2 企業結合会計(2)

応用　8分　解答>>>94P

A社（存続会社）はB社（消滅会社）をX2年4月1日に吸収合併した。次の【資料】に基づいて、パーチェス法により処理した場合（A社を取得企業とする）のA社における企業結合日の仕訳を示しなさい。

【資料Ⅰ】合併直前の両社の貸借対照表

貸　借　対　照　表
X2年3月31日
（単位：千円）

資　　産	A　　社	B　　社	負債・純資産	A　　社	B　　社
諸　資　産	150,000	100,000	諸　負　債	60,000	40,000
			資　本　金	50,000	35,000
			資本準備金	10,000	5,000
			その他資本剰余金	20,000	5,000
			利益準備金	7,500	3,000
			任意積立金	9,000	4,000
			繰越利益剰余金	16,900	8,000
			自 己 株 式	△ 23,400	−
	150,000	100,000		150,000	100,000

【資料Ⅱ】合併に関する事項

1. B社の発行済み株式総数は300,000株であり、B社株式1株と引換えにA社株式1株を交付する。交付するA社株式のうち120,000株はA社が所有する自己株式（帳簿価額は1株あたり195円）を交付し、180,000株は新株を発行して交付する。交付したA社株式の時価は1株あたり235円である。なお、A社の増加する株主資本（新株の発行に対する部分）のうち2分の1ずつを資本金と資本準備金とする。
2. 合併直前におけるB社の諸資産の時価（公正価値）は115,000千円であり、諸負債の時価（公正価値）は45,000千円である。

問題3 企業結合会計(3)

基礎　6分　解答>>>95P

次の【資料】に基づいて、A社における株式交換日の仕訳を示しなさい。

【資　料】

1. A社（完全親会社）とB社（完全子会社）はX2年4月1日に株式交換を行った。この株式交換によってA社が取得企業、B社が被取得企業となった。
2. 発行済株式総数はA社が4,000株、B社が1,500株である。
3. A社は新株を発行してB社の株主に交付した。なお、株式の交換比率はA社：

B社＝１：0.8であり、株式交換日におけるA社株式の時価は１株あたり500千円である。

4．A社は、増加する払込資本のうち、450,000千円を資本金、100,000千円を資本準備金とし、残額についてはその他資本剰余金とする。

5．株式交換直前のB社の貸借対照表は、以下のとおりである。

貸　借　対　照　表

X2年３月31日　　（単位：千円）

借方科目	金額	貸方科目	金額
現金	125,000	買掛金	30,000
有価証券	255,000	資本金	175,000
商品	40,000	資本剰余金	140,000
土地	150,000	利益剰余金	225,000
合計	570,000	合計	570,000

6．株式交換日におけるB社保有の有価証券の時価は275,000千円、土地の時価は180,000千円と算定された。

問題4　共通支配下の取引等

応用　6分　解答>>>96P

X0年３月31日にA社は、B社を設立し、以来B社株式100％を保有している（帳簿価額35,000千円）。その後X1年４月１日にA社はA社を存続会社、B社を消滅会社とする吸収合併をした。A社における企業結合日の仕訳を示しなさい。

B社の合併前日の貸借対照表は以下のとおりである。

貸　借　対　照　表

X1年３月31日　　（単位：千円）

借方科目	金額	貸方科目	金額
諸資産	90,000	諸負債	80,000
土地	30,000	資本金	35,000
		利益剰余金	5,000
合計	120,000	合計	120,000

Chapter 5 事業分離会計

問題1 事業分離会計(1)

基礎 15分 解答>>>97P

問1 事業分離の意義を答えなさい。

問2 分離元企業の会計処理に関連して、次の各問に答えなさい。

(1) 会計処理の基本的な考え方を答えなさい。

(2) 移転した事業に関する投資が清算されたとみる場合の会計処理の内容を答えなさい。

(3) 移転した事業に関する投資がそのまま継続しているとみる場合の会計処理の内容を答えなさい。

問3 被結合企業の株主の会計処理に関連して、次の各問に答えなさい。

(1) 会計処理の基本的考え方を答えなさい。

(2) 被結合企業に関する投資が清算されたとみる場合の会計処理の内容を答えなさい。

(3) 被結合企業に関する投資がそのまま継続しているとみる場合の会計処理の内容を答えなさい。

問題2 事業分離会計(2)

基礎 5分 解答>>>98P

X事業とY事業を営むA社は、分社型の会社分割により、B社に対してY事業を移転した。以下の条件に基づいて、A社におけるそれぞれの仕訳を示しなさい。

	適正な帳簿価額	時価
移転したY事業用資産	36,000千円	42,000千円
移転したY事業用負債	9,600千円	12,000千円
B　社　株　式	−	@204円

問1 A社がB社株式150,000株を取得し、B社が子会社になる場合

問2 A社が対価として現金30,000千円を受け取った場合（A社とB社に資本関係はないものとする）

Chapter 6 連結財務諸表

問題1 連結財務諸表(1)

基礎　20分　解答>>>100P

問1　連結財務諸表の作成目的を答えなさい。

問2　次に掲げる連結財務諸表作成における一般原則の要請内容を答えなさい。

(1)　真実性の原則

(2)　基準性の原則

(3)　明瞭性の原則

(4)　継続性の原則

問3　連結基礎概念に関連して、次の各問に答えなさい。

(1)　親会社説とはどのような考え方か答えなさい。

(2)　経済的単一体説とはどのような考え方か答えなさい。

(3)　親会社説および経済的単一体説の相違点に関する次の表を埋めなさい。

	親会社説	経済的単一体説
株主資本の位置づけ		
非支配株主持分の表示方法		
連結純利益の位置づけ		
非支配株主に帰属する利益の表示方法		

問4　親会社の子会社に対する投資とこれに対応する子会社の資本との相殺消去にあたり、差額が生じる場合の当該差額の取扱いを答えなさい。

問題 2 連結財務諸表(2)

基礎　8分　解答>>>101P

P社はX2年度末にS社株式の60％を6,000千円で取得し、これを子会社として支配した。そこで、次の**【資料】**に基づいて、X4年度連結財務諸表を作成しなさい。なお、両社ともに会計期間は3月31日に終了する1年間である。また、のれんは発生年度の翌年度から10年間にわたり定額法により償却する。

【資料Ⅰ】 S社資本勘定の推移

	資本金	利益剰余金
X3年 3 月 31 日	7,800千円	1,500千円
X4年 3 月 31 日	7,800千円	2,250千円

なお、P社による支配獲得時におけるS社の資産･負債の時価と簿価は同一である。

【資料Ⅱ】 X4年度個別財務諸表（単位：千円）

損　益　計　算　書
自X4年4月1日　至X5年3月31日

借方科目	P社	S社	貸方科目	P社	S社
諸　費　用	56,250	36,000	諸　収　益	60,000	37,500
当期純利益	3,750	1,500			
	60,000	37,500		60,000	37,500

株主資本等変動計算書（P社）
自X4年4月1日　至X5年3月31日

資　本　金	
当期首残高	21,000
当期末残高	21,000
利益剰余金	
当期首残高	9,000
当期変動額	
当期純利益	3,750
当期末残高	12,750

株主資本等変動計算書（S社）
自X4年4月1日　至X5年3月31日

資　本　金	
当期首残高	7,800
当期末残高	7,800
利益剰余金	
当期首残高	2,250
当期変動額	
当期純利益	1,500
当期末残高	3,750

貸　借　対　照　表
X5年3月31日

資　産	P社	S社	負債・純資産	P社	S社
諸　資　産	54,000	22,500	諸　負　債	26,250	10,950
S 社 株 式	6,000	—	資　本　金	21,000	7,800
			利益剰余金	12,750	3,750
	60,000	22,500		60,000	22,500

問題 3 連結財務諸表(3)

応用 8分 解答>>>104P

P社はX7年6月現在、S社の発行済議決権株式のうち70%を保有しており、これを子会社としている。そこで、次の【資料】に基づいて、X6年度連結財務諸表を作成しなさい。

【資料Ⅰ】X6年度個別財務諸表（単位：千円）

損　益　計　算　書

自X6年4月1日　至X7年3月31日

借方科目	P社	S社	貸方科目	P社	S社
諸費用	1,687,500	637,500	諸収益	1,717,500	729,000
当期純利益	187,500	112,500	受取配当金	157,500	21,000
	1,875,000	750,000		1,875,000	750,000

株主資本等変動計算書

自X6年4月1日　至X7年3月31日

	株主資本					
	資本金		資本剰余金		利益剰余金	
	P社	S社	P社	S社	P社	S社
当期首残高	1,500,000	600,000	165,000	−	547,500	300,000
当期変動額						
剰余金の配当					△135,000	△37,500
当期純利益					187,500	112,500
当期末残高	1,500,000	600,000	165,000	−	600,000	375,000

貸　借　対　照　表

X7年3月31日

資産	P社	S社	負債・純資産	P社	S社
諸資産	1,796,250	1,312,500	諸負債	1,335,000	487,500
土地	1,125,000	150,000	資本金	1,500,000	600,000
関係会社株式	678,750	−	資本剰余金	165,000	−
			利益剰余金	600,000	375,000
	3,600,000	1,462,500		3,600,000	1,462,500

【資料Ⅱ】 解答上の留意事項

1．P社はX4年度末にS社（資本金600,000千円、利益剰余金285,000千円）の発行済議決権株式の60%を562,500千円で取得し、支配を獲得した。また、P社はX6年度末にS社の発行済議決権株式の10%を116,250千円で追加取得した。
2．S社の土地（簿価150,000千円）のX4年度末およびX6年度末における時価はそれぞれ168,750千円、203,250千円である。なお、その他の資産および負債について、簿価と時価の乖離は生じていない。
3．のれんは計上年度の翌年度から5年間で定額法により償却する。
4．純資産の減少項目には「△」を付すこと。

問題4 連結財務諸表(4)

応用　8分　解答>>>108P

P社は、X4年3月31日にS社の発行済議決権株式の80%を384,000千円で取得し、支配を獲得した。X4年3月31日現在におけるS社の財政状態と、X5年3月31日現在におけるP社およびS社の貸借対照表は次のとおりである。なお、のれんは計上年度の翌年から10年で均等償却を行うものとする。これらの事項に基づいて、X5年3月31日現在における連結貸借対照表を作成しなさい。

X4年3月31日現在におけるS社貸借対照表

諸資産	諸負債	資本金	利益剰余金
912,000千円	480,000千円	240,000千円	192,000千円

なお、S社の諸資産の時価は1,008,000千円、諸負債の時価は530,000千円である。

貸借対照表
X5年3月31日　（単位：千円）

資産	P社	S社	負債・純資産	P社	S社
諸資産	1,536,000	1,008,000	諸負債	768,000	552,000
S社株式	288,000	−	資本金	480,000	240,000
			利益剰余金	576,000	216,000
	1,824,000	1,008,000		1,824,000	1,008,000

なお、S社の諸資産の時価は1,104,000千円、諸負債の時価は576,000千円である。

また、P社はX5年3月31日に保有するS社株式の4分の1（20%）を120,000千円で売却し、P社の個別損益計算書にS社株式売却益24,000千円を計上している。

問題5 連結財務諸表(5)

応用　8分　解答>>>110P

次の【資料】に基づいて、当期の連結財務諸表（一部）を作成しなさい。当期はX6年4月1日からX7年3月31日までの1年である。

【資料Ⅰ】解答上の留意事項

1．P社はS社株式の80%を所有しており、これを子会社として支配している。
2．P社は当期より毎期付加利益率20%でS社に対して商品を販売している。
3．当期中にS社はP社より商品203,700千円を仕入れた。また、S社が保有するP社仕入商品が期末に6,300千円あった。
4．P社における対S社売掛金が期末に29,400千円あった。
5．P社は売上債権期末残高に対して毎期3%の貸倒引当金を差額補充法により設定している。

【資料Ⅱ】個別財務諸表に計上されている各科目の金額

	P社	S社
売上高	888,300千円	390,600千円
売上原価	632,100千円	266,700千円
貸倒引当金繰入	2,814千円	441千円
売掛金	184,800千円	96,600千円
貸倒引当金	5,544千円	1,932千円
商品	144,900千円	102,900千円
買掛金	157,500千円	81,900千円

Chapter 7 中間財務諸表・四半期財務諸表

問題1 四半期財務諸表

基礎 12分 解答>>>112P

問1 四半期財務諸表の性格に関する考え方に関連して、次の(1)〜(3)に答えなさい。

(1) 実績主義とはどのような考え方か答えなさい。

(2) 予測主義とはどのような考え方か答えなさい。

(3) 実績主義を採用する理由を３つ答えなさい。

問2 四半期財務諸表に簡便的な会計処理が認められる理由を答えなさい。

Chapter 8 包括利益計算書

問題1 包括利益計算書

基礎　12分　解答>>>114P

問1　包括利益およびその他の包括利益に関する以下の文章について、空欄に入る適切な語句を答えなさい。

> 包括利益とは、ある企業の ① の財務諸表において認識された ② のうち、当該企業の純資産に対する ③ との直接的な取引によらない部分をいう。
> その他の包括利益とは、包括利益のうち ④ に含まれない部分をいう。

問2　包括利益を表示する計算書に関する以下の文章について、空欄に入る適切な語句を答えなさい。

> 包括利益を表示する計算書は、次のいずれかの形式による。
> (1) 当期純利益を表示する ① と、包括利益を表示する ② からなる形式（ ③ 方式）
> (2) 当期純利益の表示と包括利益の表示を1つの計算書（「 ④ 」）で行う形式（ ⑤ 方式）

問3　包括利益を表示することによる目的を3つ答えなさい。

問4　企業会計基準第25号第9項において、組替調整は次のように記述されている。組替調整が必要とされる理由について、企業価値評価の観点から説明しなさい。

> 当期純利益を構成する項目のうち、当期又は過去の期間にその他の包括利益に含まれていた部分は、組替調整額として、その他の包括利益の内訳項目ごとに注記する。

Chapter 9 キャッシュ・フロー計算書

問題1 キャッシュ・フロー計算書(1)

基礎 25分 解答>>>116P

問1 次のキャッシュ・フロー計算書の本質に関する以下の文章について、空欄に入る適切な語句を答えなさい。

> キャッシュ・フロー計算書は、企業の資金活動状況を明らかにするために、一会計期間における［ ① ］を一定の［ ② ］に表示したものである。

問2 キャッシュ・フロー計算書の必要性を２つ答えなさい。

問3 キャッシュ・フロー計算書における資金の範囲を答えなさい。

問4 次に掲げるキャッシュ・フロー計算書の表示区分の内容を答えなさい。

(1) 営業活動によるキャッシュ・フローの区分
(2) 投資活動によるキャッシュ・フローの区分
(3) 財務活動によるキャッシュ・フローの区分

問5 営業活動によるキャッシュ・フローの区分の表示方法に関連して、次の各問に答えなさい。

(1) 直接法とはどのような表示方法か答えなさい。
(2) 間接法とはどのような表示方法か答えなさい。

問6 法人税等の表示方法を答えなさい。また、そのような表示方法が採用される理由を答えなさい。

問7 利息及び配当金の２つの表示方法を答えなさい。また、そのような表示方法が採用される理由をそれぞれ答えなさい。

問題 2 キャッシュ・フロー計算書(2)

基礎 10分 解答>>>119P

次の【資料】により、キャッシュ・フロー計算書を作成しなさい。なお、営業活動によるキャッシュ・フローの区分は、間接法により表示する。

【資　料】

前期末の貸借対照表と当期末の貸借対照表の差額は以下のとおりである。

1　増加項目

(1)　現金及び現金同等物：5,100千円

なお、前期末の残高は30,900千円、当期末の残高は36,000千円である。

(2)　売掛金：3,000千円

(3)　減価償却累計額：3,000千円

なお、期中に売却・除却はなかった。

(4)　未払利息：600千円

なお、当期の損益計算書に計上された支払利息は4,800千円である。

(5)　長期借入金：7,500千円

なお、一年以内返済長期借入金3,000千円の返済が当期に完了している。

(6)　有価証券：8,700千円

なお、期中に帳簿価額4,800千円の有価証券を売却した。また、当期の評価損1,500千円がある。

2　減少項目

(1)　貸倒引当金：60千円

なお、前期に設定された引当金は、当期中に使用されなかった。また、上記貸倒引当金は、営業債権に係るものである。

(2)　未払法人税等：3,000千円

なお、当期の損益計算書に計上された法人税等は27,000千円である。

Chapter 10 財務諸表等規則

問題1 財務諸表等規則における金銭債権・債務の表示(1) 応用 8分 解答>>>122P

次の【資料】1～7に示す項目について、以下の各問に答えなさい。

問1 会社計算規則に準拠した貸借対照表の表示および貸借対照表等に関する注記を答案用紙の所定の箇所に記入しなさい。なお、関係会社に対する金銭債権および債務については、独立科目をもって表示すること。

問2 財務諸表等規則に準拠した貸借対照表の表示および貸借対照表関係の注記事項を答案用紙の所定の箇所に記入しなさい。なお、次の**【資料】**に掲げる項目は、すべて資産の総額または負債および純資産の合計の100分の5を超えるものとする。

【資　料】

1 従業員の持家促進のために長期的に貸し付けている額　30,000千円
2 新規事業の資金に充てるために当社の議決権の60％を保有するＣ社から、当期末から10年後返済の契約で借り入れている額　60,000千円
3 当社の株主であるＢ氏に対して短期的に貸し付けた額　400千円
4 当社の子会社であるＤ社に対する営業上の未収入金　20,000千円
5 従業員から源泉徴収した勤労所得税　600千円
6 当社の役員であるＸ氏から一時的に借り入れている額　300千円
7 当社の関連会社であるＥ社から一時的に借り入れている額　6,000千円

問題2 財務諸表等規則における金銭債権・債務の表示(2) 応用 8分 解答>>>124P

下記の【資料】に基づき、次の各問に答えなさい。

問1 「財務諸表等規則」に準拠した貸借対照表の負債の部（必要部分のみ）を示しなさい。

また、貸借対照表関係の注記を所定の箇所に記入しなさい。

問2 「会社計算規則」に準拠した貸借対照表の負債の部（必要部分のみ）を示しなさい。

また、貸借対照表等に関する注記を所定の箇所に記入しなさい。なお、関係会社に対する金銭債務については独立科目により表示する。

【資料1】決算整理後残高試算表の一部

決算整理後残高試算表　（単位：千円）

⋮	支払手形	24,000
	買掛金	56,000
	短期借入金	30,400
	預り金	11,600
	長期借入金	32,000

【資料2】参考事項

1　当社は、甲社の議決権のうち25％を所有しており、当社の取締役を派遣している。また、乙社は、当社の議決権の60％を所有している。

2　買掛金のうち24,000千円は、乙社に対するものである。

3　短期借入金のうち6,400千円は、甲社に対するものである。

4　預り金のうち1,600千円は、従業員から源泉徴収した勤労所得税であり、残額は、株主からの一時的な預り金である。

5　長期借入金のうち12,000千円は取締役に対するものである。

問題 3 財務諸表等規則における有価証券の表示

応用 8分 解答>>>127P

G株式会社（会計期間：自X4年4月1日　至X5年3月31日）の期末における有価証券の内訳は次のとおりである。

これに基づき財務諸表等規則に準拠した貸借対照表および損益計算書の必要部分のみを作成しなさい。なお、有価証券は金融商品に関する会計基準（その他有価証券の評価差額は税効果会計を適用のうえ全部純資産直入法により処理）に準拠して評価すること。なお、法定実効税率は40%として計算する。

（単位：千円）

銘　柄	保有目的	帳簿価額	市場価格	保有比率	備　考
A社株式	そ　の　他	3,480	3,480	2%	（注1）
B社株式	影響力行使	65,424	67,200	19%	（注2）
C社株式	売買目的	15,000	13,200	0.5%	—
D社社債	そ　の　他	22,800	23,280	—	（注3）
B社社債	満期保有	56,400	57,000	—	（注4）
F社出資	影響力行使	5,760	—	25%	（注5）

（注1）A社は当社の議決権の60%を保有している。なお、当該株式は長期間保有する目的で保有するものではない。

（注2）当社はB社の財務および営業の方針に対して重要な影響を与えている。

（注3）当期首に取得したものであり、償還期日はX9年3月31日である。なお、債券金額（24,000千円）との差額は金利の調整であると認められるため、償却原価法（定額法）により評価する。

（注4）前期以前に取得したものであり、償還期日はX7年7月31日である。なお、債券金額（60,000千円）との差額は金利の調整であると認められるため、償却原価法（定額法）により評価している。

（注5）財政状態が悪化しており、実質価額は2,400千円と著しく低下している。

（注6）上記表中の株式に係る保有比率は、議決権保有比率を示している。

問題集

解答・解説

Chapter 1

会計上の変更・誤謬の訂正

解答1 会計方針の変更の取扱い

	日付	時間	学習メモ
1回目	／	／5分	
2回目	／	／5分	
3回目	／	／5分	

貸　借　対　照　表

X6年3月31日

(単位：千円)

科　目	金　額	科　目	金　額
資　産　の　部		⋮	⋮
Ⅰ　流　動　資　産	(　XXX)	純　資　産　の　部	
⋮	⋮	Ⅰ　株　主　資　本	(　XXX)
商　品	6,250	⋮	⋮
⋮	⋮	繰越利益剰余金	XXX
		⋮	⋮

損　益　計　算　書

自X5年4月1日　至X6年3月31日　（単位：千円）

科目	金額	
Ⅰ 売上高		XXX
Ⅱ 売上原価		
1 期首商品棚卸高	3,500	
2 当期商品仕入高	XXX	
合計	XXX	
3 期末商品棚卸高	6,250	XXX
⋮	⋮	
法人税、住民税及び事業税	XXX	
⋮	⋮	
当期純利益		XXX

株主資本等変動計算書

自X5年4月1日　至X6年3月31日　（単位：千円）

繰越利益剰余金	
当期首残高	30,000
会計方針の変更による累積的影響額	1,000
遡及処理後当期首残高	31,000
当期変動額	
当期純利益	XXX
当期末残高	XXX

会計方針の変更に関する注記

　棚卸資産の評価基準及び評価方法を総平均法（収益性の低下による簿価切下げの方法）から先入先出法（収益性の低下による簿価切下げの方法）に変更した。
　この会計方針の変更は、財政状態の適正開示のため、棚卸資産の貸借対照表価額と時価との乖離を減らすことを目的として行ったものである。
　この会計方針の変更は遡及適用され、会計方針の変更の累積的影響額は当事業年度の期首の純資産の帳簿価額に反映されている。この結果、株主資本等変動計算書の利益剰余金の遡及適用後の期首残高は1,000千円増加している。

解説（仕訳の単位：千円）

(1)　当期における会社法上の取扱い

①　期首残高の評価額に関する修正

（商　品）	1,000	（会計方針の変更による累積的影響額） 繰越利益剰余金	1,000

②　期首残高の売上原価への振替え

（期首商品棚卸高） 売上原価	3,500	（商　品）	3,500

③　期末残高

（商　品）	6,250	（期末商品棚卸高） 売上原価	6,250

学習のポイント

①　会計方針の変更の取扱いを理解していたか？

　①会計方針の変更、②表示方法の変更、③誤謬の訂正については遡及処理を行います。会計方針の変更を行った場合、過去の財務諸表に対して新しい会計方針を遡及適用することで、財務諸表の比較可能性が高まります。なお、表示期間より前の期間に関する遡及適用による累積的影響額は、表示する財務諸表のうち、最も古い期間の期首の資産、負債および純資産の額に反映します。

解答2 会計上の見積りの変更の取扱い

	日付	時間	学習メモ
1回目	／	／8分	
2回目	／	／8分	
3回目	／	／8分	

問1

損益計算書

A株式会社　自X5年4月1日　至X6年3月31日　(単位：千円)

科目	金額	
⋮		
Ⅲ 販売費及び一般管理費		
減価償却費	22,500	
⋮		

問2

損益計算書

A株式会社　自X5年4月1日　至X6年3月31日　(単位：千円)

科目	金額	
⋮		
Ⅲ 販売費及び一般管理費		
貸倒損失	750	
Ⅳ 営業外収益		
償却債権取立益	3,000	
⋮		

問3

損　益　計　算　書

A株式会社　　　自X5年4月1日　至X6年3月31日　　　（単位：千円）

科目	金額	
⋮		
Ⅳ 営業外収益		
貸倒引当金戻入額	3,450	
⋮		

解説（仕訳の単位：千円）

問1

（1）車両運搬具（耐用年数の変更）

（減価償却費）	18,750 *	（減価償却累計額）	18,750

＊ $(75{,}000\text{千円} - 18{,}750\text{千円}) \times \dfrac{1\text{年}}{5\text{年} - 2\text{年}} = 18{,}750\text{千円}$

（2）器具備品（減価償却方法の変更）

（減価償却費）	3,750 *	（減価償却累計額）	3,750

＊ $(45{,}000\text{千円} - 11{,}250\text{千円}) \times \dfrac{1\text{年}}{10\text{年} - 1\text{年}} = 3{,}750\text{千円}$

問2

（1）前期末債権の貸倒処理

（貸倒引当金）	3,750	（売掛金）	4,500
（貸倒損失） 販売費及び一般管理費	750		

（2）償却債権取立益

（現金及び預金）	3,000	（償却債権取立益） 営業外収益	3,000

問3

（貸倒引当金）	3,750	（貸倒引当金戻入額）	3,750
（貸倒引当金繰入額） 営業外費用	300 *	（貸倒引当金）	300

＊ 15,000千円×2％＝300千円

損益計算書上の表示（営業外収益の区分に表示します）
3,750千円－300千円＝3,450千円（戻入額）

学習のポイント

① 会計上の見積りの変更の取扱いを理解していたか？

①会計方針の変更、②表示方法の変更、③誤謬の訂正とは異なり、④会計上の見積りの変更は遡及処理はされません。会計上の見積りの変更は、新しい情報によってもたらされるものなので、その影響を将来に向けて認識するという考え方がとられています。

解答3 過去の誤謬の取扱い(1)

	日付	時間	学習メモ
1回目	／	／5分	
2回目	／	／5分	
3回目	／	／5分	

損　益　計　算　書
自X5年4月1日　至X6年3月31日
（単位：千円）

科　目	金　額	
Ⅰ 売上高		XXX
Ⅱ 売上原価		
1 期首商品棚卸高	3,000	
2 当期商品仕入高	XXX	
合計	XXX	
3 期末商品棚卸高	XXX	XXX
⋮	⋮	
法人税、住民税及び事業税	XXX	
⋮	⋮	
当期純利益		XXX

株主資本等変動計算書
自X5年4月1日　至X6年3月31日 (単位：千円)

繰越利益剰余金	
当期首残高	36,000
誤謬の訂正による累積的影響額	△ 3,000
遡及処理後当期首残高	33,000
当期変動額	
当期純利益	XXX
当期末残高	XXX

解説 (仕訳の単位：千円)

⑴　期首残高の評価額に関する取扱い

(誤謬の訂正による累積的影響額) 繰越利益剰余金	3,000	(商　　　品)	3,000

⑵　期首残高の売上原価への振替え

(期首商品棚卸高) 売上原価	3,000	(商　　　品)	3,000

学習のポイント

① 過去の誤謬の取扱いを理解していたか？

①会計方針の変更、②表示方法の変更、③誤謬の訂正は遡及処理されます。期間比較が可能な情報を開示するため、過去の誤謬を修正再表示します。なお、表示期間より前の期間に関する修正再表示による累積的影響額は、表示する財務諸表のうち、もっとも古い期間の期首の資産、負債および純資産に反映します。

解答4 過去の誤謬の取扱い(2)

	日付	時間	学習メモ
1回目	／	／5分	
2回目	／	／5分	
3回目	／	／5分	

(1) 期首繰越利益剰余金の修正額	2,100千円
(2) 繰延税金資産の額	10,400千円
(3) 法人税等調整額の額	△ 1,500千円

解説 (仕訳の単位：千円)

1 前期末賞与引当金に関する修正（修正再表示）

引当すべき金額と実際引当額との差額を修正し、税効果会計を適用します。

(繰延税金資産)	900 *2	(賞与引当金)	3,000 *1
(繰越利益剰余金) 誤謬の訂正による累積的影響額	2,100 *3		

＊1　19,000千円 − 16,000千円 = 3,000千円
　　引当すべき額　実際引当額

＊2　3,000千円 × 30% = 900千円

＊3　3,000千円 − 900千円 = 2,100千円

2 当期の賞与支給による引当金の取り崩し

(賞与引当金)	19,000 *1	(従業員給料及び賞与)	19,000
(法人税等調整額)	5,700 *2	(繰延資金資産)	5,700

＊1　16,000千円 + 3,000千円 = 19,000千円
　　残高試算表　修正額

＊2　19,000千円 × 30% = 5,700千円

3 当期末賞与引当金の計上

(賞与引当金繰入額)	24,000	(賞与引当金)	24,000 *

＊　$36{,}000\text{千円} \times \dfrac{4\text{カ月}}{6\text{カ月}} = 24{,}000\text{千円}$

4　当期末賞与引当金に係る税効果会計

（繰延税金資産）	7,200 *	（法人税等調整額）	7,200

＊　①　会計上の賞与引当金：24,000千円
　　②　税務上の賞与引当金：０千円
　　③　（①－②）×30％＝7,200千円

5　決算整理および遡及処理後の各金額

繰延税金資産：8,000千円＋900千円－5,700千円＋7,200千円＝10,400千円
法人税等調整額：5,700千円－7,200千円＝△1,500千円

学習のポイント

① 過去の誤謬の訂正の取扱いを理解していたか？

引当金の引当過不足の原因が計上時の見積りの誤りに起因する場合には、過去の誤謬に該当し、修正再表示が必要です。

② 税効果会計に係る会計処理を理解していたか？

修正再表示により貸借対照表上の資産および負債は修正されますが、税法上の資産および負債の金額は修正されないため、一時差異が生じます。

解答5　会計上の変更等

	日付	時間	学習メモ
1回目	／	／20分	
2回目	／	／20分	
3回目	／	／20分	

問1

会計上の変更	会計方針の変更	遡及処理（遡及適用）
	表示方法の変更	遡及処理（財務諸表の組替え）
	会計上の見積りの変更	遡及処理なし
過去の誤謬		遡及処理（修正再表示）

問2　①会計処理　②原則　③手続　④表示
⑤科目分類　⑥科目配列　⑦報告様式　⑧従来
⑨一般に公正妥当と認められた会計方針
⑩一般に公正妥当と認められた表示方法

問3　会計方針を変更した場合には、原則として新たな会計方針を過去の期間のすべてに遡及適用する。

会計方針の変更を行った場合に過去の財務諸表に対して新しい会計方針を遡及適用することにより、財務諸表全般についての比較可能性が高まるものと考えられ、また、情報の有用性が高まることが期待されるためである。

問4　財務諸表の表示方法を変更した場合には、原則として表示する過去の財務諸表について、新たな表示方法に従い財務諸表の組替えを行う。

表示方法の変更を行った場合に過去の財務諸表の組替えを行うことにより、財務諸表全般についての比較可能性が高まるものと考えられ、また、情報の有用性が高まることが期待されるためである。

問5　会計上の見積りとは、資産および負債や収益および費用等の額に不確実性がある場合において、財務諸表作成時に入手可能な情報に基づいて、その合理的な金額を算出することをいう。

また、会計上の見積りの変更とは、新たに入手可能となった情報に基づいて、過去に財務諸表を作成する際に行った会計上の見積りを変更することをいう。

問6　会計上の見積りの変更は、当該変更が変更期間のみに影響する場合には、当該変更期間に会計処理を行い、当該変更が将来の期間にも影響する場合には、将来にわたり会計処理を行う。

会計上の見積りの変更は、新しい情報によってもたらされるものであるとの認識から、過去に遡って処理せず、その影響は将来に向けて認識するという考え方がとられているためである。

問7　①原因　②意図的　③かかわらず　④作成
⑤入手　⑥情報　⑦誤用　⑧誤り

問8　過去の財務諸表における誤謬が発見された場合には、一定の方法により修正再表示する。

誤謬を修正再表示する考え方は、当然の要請であり、期間比較が可能な情報を開示するという観点からも有用なためである。

重要キーワード

問2　財務諸表の作成にあたって採用した会計処理の原則及び手続
従来採用していた一般に公正妥当と認められた会計方針から他の一般に公正妥当と認められた会計方針に変更

問3　過去の期間のすべてに遡及適用、比較可能性・情報の有用性が高まる

問4　財務諸表の組替え、比較可能性・情報の有用性が高まる

問5　新たに入手可能となった情報に基づいて

問6　過去に遡って処理せず、その影響は将来に向けて認識

問7　意図的であるか否かにかかわらず

問8　修正再表示、期間比較が可能な情報を開示

Chapter 2

外貨換算会計

解答 1 外貨建取引に関する処理(1)

	日付	時間	学習メモ
1回目	／	／4分	
2回目	／	／4分	
3回目	／	／4分	

問1

外貨建項目	金額
現金	220千円
預金	660千円
売掛金	880千円
短期貸付金	352千円
長期貸付金	2,200千円
支払手形	1,100千円
買掛金	660千円
短期借入金	4,400千円

問2

為替差益・為替差損の別	金額
為替差損	546千円

解説 (仕訳の単位：千円)

問1 期末の換算替え

(1) 現　金

① 取得時　230千円

② 決算時　2,000ドル×110円/ドル＝220千円

差損　10千円

(為替差損益)	10	(現金)	10

(2) 預　金

① 取得時　660千円
② 決算時　6,000ドル×110円/ドル＝660千円
→ ±0

仕　訳　な　し

(3) 売掛金

① 発生時　1,000千円
② 決算時　8,000ドル×110円/ドル＝880千円
→ 差損　120千円

(為 替 差 損 益)	120	(売 掛 金)	120

(4) 短期貸付金

① 発生時　368千円
② 決算時　3,200ドル×110円/ドル＝352千円
→ 差損　16千円

(為 替 差 損 益)	16	(短 期 貸 付 金)	16

(5) 長期貸付金

① 発生時　2,900千円
② 決算時　20,000ドル×110円/ドル＝2,200千円
→ 差損　700千円

(為 替 差 損 益)	700	(長 期 貸 付 金)	700

(6) 支払手形

① 発生時　1,050千円
② 決算時　10,000ドル×110円/ドル＝1,100千円
→ 差損　50千円

(為 替 差 損 益)	50	(支 払 手 形)	50

(7) 買掛金

① 発生時　810千円
② 決算時　6,000ドル×110円/ドル＝660千円
→ 差益　150千円

(買 掛 金)	150	(為 替 差 損 益)	150

(8) 短期借入金

① 発生時　4,600千円
② 決算時　40,000ドル×110円/ドル＝4,400千円
→ 差益　200千円

(短 期 借 入 金)	200	(為 替 差 損 益)	200

問2　為替差損益

△10千円－120千円－16千円－700千円－50千円＋150千円＋200千円
＝△546千円（為替差損）

解答 2 外貨建取引に関する処理(2)

	日付	時間	学習メモ
1回目	／	／4分	
2回目	／	／4分	
3回目	／	／4分	

外　貨　建　項　目	金　　額
売　　掛　　金	109,440千円
買　　掛　　金	100,320千円

為替差益・為替差損の別	金　　額
為　替　差　損	440千円

解説（仕訳の単位：千円）

1　売掛金

(1)　期中決済分

（仮　受　金）	9,900	（売　掛　金）	10,200 *1
（為 替 差 損 益）	300 *2		

＊1　取引発生時の為替レート：22,440千円÷220千ドル＝102円／ドル
100千ドル×102円／ドル＝10,200千円

＊2　貸借差額

(2)　当期末における換算

（為 替 差 損 益）	360 *	（売　掛　金）	360

＊　(22,440千円－10,200千円)－(220千ドル－100千ドル)×99円／ドル
（22,440千円－10,200千円：帳簿価額、(220千ドル－100千ドル)×99円／ドル：貸借対照表価額）

＝360千円（為替差損）

(3) 貸借対照表価額

120,000千円 − 10,200千円 − 360千円 = 109,440千円
残高試算表　期中決済分　期末換算

2　買掛金

(1) 期中決済分

買掛金の決済時において、買掛金の帳簿価額と決済代金との差額につき、「商品仕入」の減額として処理しているため、修正を行います。

(商　品　仕　入)	240	(為 替 差 損 益)	240

(2) 当期末における換算

(為 替 差 損 益)	320 *	(買　　掛　　金)	320

* 160千ドル × 99円/ドル − 15,520千円 = 320千円（為替差損）
　貸借対照表価額　帳簿価額

(3) 貸借対照表価額

100,000千円 + 320千円 = 100,320千円
残高試算表　期末換算

3　為替差損益

為替差益：400千円 + 240千円 = 640千円
残高試算表　買掛金決済

為替差損：100千円 + 300千円 + 360千円 + 320千円 = 1,080千円
残高試算表　売掛金決済　売掛金換算　買掛金換算

差　引： 440千円（為替差損）

学習のポイント

① 決済日における外貨建項目の処理について理解していたか？
② 決算日における外貨建項目の換算について理解していたか？
③ 為替差損益の損益計算書表示について理解していたか？

決算日に貨幣性の項目（外国通貨、外貨建預金、外貨建金銭債権・債務）を保有している場合には、当該項目を決算日の直物為替相場により換算替えします。したがって、問題を解く際には、しっかりと決算日の直物為替相場をチェックしておく必要があります。

為替差益と為替差損は相殺した純額を損益計算書に計上するので注意しましょう。

解答3 為替予約の処理(1)

	日付	時間	学習メモ
1回目	／	／10分	
2回目	／	／10分	
3回目	／	／10分	

問1

（単位：千円）

	借方科目	金額	貸方科目	金額
(1)	仕入	58,800	買掛金	58,800
(2)	為替差損益	2,400	買掛金	2,400
	前払費用	3,600	買掛金	3,600
(3)	為替差損益	1,200	前払費用	1,200

問2

（単位：千円）

	借方科目	金額	貸方科目	金額
(1)	短期貸付金	117,600	現金及び預金	117,600
(2)	短期貸付金	4,800	為替差損益	4,800
	短期貸付金	7,200	前受収益	7,200
(3)	前受収益	900	為替差損益	900

解説

問1

〈為替予約差額〉

・輸入時の為替レート：98円/ドル
→ 差額4円/ドル×600千ドル＝2,400千円（直々差額）
・予約時の為替レート：102円/ドル
→ 差額6円/ドル×600千ドル＝3,600千円（直先差額）
・予約レート：108円/ドル

1　為替予約差額のうち直々差額については、同額の為替差損益を計上し、当期の損益として処理します。

2　為替予約差額のうち直先差額については、同額の前払費用または前受収益を計上し、決算日において当期分を為替差損益に振り替えます。

$$3{,}600\text{千円}\times\frac{1\text{カ月}}{3\text{カ月}}=1{,}200\text{千円}\ \text{（当期の損益）}$$

問2

〈為替予約差額〉

・貸付時の為替レート：　98円/ドル
・予約時の為替レート：102円/ドル
・予　約　レ　ー　ト：108円/ドル

→ 差額4円/ドル×1,200千ドル＝4,800千円（直々差額）（貸付時と予約時の為替レートの差）
→ 差額6円/ドル×1,200千ドル＝7,200千円（直先差額）（予約時の為替レートと予約レートの差）

1　為替予約差額のうち直々差額については、同額の為替差損益を計上し、当期の損益として処理します。

2　為替予約差額のうち直先差額については、同額の前払費用または前受収益を計上し、決算日において当期分を為替差損益に振り替えます。

$$7{,}200\text{千円}\times\frac{1\text{カ月}}{8\text{カ月}}=900\text{千円}\ \text{（当期の損益）}$$

学習のポイント

① 振当処理において、取引発生日後に為替予約を付した場合の処理について理解していたか？

取引発生日後に為替予約を付した場合に生じる各項目の取扱いは次のとおりです。

・貸借対照表に計上すべき金額 → 外貨額×予約レート
・為替予約差額 ┬ 直々差額 → 当期の損益
　　　　　　　└ 直先差額 → 予約日から決済日までで期間按分

解答4 為替予約の処理(2)

	日付	時間	学習メモ
1回目	／	／10分	
2回目	／	／10分	
3回目	／	／10分	

問1

(単位：千円)

	借方科目	金額	貸方科目	金額
(1)	仕入	58,800	買掛金	58,800
(2)	為替差損益	2,400	買掛金	2,400
	長期前払費用	3,600	買掛金	3,600
(3)	為替差損益	720	長期前払費用	720

問2

(単位：千円)

	借方科目	金額	貸方科目	金額
(1)	長期貸付金	117,600	現金及び預金	117,600
(2)	長期貸付金	4,800	為替差損益	4,800
	長期貸付金	7,200	長期前受収益	7,200
(3)	長期前受収益	1,440	為替差損益	1,440

解説

問1

〈為替予約差額〉

・輸入時の為替レート： 98円／ドル
・予約時の為替レート：102円／ドル
・予約レート：108円／ドル

→ 差額4円／ドル×600千ドル＝2,400千円（直々差額）
→ 差額6円／ドル×600千ドル＝3,600千円（直先差額）

1　為替予約差額のうち直々差額については、同額の為替差損益を計上し、当期の損益として処理します。

2　為替予約差額のうち直先差額については、同額の長期前払費用または長期前受収益を計上し、決算日において当期分を為替差損益に振り替えます。

$$3{,}600\text{千円}\times\frac{5\text{カ月}}{25\text{カ月}}=720\text{千円}$$（当期の損益）

問2

〈為替予約差額〉

・貸付時の為替レート：　98円/ドル
・予約時の為替レート：102円/ドル
・予　約　レ　ー　ト：108円/ドル

→ 差額4円/ドル×1,200千ドル＝4,800千円（直々差額）
→ 差額6円/ドル×1,200千ドル＝7,200千円（直先差額）

1　為替予約差額のうち直々差額については、同額の為替差損益を計上し、当期の損益として処理します。

2　為替予約差額のうち直先差額については、同額の長期前払費用または長期前受収益を計上し、決算日において当期分を為替差損益に振り替えます。

$$7{,}200\text{千円}\times\frac{5\text{カ月}}{25\text{カ月}}=1{,}440\text{千円}$$（当期の損益）

学習のポイント

① 振当処理において、取引発生日後に為替予約を付した場合の処理について理解していたか？

直先差額を翌期以降に繰り延べる際には、決済日を基準に表示科目の決定を行います。

・決済日が翌期中 → 全額を前払費用または前受収益として計上
・決済日が翌々期以降 → 全額を長期前払費用または長期前受収益として計上

解答5　為替予約の処理(3)

	日付	時間	学習メモ
1回目	／	／4分	
2回目	／	／4分	
3回目	／	／4分	

（単位：千円）

	借方科目	金額	貸方科目	金額
(1)	短期貸付金	61,200	現金及び預金	58,800
			前受収益	2,400
(2)	前受収益	1,500	為替差損益	1,500

解説

1　取引発生日において、現金収支額は発生時の為替レートで換算し、外貨建金銭債権・債務は予約レートで換算し、為替予約差額（直先差額）と同額の前払費用・前受収益を計上します。

2　決算日において、直先差額のうち当期分を為替差損益に振り替えます。

$$2{,}400\text{千円}\times\frac{5\text{カ月}}{8\text{カ月}}=1{,}500\text{千円}$$

学習のポイント

① 振当処理において、取引発生日以前に為替予約を付した場合の処理について理解していたか？

取引発生日以前に為替予約を付した場合には、取引発生日の段階ですでに為替予約が付されているため、直々差額を認識する必要がありません。したがって、直先差額のみを認識することとなるので注意しましょう。

解答6　為替予約の処理(4)

	日付	時間	学習メモ
1回目	／	／5分	
2回目	／	／5分	
3回目	／	／5分	

貸　借　対　照　表

X5年3月31日

（単位：千円）

資　産　の　部		負　債　の　部	
科　　目	金　　額	科　　目	金　　額
Ⅰ 流 動 資 産			
売　掛　金	（　276,000）		
⋮			
前 払 費 用	（　900）		

損　益　計　算　書

自X4年4月1日　至X5年3月31日

（単位：千円）

科　　目	金　　額	
Ⅰ 売　上　高		（　2,870,500）
⋮	⋮	
Ⅴ 営 業 外 費 用		
為　替　差　損	（　600）	

解説 （仕訳の単位：千円）

1　会社が行った会計処理の取り消しと売上計上日の処理

（売　上　高）	33,000	（売　掛　金）	33,000 *1
（売　掛　金）	34,500	（売　上　高）	34,500 *2

為替予約を行ったのは売上取引日の翌日であるため、売上取引は直物為替相場で計上します。

したがって、予約レートによる計上（誤処理）を取り消して、直物為替相場による換算額で再計上します。

＊1　300千ドル×110円／ドル＝33,000千円（110円／ドル：予約レート）

＊2　300千ドル×115円／ドル＝34,500千円（115円／ドル：CR）

2　為替予約日の処理

（為　替　差　損）	300 ＊1	（売　掛　金）	300
（前　払　費　用）	1,200 ＊2	（売　掛　金）	1,200

＊1　直々差額：$300\text{千ドル} \times (\underbrace{115\text{円/ドル}}_{\text{売上計上時CR}} - \underbrace{114\text{円/ドル}}_{\text{予約時CR}}) = 300\text{千円}$

＊2　直先差額：$300\text{千ドル} \times (\underbrace{114\text{円/ドル}}_{\text{予約時CR}} - \underbrace{110\text{円/ドル}}_{\text{予約レート}}) = 1{,}200\text{千円}$

3　決算日の期間配分

（為　替　差　損）	300 ＊	（前　払　費　用）	300

＊　$1{,}200\text{千円} \times \frac{1\text{カ月}}{4\text{カ月}} = 300\text{千円}$

解答 7　外貨建有価証券の期末換算(1)

	日付	時間	学習メモ
1回目	／	／8分	
2回目	／	／8分	
3回目	／	／8分	

貸　借　対　照　表

H株式会社　　X6年3月31日　　(単位：千円)

科　　目	金　　額	科　　目	金　　額
Ⅰ 流 動 資 産		Ⅰ 流 動 負 債	
⋮	⋮	⋮	⋮
有 価 証 券	280,140	——	——
⋮	⋮	⋮	⋮
Ⅱ 固 定 資 産		Ⅱ 固 定 負 債	
⋮	⋮	⋮	⋮
3 投資その他の資産		繰延税金負債	9,516
⋮	⋮	⋮	⋮
投資有価証券	398,460	純 資 産 の 部	
⋮	⋮	⋮	⋮
		Ⅱ 評価・換算差額等	
		1 その他有価証券評価差額金	14,274

損　益　計　算　書

H株式会社　　自X5年4月1日　至X6年3月31日　　(単位：千円)

⋮	⋮	⋮
Ⅳ 営 業 外 収 益		
⋮	⋮	⋮
——	——	
⋮	⋮	⋮
Ⅴ 営 業 外 費 用		
⋮	⋮	⋮
有 価 証 券 評 価 損	3,330	
⋮	⋮	⋮

解説（仕訳の単位：千円）

1　A社株式（売買目的有価証券）

（有価証券評価損益）	7,350 *	（有　価　証　券）	7,350

＊　貸借対照表価額：1,260千ドル × 116円／ドル = 146,160千円
外貨時価　CR

有価証券評価損益：146,160千円 − 153,510千円 = △7,350千円（評価損）

2　B社株式（その他有価証券—市場価格のない株式等以外）

（投資有価証券）	194,880 *1	（有　価　証　券）	181,440
		（繰延税金負債）	5,376 *2
		（その他有価証券評価差額金） 評価・換算差額等	8,064 *2

＊1　貸借対照表価額：1,680千ドル × 116円／ドル = 194,880千円
外貨時価　CR

＊2　評価差額：194,880千円 − 181,440千円 = 13,440千円
B/S価額　帳簿価額

繰延税金負債：13,440千円 × 40% = 5,376千円
評価差額

その他有価証券評価差額金：13,440千円 ×（1 − 40%）= 8,064千円
評価差額

3　C社社債（売買目的有価証券）

（有　価　証　券）	4,020	（有価証券評価損益）	4,020 *

＊　貸借対照表価額：1,155千ドル × 116円／ドル = 133,980千円
外貨時価　CR

有価証券評価損益：133,980千円 − 129,960千円 = 4,020千円（評価益）

4　D社株式（その他有価証券—市場価格のない株式等以外）

（投資有価証券）	203,580 *1	（有　価　証　券）	193,230
		（繰延税金負債）	4,140 *2
		（その他有価証券評価差額金） 評価・換算差額等	6,210 *2

＊1　貸借対照表価額：1,755千ドル × 116円／ドル = 203,580千円
外貨時価　CR

＊2　評価差額：203,580千円－193,230千円＝10,350千円
　　　　　　　B/S価額　　　帳簿価額

　　繰延税金負債：10,350千円×40％＝4,140千円
　　　　　　　　　評価差額

　　その他有価証券評価差額金：10,350千円×（1－40％）＝6,210千円
　　　　　　　　　　　　　　　評価差額

5　損益計算書の金額

有価証券評価損益：△7,350千円＋4,020千円＝△3,330千円（評価損）
　　　　　　　　　A社株式　　　C社社債

学習のポイント

① 売買目的有価証券の期末換算について理解していたか？

② その他有価証券（市場価格のない株式等以外）の期末換算について理解していたか？

外貨建有価証券の期末換算は、次のとおりです。

<table>
<tr><th colspan="2">種　　類</th><th>貸借対照表価額</th><th>換算差額の処理</th></tr>
<tr><td colspan="2">売買目的有価証券</td><td>外貨時価×ＣＲ</td><td>当期の損益（有価証券評価損益）</td></tr>
<tr><td rowspan="2">満期保有目的の債券</td><td>償却なし</td><td>外貨取得原価×ＣＲ</td><td rowspan="2">当期の損益（為替差損益）</td></tr>
<tr><td>償却あり</td><td>外貨償却原価×ＣＲ</td></tr>
<tr><td colspan="2">子会社株式および関連会社株式</td><td>外貨取得原価×ＨＲ</td><td>なし</td></tr>
<tr><td rowspan="2">その他有価証券</td><td>下記以外</td><td>外貨時価×ＣＲ</td><td rowspan="2">・純資産（その他有価証券評価差額金）
・当期の損失（投資有価証券評価損）＊</td></tr>
<tr><td>市場価格のない株式等</td><td>外貨取得原価×ＣＲ</td></tr>
<tr><td colspan="2">強制評価減</td><td>外貨時価×ＣＲ</td><td>当期の損失（評価損）として処理</td></tr>
<tr><td colspan="2">実価法</td><td>外貨実質価額×ＣＲ</td><td>当期の損失（評価損）として処理</td></tr>
</table>

＊部分純資産直入法の場合

解答8 外貨建有価証券の期末換算(2)

	日付	時間	学習メモ
1回目	／	／12分	
2回目	／	／12分	
3回目	／	／12分	

貸借対照表

B株式会社　　X5年3月31日　　(単位：千円)

科目	金額	科目	金額
Ⅰ 流動資産		Ⅰ 流動負債	
⋮	⋮	⋮	⋮
有価証券	211,200	——	——
⋮	⋮	⋮	⋮
Ⅱ 固定資産		Ⅱ 固定負債	
⋮	⋮	⋮	⋮
3 投資その他の資産		繰延税金負債	3,012
⋮	⋮	⋮	⋮
投資有価証券	701,250	純資産の部	
関係会社株式	378,000	⋮	⋮
——	——	Ⅱ 評価・換算差額等	
⋮	⋮	1 その他有価証券評価差額金	4,518

損　益　計　算　書

B株式会社　　自X4年4月1日　至X5年3月31日　　(単位：千円)

⋮	⋮	⋮
Ⅳ 営　業　外　収　益		
⋮	⋮	⋮
有価証券評価益	6,450	
為　替　差　益	14,400	
⋮	⋮	⋮
Ⅴ 営　業　外　費　用		
⋮	⋮	⋮
——	——	
——	——	
⋮	⋮	⋮

解説　(仕訳の単位：千円)

1　M社株式（売買目的有価証券）

(有　価　証　券)	6,450	(有価証券評価損益)	6,450 *

＊　貸借対照表価額：1,920千ドル（外貨時価）× 110円/ドル（CR）= 211,200千円

有価証券評価損益：211,200千円 − 204,750千円 = 6,450千円（評価益）

2　O社株式（その他有価証券—市場価格のない株式等以外）

(投資有価証券)	242,550 *1	(有　価　証　券)	231,120
		(繰延税金負債)	4,572 *2
		(その他有価証券評価差額金)（評価・換算差額等）	6,858 *2

＊1　貸借対照表価額：2,205千ドル（外貨時価）× 110円/ドル（CR）= 242,550千円

＊2　評価差額：242,550千円 − 231,120千円 = 11,430千円
（B/S価額）（帳簿価額）

繰延税金負債：11,430千円 × 40% = 4,572千円
（評価差額）

その他有価証券評価差額金：11,430千円 ×（1 − 40%）= 6,858千円
（評価差額）

3　P社株式（子会社株式）

B社はP社の議決権の50%超（55%）を保有しているため、P社はB社の子会社に該当します。したがって、P社株式は「関係会社株式」として投資その他の資産に表示します。また、外貨建の子会社株式については、外貨原価に取引発生日のレートを掛けて貸借対照表価額を求めます（すなわち、帳簿価額がそのまま貸借対照表価額となります）。

（関係会社株式）	378,000	（有価証券）	378,000

4　S社株式（その他有価証券―市場価格のない株式等）

（投資有価証券）	181,500 ＊1	（有価証券）	178,200
		（繰延税金負債）	1,320 ＊2
		（その他有価証券評価差額金） 評価・換算差額等	1,980 ＊2

＊1　貸借対照表価額：1,650千ドル × 110円/ドル = 181,500千円
（外貨原価）（CR）

＊2　評価差額：181,500千円 − 178,200千円 = 3,300千円
（B/S価額）（帳簿価額）

繰延税金負債：3,300千円 × 40% = 1,320千円
（評価差額）

その他有価証券評価差額金：3,300千円 ×（1 − 40%）= 1,980千円
（評価差額）

5　T社社債（満期保有目的の債券）

満期保有目的の債券の換算差額は、当期の為替差損益として処理します。また、額面金額が与えられていないため、償却原価法ではなく原価法で評価すると考えます。

（投資有価証券）	158,400 ＊	（有価証券）	144,000
		（為替差損益）	14,400

＊　貸借対照表価額：1,440千ドル × 110円/ドル = 158,400千円
（外貨原価）（CR）

6　Z社株式（その他有価証券―市場価格のない株式等以外）

（投資有価証券）	118,800 *1	（有価証券）	126,000
（繰延税金資産）	2,880 *2		
（その他有価証券評価差額金）	4,320 *2		
評価・換算差額等			

＊1　貸借対照表価額：1,080千ドル × 110円／ドル ＝ 118,800千円
外貨時価　　CR

＊2　評価差額：126,000千円 － 118,800千円 ＝ 7,200千円（評価損）
帳簿価額　　B/S価額

繰延税金資産：7,200千円 × 40% ＝ 2,880千円
評価差額

その他有価証券評価差額金：7,200千円 ×（1 － 40%）＝ 4,320千円
評価差額

学習のポイント

① 売買目的有価証券の期末換算について理解していたか？
② 満期保有目的の債券の期末換算について理解していたか？
③ 子会社株式および関連会社株式の期末換算について理解していたか？
④ その他有価証券（市場価格のない株式等以外）の期末換算について理解していたか？
⑤ その他有価証券（市場価格のない株式等）の期末換算について理解していたか？

満期保有目的の債券とその他有価証券（市場価格のない株式等）については、円貨建てのときには、期末評価において差額（償却原価法の適用による償却額を除く）が生じない項目なので、外貨建てにおいては注意をしてください。

・満期保有目的の債券の換算差額 → 当期の損益（為替差損益）
・その他有価証券（市場価格のない株式等）の換算差額 → 評価差額として税効果会計を適用のうえ純資産の部に計上

解答9 外貨建有価証券の期末換算(3)

	日付	時間	学習メモ
1回目	／	／10分	
2回目	／	／10分	
3回目	／	／10分	

貸借対照表

M株式会社　　　X5年3月31日　　　(単位：千円)

科目	金額	科目	金額
Ⅰ 流動資産		Ⅰ 流動負債	
⋮	⋮	⋮	⋮
有価証券	97,200	――	――
⋮	⋮	⋮	⋮
Ⅱ 固定資産		Ⅱ 固定負債	
⋮	⋮	⋮	⋮
3 投資その他の資産		繰延税金負債	960
⋮	⋮	⋮	⋮
投資有価証券	255,600	純資産の部	
関係会社株式	136,800	⋮	⋮
⋮	⋮	Ⅱ 評価・換算差額等	
		1 その他有価証券評価差額金	1,440

損　益　計　算　書

M株式会社　　自X4年4月1日　至X5年3月31日　　(単位：千円)

⋮	⋮	⋮
Ⅳ 営　業　外　収　益		
⋮	⋮	⋮
有価証券評価益	4,800	
⋮	⋮	⋮
Ⅴ 営　業　外　費　用		
⋮	⋮	⋮
為　替　差　損	5,400	
⋮	⋮	⋮
Ⅶ 特　別　損　失		
投資有価証券評価損	88,980	
関係会社株式評価損	146,700	
⋮	⋮	⋮

解説 (仕訳の単位：千円)

1　O社株式（売買目的有価証券）

(有　価　証　券)	4,800	(有価証券評価損益)	4,800 *

＊　貸借対照表価額：810千ドル × 120円／ドル = 97,200千円
外貨時価（810千ドル）　CR（120円／ドル）

有価証券評価損益：97,200千円 − 92,400千円 = 4,800千円（評価益）

2　S社株式（子会社株式）

M社はS社の議決権の50%超（60%）を保有しているため、S社はM社の子会社に該当します。したがって、S社株式は「関係会社株式」として投資その他の資産に表示します。また、S社株式については、時価の著しい下落（2,700千ドル→1,140千ドル）が生じていて、原価までの回復見込みがないため、強制評価減を適用します。

(関　係　会　社　株　式)	136,800 *	(有　価　証　券)	283,500
(関係会社株式評価損)	146,700		

特別損失（関係会社株式評価損）

＊　貸借対照表価額：1,140千ドル × 120円／ドル = 136,800千円
外貨時価（1,140千ドル）　CR（120円／ドル）

3　T社株式（その他有価証券─市場価格のない株式等）

T社株式については、実質価額が著しく低下（1,290千ドル→570千ドル）しているため、実価法を適用します。なお、回復可能性が十分な証拠によって裏付けられる場合には、相当の減額をしないことも認められますが、本問では特にそのような記述がないため、減額を行います。

(投資有価証券)	68,400 *	(有価証券)	157,380
(投資有価証券評価損)（特別損失）	88,980		

＊　貸借対照表価額：570千ドル（外貨実質価額）× 120円／ドル（CR）= 68,400千円

4　W社社債（満期保有目的の債券）

満期保有目的の債券の換算差額は、当期の為替差損益として処理します。また、額面金額が与えられていないため、償却原価法ではなく原価法で評価すると考えます。

(投資有価証券)	129,600 *	(有価証券)	135,000
(為替差損益)	5,400		

＊　貸借対照表価額：1,080千ドル（外貨原価）× 120円／ドル（CR）= 129,600千円

5　Y社株式（その他有価証券─市場価格のない株式等以外）

(投資有価証券)	57,600 *1	(有価証券)	55,200
		(繰延税金負債)	960 *2
		(その他有価証券評価差額金)（評価・換算差額等）	1,440 *2

＊1　貸借対照表価額：480千ドル（外貨時価）× 120円／ドル（CR）= 57,600千円

＊2　評価差額：57,600千円（B/S価額）－ 55,200千円（帳簿価額）= 2,400千円

繰延税金負債：2,400千円（評価差額）× 40% = 960千円

その他有価証券評価差額金：2,400千円（評価差額）×（1 － 40%）= 1,440千円

学習のポイント

① 売買目的有価証券の期末換算について理解していたか？
② 満期保有目的の債券の期末換算について理解していたか？
③ その他有価証券（市場価格のない株式等以外）の期末換算について理解していたか？
④ 外貨建有価証券の減損処理（強制評価減、実価法）について理解していたか？

外貨建有価証券において減損処理を行う場合、著しい時価の下落等は外貨ベースの金額で判断することに注意しましょう。

解答10 外貨建有価証券の期末換算(4)

	日付	時間	学習メモ
1回目	／	／10分	
2回目	／	／10分	
3回目	／	／10分	

貸借対照表

ダイキ株式会社　X6年3月31日　(単位：千円)

科目	金額	科目	金額
資産の部		負債の部	
I 流動資産		I 流動負債	
⋮	⋮	⋮	⋮
II 固定資産		II 固定負債	
⋮	⋮	⋮	⋮
3 投資その他の資産		繰延税金負債	4,314
投資有価証券	503,355	純資産の部	
⋮	⋮	⋮	⋮
		II 評価・換算差額等	
		1 その他有価証券評価差額金	6,471

損　益　計　算　書

ダイキ株式会社　　自X5年4月1日　至X6年3月31日　　(単位：千円)

⋮	⋮	⋮
Ⅳ 営　業　外　収　益		
⋮	⋮	⋮
有　価　証　券　利　息	12,882	
為　替　差　益	29,559	
⋮	⋮	⋮

解説　(仕訳の単位：千円)

1　P社社債（その他有価証券─市場価格のない株式等以外）

(投資有価証券)	163,185 ＊1	(有価証券)	149,040
		(有価証券利息)	3,360 ＊2
		(繰延税金負債)	4,314 ＊3
		(その他有価証券評価差額金) 評価・換算差額等	6,471 ＊3

＊1　1,419千ドル × 115円/ドル = 163,185千円
　　（1,419千ドル：外貨時価、115円/ドル：CR）

＊2　(1,500千ドル − 1,350千ドル) × $\frac{12カ月}{5年 \times 12カ月}$ = 30千ドル
　　（1,500千ドル：額面金額、1,350千ドル：取得価額）

　　30千ドル × 112円/ドル = 3,360千円
　　（112円/ドル：AR）

＊3　評価差額：163,185千円 − (149,040千円 + 3,360千円) = 10,785千円
　　繰延税金負債：10,785千円 × 40% = 4,314千円
　　その他有価証券評価差額金：10,785千円 − 4,314千円 = 6,471千円

2　Q社社債（満期保有目的の債券）

満期保有目的の債券の換算差額は、当期の為替差損益として処理します。

（投資有価証券）	340,170 *2	（有価証券）	310,275
		（有価証券利息）	336 *1
		（為替差損益）	29,559 *3

＊1　$(\underbrace{3{,}000\text{千ドル}}_{\text{額面金額}} - \underbrace{2{,}955\text{千ドル}}_{\text{取得価額}}) \times \dfrac{4\text{カ月}}{5\text{年} \times 12\text{カ月}} = 3\text{千ドル}$

$3\text{千ドル} \times \underbrace{112\text{円}/\text{ドル}}_{\text{AR}} = 336\text{千円}$

＊2　$(\underbrace{2{,}955\text{千ドル} + 3\text{千ドル}}_{\text{外貨償却原価}}) \times \underbrace{115\text{円}/\text{ドル}}_{\text{CR}} = 340{,}170\text{千円}$

＊3　340,170千円－(310,275千円＋336千円)＝29,559千円

学習のポイント

① その他有価証券の期末換算（償却原価法適用時）について理解していたか？

② 満期保有目的の債券の期末換算（償却原価法適用時）について理解していたか？

外貨建有価証券に対する償却原価法の適用時には、償却額に期中平均レートを掛けることになります。

解答 11　外貨建取引に関連する注記事項

	日付	時間	学習メモ
1回目	／	／5分	
2回目	／	／5分	
3回目	／	／5分	

重要な会計方針に係る事項に関する注記

外貨建資産・負債は、「外貨建取引等会計処理基準」に基づいて換算している。また、為替予約の処理は、振当処理を採用している。

学習のポイント

① 外貨建取引に関連する注記事項について理解していたか？

「外貨建取引等会計処理基準」に基づいている場合も、重要な会計方針として注記が必要です。また、ヘッジ会計の方法である為替予約取引においても、これを重要な会計方針として注記します。

解答12 外貨換算会計

	日付	時間	学習メモ
1回目	／	／25分	
2回目	／	／25分	
3回目	／	／25分	

問1　①決算時の為替相場　②決算時の為替相場　③取得時又は発生時の為替相場
④決算時の為替相場　⑤取得時又は発生時の為替相場
⑥取得時又は発生時の為替相場　⑦決算時の為替相場

問2

(1) 本国主義とは、在外事業体を本国の事業体に従属した事業体であると解釈する考え方である。

(2) 現地主義とは、在外事業体を本国の事業体と独立した事業体であると解釈する考え方である。

(3) 換算基準：テンポラル法
論拠：在外支店の財務諸表は本国の本店財務諸表の構成要素となるので、本店の外貨建項目の換算基準と整合的であることが望ましいためである。

(4) 換算基準：決算日レート法
論拠：在外子会社の独立事業体としての性格が強くなり、現地通貨による測定値を重視する傾向が強まったためである。また、在外子会社の増加に伴い、テンポラル法による財務諸表項目の換算が実務的に著しく困難になっているためである。

問3

(1) 外貨建金銭債権債務については、決算時の為替相場による円貨額を付する。決算時における換算によって生じた換算差額は、当期の為替差損益として処理する。

外貨建金銭債権債務は、外貨額では時価の変動リスクを負わないため、時価評価の対象とはならないが、円貨額では為替相場の変動リスクを負っていることから、決算時の為替相場により換算する。

(2) 外貨建売買目的有価証券については、外国通貨による時価を決算時の為替相場により円換算した額を付する。当該換算差額は、当期の有価証券評価損益として処理する。

外貨建売買目的有価証券に関する換算は、その円貨額による時価評価額を求める過程で行われるため、外国通貨による時価を決算時の為替相場により円換算した額を付す。

(3) 外貨建満期保有目的の債券については、決算時の為替相場による円貨額を付する。当該換算差額は、当期の為替差損益として処理する。

満期保有目的の債券は、金銭債権と同様の性質を持つと考えられるため、決算時の為替相場により換算する。

(4) 外貨建子会社株式および関連会社株式については、取得時の為替相場による円貨額を付する。

子会社株式および関連会社株式は、事業用資産と同様の性質を有するため、取得時の為替相場により換算する。

(5) 外貨建その他有価証券については、外国通貨による時価を決算時の為替相場により円換算した額を付する。当該換算差額は、全部純資産直入法または部分純資産直入法により処理する。

外貨建その他有価証券に関する換算は、その円貨額による時価評価額を求める過程で行われるため、外国通貨による時価を決算時の為替相場により円換算した額を付す。

問4

(1) 一取引基準とは、外貨建取引とその取引に係る代金決済取引とを連続した1つの取引とみなして会計処理を行う基準をいう。

(2) 二取引基準とは、外貨建取引とその取引に係る代金決済取引とを別個の取引とみなして会計処理を行う基準をいう。

(3)① 為替相場の変動によって生じる損益は、経営者が為替相場の変動に対してどのように対処したかを示すものであるから、当該損益は財務損益として処理すべきであるためである。

② 一取引基準によると、決済時まで取得原価が確定しないため、決済日の前に決算日が到来した場合に会計処理が煩雑になるという実務上の問題があるため

である。

問5

⑴　独立処理とは、為替予約等を外貨建取引と独立した取引として会計処理する方法をいう。

⑵　振当処理とは、為替予約等により確定する決済時における円貨額により外貨建取引等を換算し、直物為替相場との差額を期間配分する方法をいう。

⑶　「外貨建取引等会計処理基準」では、原則として独立処理を採用することとしているが、ヘッジ会計の要件を満たす場合には、当分の間、振当処理によることも認めている。

重要キーワード

問4　⑴　連続した1つの取引

⑵　別個の取引

⑶　①財務損益

問5　⑴　外貨建取引と独立した取引

Chapter 3

製造業会計

解答 1 製造原価報告書と製造業の損益計算書(1)

	日付	時間	学習メモ
1回目	／	／13分	
2回目	／	／13分	
3回目	／	／13分	

問 1

製造原価報告書

A&W株式会社　　自X5年4月1日　至X6年3月31日　　(単位：千円)

科目	金額	
Ⅰ 材料費		
期首材料棚卸高	11,000	
当期材料仕入高	79,600	
合計	90,600	
期末材料棚卸高	10,600	
当期材料費		80,000
Ⅱ 労務費		
賃金	4,760	
給料	1,440	
法定福利費	350	
退職給付費用	1,260	
当期労務費		7,810
Ⅲ 経費		
減価償却費	1,320	
電力料	1,152	
修繕費	470	
賃借料	720	
租税公課	750	
保険料	980	
外注加工費	1,648	
材料減耗損	100	
雑費	50	
当期経費		7,190
当期総製造費用		95,000
期首仕掛品棚卸高		14,000
合計		109,000
期末仕掛品棚卸高		12,000
当期製品製造原価		97,000

問2

損　益　計　算　書

A&W株式会社　　自X5年4月1日　至X6年3月31日　　（単位：千円）

科　　　目	金	額
Ⅰ　売　上　高		320,000
Ⅱ　売　上　原　価		95,000
売　上　総　利　益		225,000
Ⅲ　販売費及び一般管理費		16,068
営　業　利　益		208,932

解説（仕訳の単位：千円）

1　材料

材料減耗損は、原価性を有するため、製造原価に算入（経費として処理）する。

（期首材料棚卸高）	11,000	（材料）	11,000
（材料）	10,500	（期末材料棚卸高）	10,600
（材料減耗損） 経費	100 *		

* 10,600千円 − 10,500千円 = 100千円
（10,600千円：期末帳簿、10,500千円：期末実地）

2　仕掛品・製品

（期首仕掛品棚卸高）	14,000	（仕掛品）	14,000
（仕掛品）	12,000	（期末仕掛品棚卸高）	12,000
（期首製品棚卸高）	24,000	（製品）	24,000
（製品）	26,000	（期末製品棚卸高）	26,000

3　減価償却費

（減価償却費） 経費	1,320 *1	（減価償却累計額）	2,200
（減価償却費） 販売費及び一般管理費	880 *2		

*1　2,200千円 × 60% = 1,320千円
（2,200千円：当期計上額）

*2　2,200千円 × 40% = 880千円
（2,200千円：当期計上額）

4　退職給付費用

(退職給付費用) 労務費	1,260 *1	(退職給付引当金)	1,800
(退職給付費用) 販売費及び一般管理費	540 *2		

*1　1,800千円 × 70% = 1,260千円
　　当期計上額

*2　1,800千円 × 30% = 540千円
　　当期計上額

5　保険料の繰延べ

(前払費用)	200	(保険料)	200

6　各費目の配賦

保険料を配賦する際に、**【資料2】**の5の繰延べ分を考慮することを忘れないように注意します。

(単位：千円)

費目	製造原価報告書	損益計算書
電力料	1,152	768
修繕費	470	——
給料	1,440	2,160
法定福利費	350	350
賃借料	720	2,880
租税公課	750	2,250
保険料	980	420
通信費	——	1,560
雑費	50	200
合計		10,588

7　販売費及び一般管理費

上記6の合計	10,588千円
減価償却費	880千円
退職給付費用	540千円
広告宣伝費	4,060千円
	16,068千円

学習のポイント

① 製造業における固有の表示について理解していたか？
② 当期総製造費用（材料費・労務費・経費）の算定について理解していたか？
③ 製造原価報告書のフォームについて理解していたか？

損益計算書の当期製品製造原価の明細を示す製造原価報告書（C/R）については、費目の内訳を示すものと示さないものがあります。費目の内訳を示す場合には、材料費の記載の仕方が労務費、経費と異なるので注意しましょう。なお、どちらで出題されてもしっかりと対応できるようにしておきましょう。

解答2　期末仕掛品の評価(1)

	日付	時間	学習メモ
1回目	／	／6分	
2回目	／	／6分	
3回目	／	／6分	

（単位：千円）

	ケース1	ケース2
材料費	6,960	7,200
加工費	3,420	3,480
合計	10,380	10,680

解説

1　ケース１

⑴　材料費

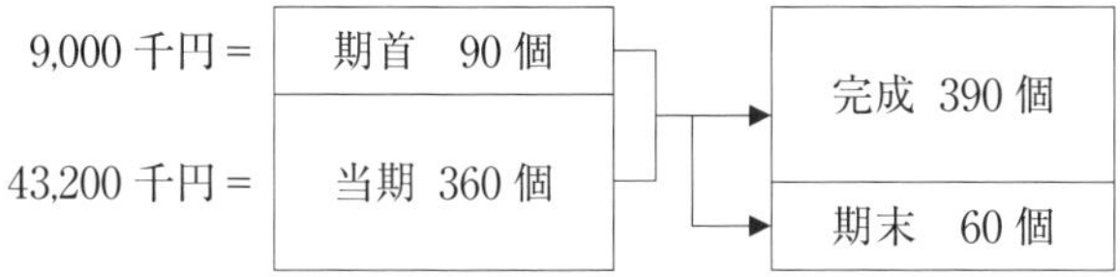

$$= 52{,}200\text{千円} \times \frac{60\text{個}}{450\text{個}}$$
$$= 6{,}960\text{千円}$$

⑵　加工費

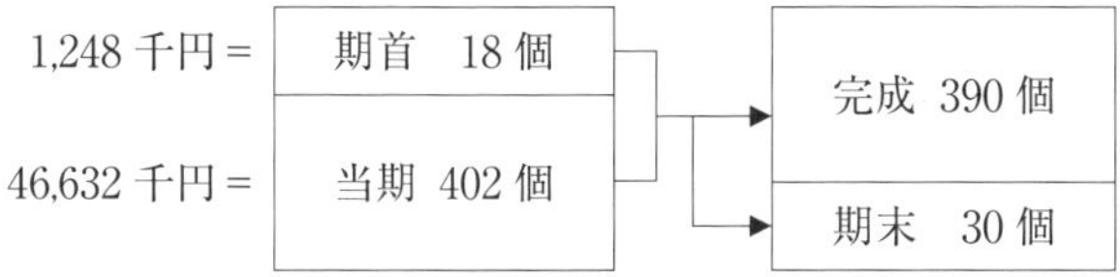

$$= 47{,}880\text{千円} \times \frac{30\text{個}}{420\text{個}}$$
$$= 3{,}420\text{千円}$$

2　ケース２

⑴　材料費

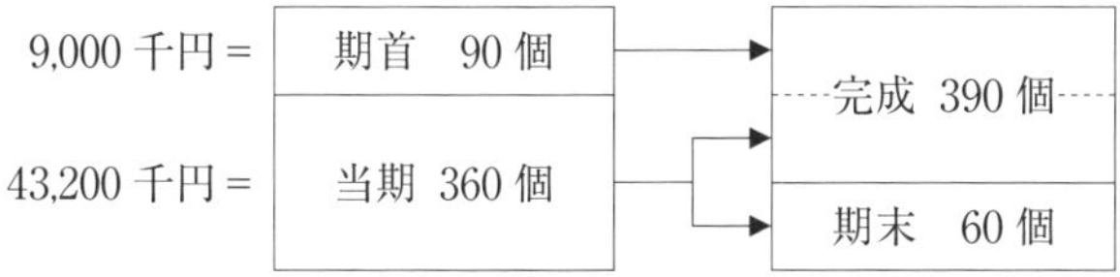

$$= 43{,}200\text{千円} \times \frac{60\text{個}}{360\text{個}}$$
$$= 7{,}200\text{千円}$$

⑵　加工費

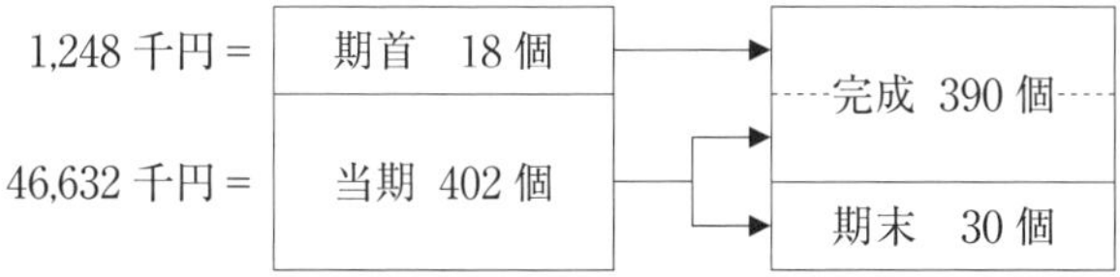

$$= 46{,}632\text{千円} \times \frac{30\text{個}}{402\text{個}}$$
$$= 3{,}480\text{千円}$$

学習のポイント

① 完成度換算法による期末仕掛品の評価について理解していたか？

期末仕掛品の評価を正しく行うためには、当期総製造費用（材料費・労務費・経費）の計算を正確に行う必要があります。したがって、製造業の問題を解く際には、まずは当期総製造費用の各費目の算定に意識を集中するようにしましょう。

解答 3 期末仕掛品の評価(2)

	日付	時間	学習メモ
1回目	／	／8分	
2回目	／	／8分	
3回目	／	／8分	

損　益　計　算　書

K.F株式会社　　自X5年4月1日　至X6年3月31日　　(単位：千円)

科　　目	金　　額	
Ⅰ 売上高		444,000
Ⅱ 売上原価		
1 期首製品棚卸高	30,000	
2 当期製品製造原価	234,000	
合　計	264,000	
3 期末製品棚卸高	19,800	244,200
売上総利益		199,800

解説 (仕訳の単位：千円)

1 材料

材料減耗損は、原価性を有するため、製造原価に算入（経費として処理）します。

(期首材料棚卸高)	9,000	(材　　料)	9,000
(当期材料仕入高)	132,600	(材料仕入)	132,600
(材　　料)	18,000	(期末材料棚卸高)	21,000
(材料減耗損) 経費	3,000 *		

* 21,000千円（期末帳簿） − 18,000千円（期末実地） = 3,000千円

当期材料費：9,000千円（期首） + 132,600千円（当期） − 21,000千円（期末） = 120,600千円

2　仕掛品

(期首仕掛品棚卸高)	25,620	(仕　掛　品)	25,620
(仕　掛　品)	28,800 *	(期末仕掛品棚卸高)	28,800

＊　期末仕掛品

(1)　材料費

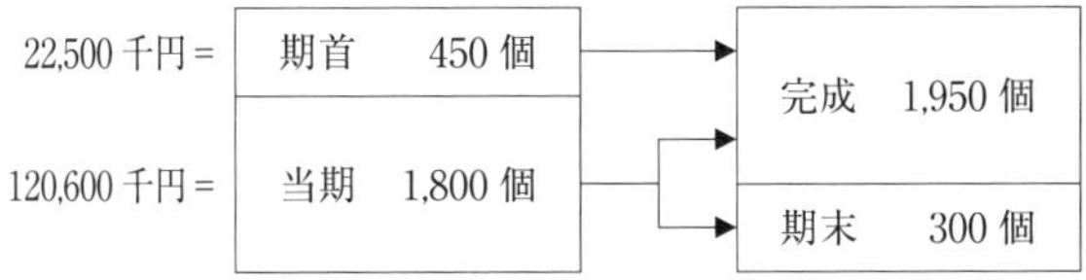

$= 120{,}600千円 \times \frac{300個}{1{,}800個}$

$= 20{,}100千円$

(2)　加工費

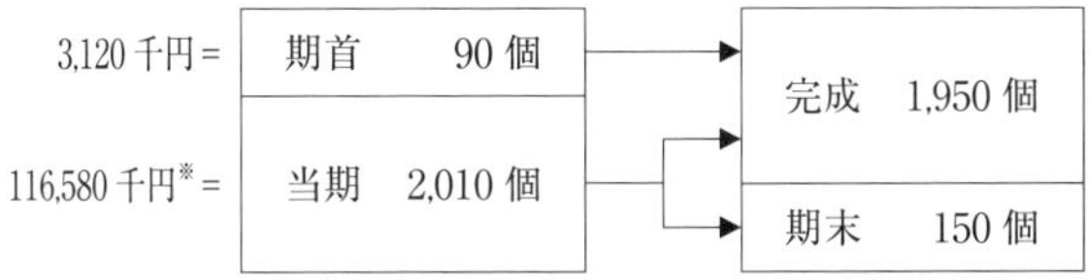

$= 116{,}580千円 \times \frac{150個}{2{,}010個}$

$= 8{,}700千円$

※　当期加工費：78,000千円（労務費）＋（35,580千円＋3,000千円）（経費）＝116,580千円

(3)　期末仕掛品：20,100千円（材料費）＋8,700千円（加工費）＝28,800千円

3　製品

(期首製品棚卸高)	30,000	(製　品)	30,000
(製　品)	19,800 *	(期末製品棚卸高)	19,800

＊　期末製品

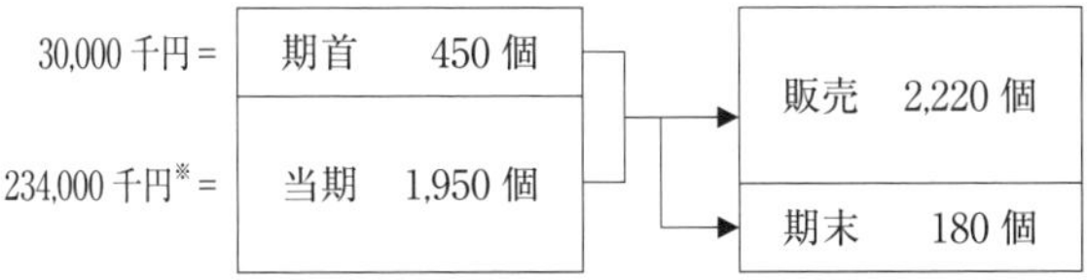

$= 264{,}000千円 \times \frac{180個}{2{,}400個}$

$= 19{,}800千円$

※　当期製品製造原価：25,620千円（期首仕掛品）＋120,600千円（当期材料費）＋116,580千円（当期加工費）－28,800千円（期末仕掛品）

＝234,000千円

学習のポイント

① 完成度換算法による期末仕掛品の評価について理解していたか？

完成度換算法により期末仕掛品の評価をする場合には、材料が工程の始点で投入されているのか、それとも進捗度に応じて投入されているのかを問題文からしっかりと読み取るようにしましょう。

・工程の始点で投入されている場合 → 材料費と加工費は分けて計算

・進捗度に応じて投入されている場合 → 材料費と加工費は分けずに計算

解答4 製造原価報告書と製造業の損益計算書(2)

	日付	時間	学習メモ
1回目	／	／18分	
2回目	／	／18分	
3回目	／	／18分	

製造原価報告書

F株式会社　　自X5年4月1日　至X6年3月31日　　(単位：千円)

科目	金額	
Ⅰ 材料費		
期首材料棚卸高	16,000	
当期材料仕入高	80,000	
合計	96,000	
期末材料棚卸高	14,000	
当期材料費		82,000
Ⅱ 労務費		
賃金	14,000	
給料	9,000	
法定福利費	2,200	
退職給付費用	3,000	
当期労務費		28,200
Ⅲ 経費		
減価償却費	4,600	
電力料	7,200	
修繕費	1,760	
賃借料	26,400	
租税公課	1,480	
旅費交通費	7,800	
保険料	1,700	
外注加工費	12,600	
材料減耗損	200	
当期経費		63,740
当期総製造費用		173,940
期首仕掛品棚卸高		8,000
合計		181,940
期末仕掛品棚卸高		10,800
当期製品製造原価		171,140

損益計算書

F株式会社　　自X5年4月1日　至X6年3月31日　　(単位：千円)

科目	金額	
Ⅰ 売上高		300,000
Ⅱ 売上原価		
1 期首製品棚卸高	24,000	
2 当期製品製造原価	171,140	
合計	195,140	
3 期末製品棚卸高	16,000	179,140
売上総利益		120,860
Ⅲ 販売費及び一般管理費		
給料	9,000	
法定福利費	2,200	
退職給付費用	3,000	
減価償却費	4,600	
電力料	3,600	
租税公課	2,960	
旅費交通費	3,900	
保険料	1,700	
研究開発費	15,000	
通信費	1,300	
広告宣伝費	7,400	
雑費	500	55,160
営業利益		65,700

重要な会計方針に係る事項に関する注記

重要な会計方針	
①	製品、材料および仕掛品は総平均法による原価法（収益性の低下による簿価切下げの方法）により評価している。
②	有形固定資産は、定額法により減価償却している。

解説

1　減価償却費等

⑴　減価償却費

製造関係：$\underset{\text{T/B}}{\underline{9{,}200\text{千円}}} \times \frac{1}{2} = 4{,}600\text{千円}$ ⇨ C/R（製造原価報告書）

営業関係：$\underset{\text{T/B}}{\underline{9{,}200\text{千円}}} \times \frac{1}{2} = 4{,}600\text{千円}$ ⇨ P/L

⑵　給料

製造関係：$\underset{\text{T/B}}{\underline{18{,}000\text{千円}}} \times \frac{1}{2} = 9{,}000\text{千円}$ ⇨ C/R

営業関係：$\underset{\text{T/B}}{\underline{18{,}000\text{千円}}} \times \frac{1}{2} = 9{,}000\text{千円}$ ⇨ P/L

⑶　法定福利費

製造関係：$\underset{\text{T/B}}{\underline{4{,}400\text{千円}}} \times \frac{1}{2} = 2{,}200\text{千円}$ ⇨ C/R

営業関係：$\underset{\text{T/B}}{\underline{4{,}400\text{千円}}} \times \frac{1}{2} = 2{,}200\text{千円}$ ⇨ P/L

⑷　保険料

製造関係：$\underset{\text{T/B}}{\underline{3{,}400\text{千円}}} \times \frac{1}{2} = 1{,}700\text{千円}$ ⇨ C/R

営業関係：$\underset{\text{T/B}}{\underline{3{,}400\text{千円}}} \times \frac{1}{2} = 1{,}700\text{千円}$ ⇨ P/L

⑸　退職給付費用

製造関係：$\underset{\text{T/B}}{\underline{6{,}000\text{千円}}} \times \frac{1}{2} = 3{,}000\text{千円}$ ⇨ C/R

営業関係：$\underset{\text{T/B}}{\underline{6{,}000\text{千円}}} \times \frac{1}{2} = 3{,}000\text{千円}$ ⇨ P/L

2　電力料等

⑴　電力料

製造関係：$\underset{\text{T/B}}{\underline{10{,}800\text{千円}}} \times \frac{2}{3} = 7{,}200\text{千円}$ ⇨ C/R

営業関係：$\underset{\text{T/B}}{\underline{10{,}800\text{千円}}} \times \frac{1}{3} = 3{,}600\text{千円}$ ⇨ P/L

(2) 旅費交通費

製造関係：$\underset{\text{T/B}}{\underline{\text{11,700千円}}} \times \frac{2}{3} = \text{7,800千円}$ ⇨ C/R

営業関係：$\underset{\text{T/B}}{\underline{\text{11,700千円}}} \times \frac{1}{3} = \text{3,900千円}$ ⇨ P/L

3　租税公課

製造関係：$\underset{\text{T/B}}{\underline{\text{4,440千円}}} \times \frac{1}{3} = \text{1,480千円}$ ⇨ C/R

営業関係：$\underset{\text{T/B}}{\underline{\text{4,440千円}}} \times \frac{2}{3} = \text{2,960千円}$ ⇨ P/L

4　修繕費等

修繕費：$\underset{\text{T/B}}{\underline{\text{1,760千円}}}$ ⇨ C/R

賃借料：$\underset{\text{T/B}}{\underline{\text{26,400千円}}}$ ⇨ C/R

5　通信費等

通信費：$\underset{\text{T/B}}{\underline{\text{1,300千円}}}$ ⇨ P/L

雑費：$\underset{\text{T/B}}{\underline{\text{500千円}}}$ ⇨ P/L

6　研究開発費

研究開発費：$\underset{\text{T/B}}{\underline{\text{15,000千円}}}$ ⇨ P/L

7　材料減耗損

原価性のある材料減耗損は、経費として製造原価に算入します。

8　棚卸資産

棚卸資産の評価基準および評価方法につき重要な会計方針に係る事項に関する注記が必要です。

9　有形固定資産

有形固定資産の減価償却の方法につき重要な会計方針に係る事項に関する注記が必要です。

10　その他

賃金、外注加工費は、問題文に指示がなくてもすべて製造に係るものであることが明らかであるため、製造原価に算入します。

また、広告宣伝費も問題文に指示がなくてもすべて製造以外に係るもの（損益計算書に計上されるもの）であることが明らかなので、販売費及び一般管理費に算入します。

学習のポイント

① **製造業における固有の表示について理解していたか？**
② **当期総製造費用（材料費・労務費・経費）の算定について理解していたか？**
③ **製造原価報告書のフォームについて理解していたか？**
④ **製造業に関連する注記事項について理解していたか？**

製造業において大事なのは、当期に生じた費用を製造に係るもの（製造原価報告書に計上されるもの）とそれ以外に係るもの（損益計算書に計上されるもの）にしっかり分けることができるかどうかです。したがって、まずは資料から当期の費用額を求め、そのうえで問題文に与えられた按分割合を用いて（項目によっては全額が製造またはそれ以外に係るものである場合があるので注意すること）、製造に係るものとそれ以外に係るものとにしっかり按分するようにしましょう。

Chapter 4

企業結合会計

解答1 企業結合会計(1)

	日付	時間	学習メモ
1回目	／	／20分	
2回目	／	／20分	
3回目	／	／20分	

問1　企業結合とは、ある企業またはある企業を構成する事業と他の企業または他の企業を構成する事業とが一つの報告単位に統合されることをいう。

問2　①取得　②持分の結合　③支配

問3　パーチェス法とは、被結合企業から受け入れる資産および負債の取得原価を、対価として交付する現金および株式等の時価（公正価値）とする方法をいう。

問4　企業結合の多くは、実質的にはいずれかの結合当事企業による新規の投資と同じであり、交付する現金および株式等の投資額を取得価額として他の結合当事企業から受け入れる資産および負債を評価することが、現行の一般的な会計処理と整合するからである。

問5　被取得企業または取得した事業の取得原価は、原則として、取得の対価（支払対価）となる財の企業結合日における時価で算定する。支払対価が現金以外の資産の引渡し、負債の引受けまたは株式の交付の場合には、支払対価となる財の時価と被取得企業または取得した事業の時価のうち、より高い信頼性をもって測定可能な時価で算定する。

問6

⑴　のれんは、資産に計上し、20年以内のその効果の及ぶ期間にわたって、定額法その他の合理的な方法により規則的に償却する。

⑵①　企業結合の成果たる収益と、その対価の一部を構成する投資消去差額の償却という費用の対応が可能になるためである。

②　のれんは投資原価の一部であることに鑑みれば、のれんを規則的に償却する方法は、投資原価を超えて回収された超過額を企業にとっての利益とみる考え

方とも首尾一貫しているためである。

③　企業結合により生じたのれんは時間の経過とともに自己創設のれんに入れ替わる可能性があるため、企業結合により計上したのれんの非償却による自己創設のれんの実質的な資産計上を防ぐことができるためである。

(3)　のれんは無形固定資産の区分に表示し、のれんの当期償却額は販売費及び一般管理費の区分に表示する。

問7

(1)　負ののれんが生じると見込まれる場合には、一定の見直しを行い、それでもなお負ののれんが生じる場合には、当該負ののれんが生じた事業年度の利益として処理する。

(2)①　負ののれんの発生原因を認識不能な項目やバーゲン・パーチェスであると位置付け、現実には異常かつ発生の可能性が低いことから、異常利益としての処理が妥当であると考えるためである。

②　負ののれんは負債として計上されるべき要件を満たしていないためである。

(3)　負ののれんは、原則として、特別利益に表示する。

重要キーワード

問1　一つの報告単位に統合

問6　(2)①　投資消去差額の償却という費用の対応が可能

③　自己創設のれんに入れ替わる可能性

問7　(2)　バーゲン・パーチェス、異常利益

解答 2 企業結合会計(2)

	日付	時間	学習メモ
1回目	／	／8分	
2回目	／	／8分	
3回目	／	／8分	

（単位：千円）

借方科目	金額	貸方科目	金額
諸資産	115,000	諸負債	45,000
のれん	500	自己株式	23,400
		資本金	23,550
		資本準備金	23,550

解説

自己株式：@195円×120,000株＝23,400千円

交付株式数：180,000株＋120,000株＝300,000株
　　新株発行　　自己株式

増加する株主資本：@235円×300,000株＝70,500千円
　　1株あたり時価　　交付株式数

資本金：（70,500千円－23,400千円）÷2＝23,550千円
　　増加する株主資本　　自己株式の簿価

資本準備金：資本金と同じ

のれん：貸借差額

学習のポイント

① 合併の会計処理を理解しているか？

② 取得対価として自己株式の処分をした場合の処理は理解しているか？

・取得原価が受け入れた資産および引き受けた負債の純額を上回る場合、のれんを計上します。

・処分した自己株式を含む交付株式の時価により取得原価を算定します。

解答3 企業結合会計(3)

	日付	時間	学習メモ
1回目	／	／6分	
2回目	／	／6分	
3回目	／	／6分	

（単位：千円）

借方科目	金額	貸方科目	金額
関係会社株式	600,000	資本金	450,000
		資本準備金	100,000
		その他資本剰余金	50,000

解説

株式交換では、完全親会社が取得する完全子会社株式の取得原価は、株式交換日における完全親会社株式の時価に交付株式数を掛けて計算します。なお、株式の交換比率が与えられている場合は、完全子会社となる会社の発行済株式総数に交換比率を掛けて交付株式数を算定します。

交付株式数：B社の発行済株式総数1,500株×交換比率0.8＝1,200株

増加する払込資本：1株あたり時価@500千円×交付株式数1,200株＝600,000千円

その他資本剰余金：600,000千円－450,000千円－100,000千円＝50,000千円

学習のポイント

① 株式交換の会計処理を理解しているか？

・株式交換では、吸収合併の場合と異なり、完全子会社となる会社の資産や負債を時価で受け入れる処理は行わない点に注意しましょう。

② 取得原価として新株を交付した場合の処理は理解しているか？

・増加する払込資本は、取得原価となる新株の時価となります。

③ 組織再編における増加払込資本の内訳について理解しているか？

・企業結合において増加する資本金と資本準備金の額は、合併や株式交換等の契約により決定します。従って、試験上は問題文の指示を確認しましょう。通常の新株発行における払込金額の2分の1以上を資本金とする旨の規定は適用されません。

解答 4 共通支配下の取引等

	日付	時間	学習メモ
1回目	／	／6分	
2回目	／	／6分	
3回目	／	／6分	

（単位：千円）

借方科目	金額	貸方科目	金額
諸資産	90,000	諸負債	80,000
土地	30,000	B社株式	35,000
		抱合せ株式消滅差益	5,000

解説

抱合せ株式消滅差益：（90,000千円＋30,000千円－80,000千円）－35,000千円
＝5,000千円

学習のポイント

① 共通支配下の取引等を理解しているか？

② 親会社と子会社の合併の会計処理を理解しているか？

・親会社が合併直前に保有していた子会社株式の適正な帳簿価額と、受け入れる資産および負債の適正な帳簿価額との差額については、「抱合せ株式消滅差損益（特別損益）」で処理します。

事業分離会計

解答1 事業分離会計(1)

	日付	時間	学習メモ
1回目	／	／15分	
2回目	／	／15分	
3回目	／	／15分	

問1 事業分離とは、ある企業を構成する事業を他の企業に移転することをいう。

問2

(1) 分離した事業に関する投資が継続しているとみるか清算されたとみるかによって、一般的な売却や交換にともなう損益認識と同様に、分離元企業において移転損益が認識されない場合と認識される場合がある。

(2) 分離元企業は、事業分離日に、その事業を分離先企業に移転したことにより受け取った対価となる財の時価と、移転した事業に係る株主資本相当額との差額を移転損益として認識するとともに、改めて当該受取対価の時価にて投資を行ったものとする。

(3) 分離元企業は、事業分離日に、移転損益を認識せず、その事業を分離先企業に移転したことにより受け取る資産の取得原価は、移転した事業に係る株主資本相当額に基づいて算定するものとする。

問3

(1) 被結合企業に関する投資が継続しているとみるか清算されたとみるかによって、一般的な売却や交換にともなう損益認識と同様に、被結合企業の株主において交換損益が認識されない場合と認識される場合がある。

(2) 被結合企業の株主は、企業結合日に、被結合企業の株式と引換えに受け取った対価となる財の時価と、被結合企業の株式に係る適正な帳簿価額との差額を交換損益として認識するとともに、改めて当該受取対価の時価にて投資を行ったものとする。

(3) 被結合企業の株主は、企業結合日に、交換損益を認識せず、被結合企業の株式と引換えに受け取る資産の取得原価は、被結合企業の株式に係る適正な帳簿価額に基づいて算定するものとする。

重要キーワード

問2 (2) 受け取った対価の時価と移転した事業の株主資本相当額の差額＝移転損益

(3) 移転損益は認識しない

問3 (2) 受け取った対価の時価と被結合企業の株式に係る適正な帳簿価額の差額＝交換損益

(3) 交換損益は認識しない

解答2 事業分離会計(2)

	日付	時間	学習メモ
1回目	／	／5分	
2回目	／	／5分	
3回目	／	／5分	

問1 B社株式を取得し、B社が子会社になる場合 (単位：千円)

借方科目	金額	貸方科目	金額
子会社株式	26,400 *	諸資産	36,000
諸負債	9,600		

* 36,000千円－9,600千円＝26,400千円

問2 A社が対価として現金30,000千円を受け取った場合 (単位：千円)

借方科目	金額	貸方科目	金額
現金	30,000	諸資産	36,000
諸負債	9,600	移転損益	3,600 *

* 30,000千円－（36,000千円－9,600千円）＝3,600千円

学習のポイント

① **投資が清算された場合の処理を理解しているか？**
② **投資が継続している場合の処理を理解しているか？**

・問１は分離先企業の株式のみを対価としているため、投資の継続と判断します。
　→投資の継続の場合は、移転損益は認識しません。
・問２は現金を対価としており、分離先企業との資本関係はないため、投資の清算と判断します。
　→投資が清算された場合には、移転損益を認識します。

Chapter 6

連結財務諸表

解答 1 連結財務諸表(1)

	日付	時間	学習メモ
1回目	／	／20分	
2回目	／	／20分	
3回目	／	／20分	

問1　連結財務諸表の作成目的は、支配従属関係にある２つ以上の企業からなる集団（企業集団）を単一の組織体とみなして、親会社が当該企業集団の財政状態、経営成績およびキャッシュ・フローの状況を総合的に報告することである。

問2

(1)　連結財務諸表は、企業集団の財政状態、経営成績およびキャッシュ・フローの状況に関して真実な報告を提供するものでなければならない。

(2)　連結財務諸表は、企業集団に属する親会社および子会社が一般に公正妥当と認められる企業会計の基準に準拠して作成した個別財務諸表を基礎として作成しなければならない。

(3)　連結財務諸表は、企業集団の状況に関する判断を誤らせないよう、利害関係者に対し必要な財務情報を明瞭に表示するものでなければならない。

(4)　連結財務諸表作成のために採用した基準および手続は、毎期継続して適用し、みだりにこれを変更してはならない。

問3

(1)　親会社説とは、連結財務諸表を親会社の株主のために作成するものと考え、親会社の株主の持分を強調する考え方である。

(2)　経済的単一体説とは、連結財務諸表を親会社の株主のためだけではなく、非支配株主も含めたすべての株主のために作成するものとする考え方である。

(3)

	親会社説	経済的単一体説
株主資本の位置づけ	親会社の株主に帰属する持分	企業集団を構成するすべての株主に帰属する持分
非支配株主持分の表示方法	純資産の部の株主資本以外に表示	純資産の部の株主資本に含める
連結純利益の位置づけ	親会社の株主に帰属する利益	企業集団を構成するすべての株主に帰属する利益
非支配株主に帰属する利益の表示方法	連結純利益の計算にあたり控除する形式で表示	連結純利益に含める

問4　親会社の子会社に対する投資とこれに対応する子会社の資本との相殺消去にあたり、差額が生じる場合には、当該差額をのれん（または負ののれん）とする。

重要キーワード

問3　(1)　親会社説→親会社の株主のために作成
(2)　経済的単一体説→非支配株主も含めたすべての株主のために作成

問4　親会社の投資と子会社の資本を相殺消去した際に生じる差額＝のれん

解答2　連結財務諸表(2)

	日付	時間	学習メモ
1回目	／	／8分	
2回目	／	／8分	
3回目	／	／8分	

連結損益計算書

自X4年4月1日　至X5年3月31日　(単位：千円)

借方科目	金額	貸方科目	金額
諸費用	92,250	諸収益	97,500
のれん償却額	42		
非支配株主に帰属する当期純利益	600		
親会社株主に帰属する当期純利益	4,608		
	97,500		97,500

連結株主資本等変動計算書

自X4年4月1日　至X5年3月31日（単位：千円）

資本金	
当期首残高	(21,000)
当期末残高	(21,000)
利益剰余金	
当期首残高	(9,408)
当期変動額	
親会社株主に帰属する当期純利益	(4,608)
当期末残高	(14,016)
非支配株主持分	
当期首残高	(4,020)
当期変動額（純額）	(600)
当期末残高	(4,620)

連結貸借対照表

X5年3月31日　(単位：千円)

資産	金額	負債・純資産	金額
諸資産	76,500	諸負債	37,200
のれん	336	資本金	21,000
		利益剰余金	14,016
		非支配株主持分	4,620
	76,836		76,836

解説 （仕訳の単位：千円）

連結財務諸表を作成するにあたっては、個別財務諸表を合算したうえで、連結上あるべき数値に修正するために連結修正仕訳を行います。

1 開始仕訳

⑴ X2年度末（60％取得）

（資本金当期首残高）	7,800	（S　社　株　式）	6,000
（利益剰余金当期首残高）	1,500	（非支配株主持分当期首残高）	3,720 *1
（の　れ　ん）	420 *2		

＊1 （資本金7,800千円＋利益剰余金1,500千円）×（1－60％）＝3,720千円
＊2 貸借差額

⑵ X3年度

① 支配獲得後利益剰余金の振替え

（利益剰余金当期首残高）	300 *	（非支配株主持分当期首残高）	300

＊ （2,250千円－1,500千円）×（1－60％）＝300千円

② のれんの償却

（利益剰余金当期首残高）	42 *	（の　れ　ん）	42

＊ 420千円×$\frac{1年}{10年}$＝42千円

⑶ ⑴＋⑵ → 開始仕訳

（資本金当期首残高）	7,800	（S　社　株　式）	6,000
（利益剰余金当期首残高）	1,842	（非支配株主持分当期首残高）	4,020
（の　れ　ん）	378		

2 当期純利益の按分

（非支配株主に帰属する当期純損益）	600 *	（非支配株主持分当期変動額）	600

＊ 当期純利益1,500千円×（1－60％）＝600千円

3 のれんの償却

（の れ ん 償 却 額）	42 *	（の　れ　ん）	42

＊ 420千円×$\frac{1年}{10年}$＝42千円

学習のポイント

① 資本連結の流れを理解しているか？
② 連結財務諸表の作成の流れを理解しているか？

・連結財務諸表は、個別財務諸表を合算した後に連結修正仕訳を反映させ作成します。

解答 3 連結財務諸表(3)

	日付	時間	学習メモ
1回目	／	／8分	
2回目	／	／8分	
3回目	／	／8分	

連結損益計算書
自X6年4月1日　至X7年3月31日　(単位：千円)

借方科目	金額	貸方科目	金額
諸費用	2,325,000	諸収益	2,446,500
のれん償却額	4,050	受取配当金	156,000
非支配株主に帰属する当期純利益	45,000		
親会社株主に帰属する当期純利益	228,450		
	2,602,500		2,602,500

株主資本等変動計算書
自X6年4月1日　至X7年3月31日

(単位：千円)

	株主資本			非支配株主持分
	資本金	資本剰余金	利益剰余金	
当期首残高	1,500,000	165,000	552,450	367,500
当期変動額				
剰余金の配当			△135,000	
親会社株主に帰属する当期純利益			228,450	
非支配株主との取引に係る親会社の持分変動		△16,875		
株主資本以外の項目の当期変動額（純額）				△69,375
当期末残高	1,500,000	148,125	645,900	298,125

連結貸借対照表
X7年3月31日

(単位：千円)

資産	金額	負債・純資産	金額
諸資産	3,108,750	諸負債	1,822,500
土地	1,293,750	資本金	1,500,000
のれん	12,150	資本剰余金	148,125
		利益剰余金	645,900
		非支配株主持分	298,125
	4,414,650		4,414,650

解説　(仕訳の単位：千円)

本問は、追加取得の場合の資本連結の問題です。X4年度末に支配獲得済みですので、X6年度末の追加取得では子会社の資産・負債につき時価評価は行わない点、親会社持分の変動による差額は資本剰余金として処理する点に注意しましょう。

(1)　子会社の資産・負債の時価評価

(土　　地)	18,750	(評　価　差　額)	18,750 *

＊　X4年度末時価 168,750 千円 − X4 年度末簿価 150,000 千円 = 18,750 千円

(2) 開始仕訳

① X4年度末（60%取得）

（資本金当期首残高）	600,000	（関係会社株式）	562,500
（利益剰余金当期首残高）	285,000	（非支配株主持分当期首残高）	361,500 *1
（評価差額）	18,750		
（のれん）	20,250 *2		

＊1 （資本金600,000千円＋利益剰余金285,000千円＋評価差額18,750千円）×（1－60%）＝361,500千円

＊2 貸借差額

② X5年度

(i) 支配獲得後利益剰余金の振替え

（利益剰余金当期首残高）	6,000 *	（非支配株主持分当期首残高）	6,000

＊ （300,000千円－285,000千円）×（1－60%）＝6,000千円

(ii) のれんの償却

（利益剰余金当期首残高）	4,050 *	（のれん）	4,050

＊ $20{,}250\text{千円}\times\frac{1\text{年}}{5\text{年}}=4{,}050\text{千円}$

③ ①＋② → 開始仕訳

（資本金当期首残高）	600,000	（関係会社株式）	562,500
（利益剰余金当期首残高）	295,050	（非支配株主持分当期首残高）	367,500
（評価差額）	18,750		
（のれん）	16,200		

(3) 子会社の当期純利益の按分

（非支配株主に帰属する当期純利益）	45,000 *	（非支配株主持分当期変動額）	45,000

＊ 当期純利益112,500千円×（1－60%）＝45,000千円

(4) のれんの償却

（のれん償却額）	4,050 *	（のれん）	4,050

＊ $20{,}250\text{千円}\times\frac{1\text{年}}{5\text{年}}=4{,}050\text{千円}$

⑸　子会社の剰余金の配当

（受　取　配　当　金）	22,500 [*1]	（剰　余　金　の　配　当）	37,500
（非支配株主持分当期変動額）	15,000 [*2]		

＊1　子会社の剰余金の配当 37,500 千円× 60% = 22,500 千円
＊2　子会社の剰余金の配当 37,500 千円×（1 － 60%）= 15,000 千円

⑹　追加取得（10%）

（非支配株主持分当期変動額）	99,375 [*1]	（関　係　会　社　株　式）	116,250
（資本剰余金持分の増減）	16,875 [*2]		

＊1　X6 年度末資本合計 993,750 千円×追加取得比率 10% = 99,375 千円
＊2　貸借差額

学習のポイント

① 追加取得の場合の処理を理解しているか？

・支配獲得後に親会社が子会社株式を追加取得した場合、①追加取得時には子会社の資産・負債について時価評価を行わない点②親会社持分の変動による差額は資本剰余金の増減として処理する点に注意しましょう。

解答 4 連結財務諸表(4)

	日付	時間	学習メモ
1回目	／	／8分	
2回目	／	／8分	
3回目	／	／8分	

連 結 貸 借 対 照 表

X5年3月31日

(単位：千円)

資産	金額	負債・純資産	金額
諸資産	2,640,000	諸負債	1,370,000
のれん	1,440	資本金	480,000
		資本剰余金	19,600
		利益剰余金	571,040
		非支配株主持分	200,800
	2,641,440		2,641,440

解説 (仕訳の単位：千円)

本問は、一部売却の場合の資本連結の問題です。本問では、貸借対照表のみが問われているため貸借対照表科目で仕訳を示しています。

(1) 子会社の資産・負債の時価評価

(諸資産)	96,000 *1	(諸負債)	50,000 *2
		(評価差額)	46,000 *3

＊1 時価1,008,000千円－簿価912,000千円＝96,000千円

＊2 時価530,000千円－簿価480,000千円＝50,000千円

＊3 貸借差額

⑵　開始仕訳

(資本金)	240,000	(S社株式)	384,000
(利益剰余金)	192,000	(非支配株主持分)	95,600 [*1]
(評価差額)	46,000		
(のれん)	1,600 [*2]		

＊1　(資本金 240,000 千円＋利益剰余金 192,000 千円＋評価差額 46,000 千円)
　×(1 － 80%) ＝ 95,600 千円

＊2　貸借差額

⑶　子会社の当期純利益の按分

(利益剰余金)	4,800 [*]	(非支配株主持分)	4,800

＊　(216,000 千円－ 192,000 千円) ×(1 － 80%) ＝ 4,800 千円

⑷　のれんの償却

(利益剰余金)	160 [*]	(のれん)	160

＊　1,600 千円 $\times \frac{1\text{年}}{10\text{年}}$ ＝ 160 千円

⑸　一部売却(20%)

(S社株式)	96,000 [*1]	(非支配株主持分)	100,400 [*2]
(利益剰余金)	24,000 [*3]	(資本剰余金)	19,600 [*4]

＊1　S社株式 384,000 千円× 20%÷ 80%＝ 96,000 千円

＊2　(資本金 240,000 千円＋利益剰余金 216,000 千円＋評価差額 46,000 千円)
　×一部売却比率 20%＝ 100,400 千円

＊3　S社株式売却益

＊4　貸借差額

学習のポイント

① 一部売却の場合の処理を理解しているか？

・支配獲得後に親会社が子会社株式を一部売却した場合(支配は継続)、①個別上の子会社株式売却損益を取り消す点②貸借差額を資本剰余金の増減として処理する点に注意しましょう。

解答 5 連結財務諸表(5)

	日付	時間	学習メモ
1回目	／	／8分	
2回目	／	／8分	
3回目	／	／8分	

連結損益計算書(一部)
自X6年4月1日　至X7年3月31日　(単位：千円)

Ⅰ	売上高	(1,075,200)
Ⅱ	売上原価	(696,150)
	売上総利益	(379,050)
Ⅲ	販売費及び一般管理費	
	1．(貸倒引当金繰入額)	(2,373)
	⋮	
	営業利益	×××

連結貸借対照表(一部)
X7年3月31日　(単位：千円)

資産	金額	負債・純資産	金額
⋮		買掛金	(210,000)
売掛金	(252,000)	貸倒引当金	(6,594)
商品	(246,750)	⋮	
⋮	×××		×××

解説 (仕訳の単位：千円)

本問は、連結内部における商品売買取引に関する相殺消去の問題です。貸借を間違えないように注意しましょう(特に貸倒引当金の調整)。

(1) 売上高と仕入高の相殺消去

(売上高)	203,700	(売上原価)	203,700

(2) 未実現損益の調整

(売　上　原　価)	1,050	(商　　　品)	1,050 *

＊　期末P社仕入商品 6,300 千円 × $\frac{\text{付加利益率}20\%}{1+\text{付加利益率}20\%}$ = 1,050 千円

(3) 売上債権と仕入債務の相殺消去

(買　掛　金)	29,400	(売　掛　金)	29,400

(4) 貸倒引当金の調整

(貸　倒　引　当　金)	882	(貸倒引当金繰入額)	882 *

＊　対S社売掛金期末残高 29,400 千円 × 3 % = 882 千円

学習のポイント

① 成果連結の処理を理解しているか？

・親子会社間の内部取引は連結上相殺消去されます。特に未実現損益や貸倒引当金の調整につき、金額や貸借を誤らないように繰り返し練習しましょう。

Chapter 7
中間財務諸表・四半期財務諸表

解答1 四半期財務諸表

	日付	時間	学習メモ
1回目	／	／12分	
2回目	／	／12分	
3回目	／	／12分	

問1

(1) 実績主義とは、四半期会計期間を年度と並ぶ一会計期間とみたうえで、四半期財務諸表を、原則として年度の財務諸表と同じ会計方針を適用して作成することにより、当該四半期会計期間に係る企業集団または企業の財政状態、経営成績およびキャッシュ・フローの状況に関する情報を提供するという考え方である。

(2) 予測主義とは、四半期会計期間を年度の一構成部分と位置づけて、四半期財務諸表を、年度の財務諸表と部分的に異なる会計方針を適用して作成することにより、当該四半期会計期間を含む年度の業績予測に資する情報を提供するという考え方である。

(3)① 四半期会計期間の実績を明らかにすることにより、将来の業績予測に資する情報を提供するものと位置づけることがむしろ適当と考えられるため。

② 恣意的な判断が介入しにくいことや、実行面での計算手続が明確であることなどの点で、予測主義よりも優れていると考えられるため。

③ 季節変動性については、実績主義によっても十分な定性的情報や前年同期比較を開示することにより対応できると考えられるため。

問2 四半期財務諸表が年度の財務諸表よりも開示の迅速性が求められているためである。

重要キーワード

問1　(1)　年度と並ぶ一会計期間
年度の財務諸表と同じ会計方針を適用
当該四半期会計期間に係る企業集団または企業の財政状態
経営成績およびキャッシュ・フローの状況に関する情報を提供

(2)　年度の一構成部分
年度の財務諸表と部分的に異なる会計方針を適用
当該四半期会計期間を含む年度の業績予測に資する情報を提供

問2　開示の迅速性

Chapter 8

包括利益計算書

解答1 包括利益計算書

	日付	時間	学習メモ
1回目	／	／12分	
2回目	／	／12分	
3回目	／	／12分	

問1　①特定期間　②純資産の変動額　③持分所有者
④当期純利益

問2　①損益計算書　②包括利益計算書　③2計算書
④損益及び包括利益計算書　⑤1計算書

問3

①　包括利益の表示によって提供される情報は、投資家等の財務諸表利用者が企業全体の事業活動について検討するのに役立つ。

②　貸借対照表との連携（純資産と包括利益とのクリーン・サープラス関係）を明示することを通じて、財務諸表の理解可能性と比較可能性を高める。

③　当期純利益に関する情報と併せて利用することにより、企業活動の成果についての情報の全体的な有用性を高める。

問4

組替調整により、当期又は過去の期間にその他の包括利益に含まれていた項目のうち、当期中にリスクから解放された項目を当期純利益に振り替えることで、企業価値評価の基礎となる、キャッシュ・フローの予測に役立つ利益情報を開示できるからである。

重要キーワード

問3 ①　企業全体の事業活動について検討するのに役立つ

②　純資産と包括利益のクリーン・サープラス関係
→理解可能性・比較可能性

③　当期純利益と併用→全体的な有用性が高まる

問4　本問は難問ですが、ポイントは、企業価値評価に必要なのは将来キャッシュ・フローの予測であり、その予測に用いるのは当期純利益であるということです。したがって、適切に当期純利益を算定するために、組替調整が必要である、という流れで書いておけばよいでしょう。

Chapter 9

キャッシュ・フロー計算書

解答1 キャッシュ・フロー計算書(1)

	日付	時間	学習メモ
1回目	／	／25分	
2回目	／	／25分	
3回目	／	／25分	

問1　①キャッシュ・フローの状況　②活動区分別

問2　①　企業の収益性や安全性を投資者が判断するためには、損益計算書に加え、企業の資金情報を提供することが必要である。

②　発生主義会計における損益計算に比べ、代替的方法が少ないことから、企業間の比較可能性の観点からも必要である。

問3　資金の範囲は、現金（手許現金、要求払預金及び特定の電子決済手段）及び現金同等物とする。ここに、現金同等物とは、容易に換金可能であり、かつ、価値の変動について僅少なリスクしか負わない短期投資をいう。

問4

(1)　営業活動によるキャッシュ・フローの区分

営業活動によるキャッシュ・フローの区分では、営業損益計算の対象となった取引のほか、投資活動および財務活動以外の取引によるキャッシュ・フローを記載して、営業活動によるキャッシュ・フローを計算する。これにより、企業の本務である営業活動における現金創造能力の現在の結果が明らかとなる。

(2)　投資活動によるキャッシュ・フローの区分

投資活動によるキャッシュ・フローの区分では、設備投資、証券投資および融資などにかかるキャッシュ・フローを記載して、投資活動によるキャッシュ・フローを計算する。これにより、将来の現金創造能力を高めるために、投資活動を通して企業の資金がどのように投下されまたは回収されたかが明らかとなる。

(3)　財務活動によるキャッシュ・フローの区分

財務活動によるキャッシュ・フローの区分では、資金調達および返済によるキャッシュ・フローを記載して、財務活動によるキャッシュ・フローを計算する。これにより、営業活動および投資活動を維持するためにどの程度の資金が調達されまたは返済されたかが明らかとなる。

問5

(1) 直接法とは、主要な取引ごとに収入総額と支出総額を表示する方法をいう。

(2) 間接法とは、税引前当期純利益に必要な調整項目を加減して表示する方法をいう。

問6 方法：法人税等は、「営業活動によるキャッシュ・フロー」の区分に一括して記載する。

理由：法人税等は、それぞれの活動から生じる課税所得をもとに算定されるものであるため、理論的には、それぞれの活動区分に分けて記載すべきこととなる。しかし、それぞれの活動ごとに課税所得を分割することは、一般的に困難であると考えられるため、「営業活動によるキャッシュ・フロー」の区分に一括して記載する方法を採用しているのである。

問7 ①方法：受取利息、受取配当金及び支払利息を「営業活動によるキャッシュ・フロー」の区分に、支払配当金を「財務活動によるキャッシュ・フロー」の区分に記載する方法

理由：このように記載するのは、受取利息、受取配当金及び支払利息が損益の算定に含まれるものであり、損益の算定に含まれない支払配当金と区別して表示するためである。

②方法：受取利息及び受取配当金を「投資活動によるキャッシュ・フロー」の区分に、支払利息及び支払配当金を「財務活動によるキャッシュ・フロー」の区分に記載する方法

理由：このように記載するのは、投資活動に関連する受取利息及び受取配当金と財務活動に関連する支払利息及び支払配当金を活動区分別に区別して表示するためである。

重要キーワード

問2 ② 比較可能性

問3 現金及び現金同等物

問4 (1) 営業活動における現金創造能力の現在の結果

問6 理論的には、それぞれの活動区分に分けるべき → 一般的に困難であるため

問7 ① 損益の算定
② 投資活動に関連、財務活動に関連

解答 2 キャッシュ・フロー計算書(2)

	日付	時間	学習メモ
1回目	／	／10分	
2回目	／	／10分	
3回目	／	／10分	

キャッシュ・フロー計算書

自　×4年4月1日　　至　×5年3月31日　(単位：千円)

Ⅰ　営業活動によるキャッシュ・フロー		
税引前当期純利益		35,760
減価償却費		(3,000)
貸倒引当金の減少額	−	(60)
支払利息		(4,800)
売上債権の増加額	−	(3,000)
有価証券評価損		(1,500)
有価証券売却損		1,500
小計		(43,500)
利息の支払額	−	(4,200)
法人税等の支払額	−	(30,000)
営業活動によるキャッシュ・フロー		(9,300)
Ⅱ　投資活動によるキャッシュ・フロー		
有価証券の取得による支出	−	(15,000)
有価証券の売却による収入		(3,300)
投資活動によるキャッシュ・フロー	−	(11,700)
Ⅲ　財務活動によるキャッシュ・フロー		
長期借入れによる収入		10,500
長期借入金の返済による支出	−	(3,000)
財務活動によるキャッシュ・フロー		(7,500)
Ⅳ　現金及び現金同等物の増加額		(5,100)
Ⅴ　現金及び現金同等物の期首残高		(30,900)
Ⅵ　現金及び現金同等物の期末残高		(36,000)

解説

1　営業活動によるキャッシュ・フロー

税引前当期純利益を調整して営業活動によるキャッシュ・フローを算定します。

⑴　税引前当期純利益から営業活動以外による損益の除去

支払利息：4,800千円（加算）

有価証券評価損：1,500千円（加算）

⑵　非資金損益の調整

減価償却費：3,000千円（加算）

⑶　営業活動に係る資産・負債の調整

①　売上債権の増加額：3,000千円（減算）

②　貸倒引当金の減少額：60千円（減算）

⑷　利息の支払額

4,800千円 − 600千円 = 4,200千円（減算）
P/L支払利息　未払利息の増加額

支　払　利　息

借方	貸方
期末未払 ××	期首未払 ××
支出 （4,200千円）	P/L 4,800千円

仮に、期首未払利息を300千円とした場合、期首より600千円多い期末未払利息は900千円となります。

この金額を、P/L支払利息に加減することで現金支出額を求めることもできます。

現金支出額：4,800千円 + 300千円 − 900千円 = 4,200千円

⑸　法人税等の支払額

27,000千円 + 3,000千円 = 30,000千円（減算）
P/L法人税等　未払法人税等の減少額

法　人　税　等

借方	貸方
期末未払 ××	期首未払 ××
支出 （30,000千円）	P/L 27,000千円

仮に、期首未払法人税等を7,000千円とした場合、期首より3,000千円少ない期末未払法人税等は4,000千円となります。

この金額を、P/L法人税等に加減することで現金支出額を求めることもできます。

現金支出額：27,000千円 + 7,000千円 − 4,000千円 = 30,000千円

2　投資活動によるキャッシュ・フロー

(1)　有価証券の取得による支出

8,700千円 + 4,800千円 + 1,500千円 = 15,000千円（減算）

有価証券の増加額　売却分　評価損

有　価　証　券

借方	貸方
期首残高　××	期末残高　××
購入	
（15,000千円）	売却　4,800千円
	評価損　1,500千円

期末残高と期首残高の差額が8,700千円

(2)　有価証券の売却による収入

4,800千円 − 1,500千円 = 3,300千円（加算）

帳簿価額　売却損

3　財務活動によるキャッシュ・フロー

長期借入金の返済による支出：3,000千円（減算）

4　現金及び現金同等物の増加額・期首残高・期末残高

【資料】 1　増加項目の現金及び現金同等物に関する資料より判明します。

学習のポイント

① キャッシュ・フロー計算書の作成方法について理解していたか？

・間接法によるキャッシュ・フロー計算書では、営業活動によるキャッシュ・フローを税引前当期純利益に加減算して算定します。

Chapter 10

財務諸表等規則

解答1 財務諸表等規則における金銭債権・債務の表示(1)

	日付	時間	学習メモ
1回目	／	／8分	
2回目	／	／8分	
3回目	／	／8分	

問1 会社計算規則 (単位：千円)

科目	金額	科目	金額
Ⅰ 流動資産		Ⅰ 流動負債	
関係会社売掛金	20,000	短期借入金	300
短期貸付金	400	関係会社短期借入金	6,000
Ⅱ 固定資産		預り金	600
3 投資その他の資産		Ⅱ 固定負債	
長期貸付金	30,000	関係会社長期借入金	60,000

貸借対照表等に関する注記

役員に対する金銭債務が300千円ある。

問2 財務諸表等規則 (単位：千円)

科目	金額	科目	金額
Ⅰ 流動資産		Ⅰ 流動負債	
売掛金	20,000	短期借入金	6,000
株主短期貸付金	400	役員短期借入金	300
Ⅱ 固定資産		預り金	600
3 投資その他の資産		Ⅱ 固定負債	
従業員長期貸付金	30,000	関係会社長期借入金	60,000

貸借対照表関係の注記事項

①	関係会社に対する資産　売掛金　20,000 千円
②	関係会社に対する負債　短期借入金　6,000 千円

学習のポイント

① 関係会社に対する長期貸付金・長期借入金の表示方法を理解していたか？
② 関係会社に対する上記以外の債権・債務の表示方法を理解していたか？
③ 株主・役員・従業員に対する債権・債務の表示方法を理解していたか？

財務諸表等規則においては、関係会社や株主・役員・従業員に対する金銭債権・債務について特別な表示を行います。

関係会社に対する長期貸付金・長期借入金 → 独立科目表示
関係会社に対する上記以外の債権・債務 → 注記
株主・役員・従業員に対する債権・債務 → 独立科目表示

なお、問１で問われている会社計算規則における注記の詳細は、財務諸表論２のChapter4金銭債権を参照してください。

解答2 財務諸表等規則における金銭債権・債務の表示(2)

	日付	時間	学習メモ
1回目	／	／8分	
2回目	／	／8分	
3回目	／	／8分	

問1

（単位：千円）

財務諸表等規則	
負債の部	
Ⅰ 流動負債	
支払手形	24,000
買掛金	56,000
短期借入金	30,400
預り金	1,600
株主預り金	10,000
Ⅱ 固定負債	
長期借入金	20,000
役員長期借入金	12,000
貸借対照表関係の注記	
関係会社に対する負債	
買掛金 24,000千円	
短期借入金 6,400千円	

問２

（単位：千円）

会社計算規則	
負債の部	
Ⅰ 流動負債	
支払手形	24,000
買掛金	32,000
関係会社買掛金	24,000
短期借入金	24,000
関係会社短期借入金	6,400
預り金	11,600
Ⅱ 固定負債	
長期借入金	32,000
貸借対照表等に関する注記	
取締役に対する金銭債務が	
12,000千円ある。	

解説

1　財務諸表等規則

(1)　関係会社

甲社、乙社ともに関係会社に該当します。

(2)　関係会社に対する金銭債権・債務

長期貸付金・長期借入金は、独立科目で表示し、その他の金銭債権・債務については、注記により開示します。

したがって、乙社に対する買掛金24,000千円および甲社に対する短期借入金6,400千円は、注記により開示します。

(3)　株主・役員・従業員に対する金銭債権・債務

すべて、独立科目で表示します。

したがって、株主からの一時的な預り金10,000千円および取締役（役員）に対する長期借入金12,000千円については、独立科目で表示します。

なお、従業員から源泉徴収した勤労所得税については、従業員に対する債務ではないことに注意をします。これは、国に対する債務になります。

(4) 貸借対照表の金額

株 主 預 り 金：10,000千円

預　　り　　金：11,600千円－10,000千円＝1,600千円

役員長期借入金：12,000千円

長 期 借 入 金：32,000千円－12,000千円＝20,000千円

2 会社計算規則

(1) 関係会社

甲社、乙社ともに関係会社に該当します。

(2) 関係会社に対する金銭債権・債務

独立科目表示法、科目別注記法および一括注記法により表示します。なお、本問は独立科目表示が指示されているので、乙社に対する買掛金24,000千円および甲社に対する短期借入金6,400千円は、独立科目で表示します。

(3) 取締役に対する金銭債権・債務

注記により開示します。

したがって、取締役に対する長期借入金12,000千円（金銭債務）は、注記により開示します。

(4) 貸借対照表金額

関 係 会 社 買 掛 金：24,000千円

買　　　掛　　　金：56,000千円－24,000千円＝32,000千円

関係会社短期借入金：6,400千円

短　期　借　入　金：30,400千円－6,400千円＝24,000千円

学習のポイント

① 財務諸表等規則と会社計算規則の表示の違いを理解していたか？

財務諸表等規則における金銭債権・債務の表示をみていく際には、会社計算規則と比較をしてみていくと、その内容がより明確になるので比較してみていきましょう。

解答3 財務諸表等規則における有価証券の表示

	日付	時間	学習メモ
1回目	／	／8分	
2回目	／	／8分	
3回目	／	／8分	

貸借対照表 (単位：千円)

科目	金額	科目	金額
Ⅰ 流動資産		⋮	
有価証券	13,200	Ⅱ 固定負債	
親会社株式	3,480	⋮	
Ⅱ 固定資産		繰延税金負債	96
⋮		⋮	
3 投資その他の資産		純資産の部	
投資有価証券	23,280	⋮	
関係会社株式	65,424	Ⅱ 評価・換算差額等	
関係会社社債	57,480	1 その他有価証券評価差額金	144
関係会社出資金	2,400	⋮	

損益計算書 (単位：千円)

科目	金額	
Ⅳ 営業外収益		
有価証券利息	1,320	
Ⅴ 営業外費用		
有価証券評価損	1,800	
⋮	⋮	⋮
Ⅶ 特別損失		
関係会社出資金評価損	3,360	

解説 （仕訳の単位：千円）

1　A社株式（その他有価証券）

財務諸表等規則においては、親会社の株式は「親会社株式」として表示します。なお、この株式は長期間保有する目的で保有するものではないため、流動資産に表示します。

（親会社株式） 流動資産	3,480	（有価証券）	3,480

2　B社株式（関連会社株式）

関係会社（B社は当社の関連会社に該当）の株式は、「関係会社株式」として投資その他の資産に表示します。

（関係会社株式）	65,424	（有価証券）	65,424

3　C社株式（売買目的有価証券）

（有価証券評価損）	1,800	（有価証券）	1,800

4　D社社債（その他有価証券）

⑴　償却原価法の適用

（投資有価証券）	23,040	（有価証券）	22,800
		（有価証券利息）	240 *

＊　(24,000千円 − 22,800千円) × $\frac{12カ月}{5年 \times 12カ月}$ = 240千円（償却額）
　　（24,000千円 − 22,800千円：取得差額）

⑵　時価による評価替え

（投資有価証券）	240	（繰延税金負債）	96 *
		（その他有価証券評価差額金） 評価・換算差額等	144 *

＊　評価差額：23,280千円 − (22,800千円 + 240千円) = 240千円
　　（23,280千円：B/S価額、22,800千円 + 240千円：償却原価）

　　繰延税金負債：240千円 × 40% = 96千円
　　（240千円：評価差額）

　　その他有価証券評価差額金：240千円 ×（1 − 40%）= 144千円
　　（240千円：評価差額）

5　B社社債（満期保有目的の債券）

関係会社（B社は当社の関連会社に該当）が発行する社債は、財務諸表等規則においては、「関係会社社債」として表示します。なお、この社債は、翌々期以降に償還期日が到来するものであるため、投資その他の資産に表示します。

（関係会社社債）	57,480	（有価証券）	56,400
		（有価証券利息）	1,080 *

＊　$\left(\underbrace{60{,}000\text{千円}}_{\text{債券金額}} - \underbrace{56{,}400\text{千円}}_{\text{帳簿価額}}\right) \times \dfrac{12\text{カ月}}{40\text{カ月}} = 1{,}080\text{千円}$（償却額）

6　F社出資（出資金）

関係会社出資金は実質価額が著しく低下しているため、減損処理（実価法）を適用します。

なお、この出資金は、関係会社（F社は当社の関連会社に該当）に対するものなので、会社計算規則と同様に財務諸表等規則においても、「関係会社出資金」として投資その他の資産に表示します。

（関係会社出資金）	2,400	（有価証券）	5,760
（関係会社出資金評価損） 特別損失	3,360		

7　貸借対照表の金額

投資有価証券：23,040千円＋240千円＝23,280千円

8　損益計算書の金額

有価証券利息：240千円＋1,080千円＝1,320千円

学習のポイント

① 財務諸表等規則における有価証券の表示について理解していたか？

関係会社が発行する株式 →「関係会社株式」として投資その他の資産に計上
（注）親会社が発行する株式は、「親会社株式」として流動資産等に計上
関係会社が発行する社債 →「関係会社社債」として流動資産または投資その他の資産に計上
関係会社に対する出資 →「関係会社出資金」として投資その他の資産に計上

memo

memo

別冊②

>>用語集＆論点集
>>問題集　答案用紙

この冊子には、理論対策の必須アイテム「用語集＆論点集」と、
問題集の答案用紙がとじこまれています。

別冊ご利用時の注意

別冊は、この色紙を残したままていねいに抜き取り、ご利用ください。
また、抜き取る際の損傷についてのお取替えはご遠慮願います。

別冊の使い方

Step1

この色紙を残したまま、ていねいに抜き取ってください。色紙は本体からとれませんので、ご注意ください。

Step2

抜き取った用紙を針金のついているページでしっかりと開き、工具を使用して、針金を外してください。針金で負傷しないよう、お気をつけください。

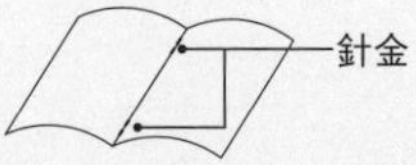

Step3

アイテムごとに分けて、お使いください。

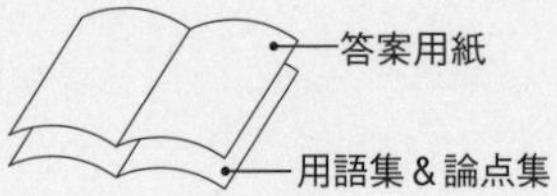

なお、答案用紙については、ダウンロードでもご利用いただけます。TAC 出版書籍販売サイト・サイバーブックストアにアクセスしてください。

https://bookstore.tac-school.co.jp/

用語集
&
論点集

みんなが欲しかった！　税理士
財務諸表論の教科書＆問題集 4

論点集の音声 ダウンロードサービス

TAC出版　検索

TAC出版書籍販売サイト CyberBookStore
読者様限定 書籍連動ダウンロードサービス

ダウンロードページへのアクセスには下記のパスワードが必要です。

パスワード250811295

用語集

Chapter 1 会計上の変更・誤謬の訂正

会計方針	財務諸表の作成にあたって採用した**会計処理の原則および手続**
表示方法	財務諸表の作成において採用した表示の方法をいい、財務諸表の**科目の分類、科目配列および報告様式**が含まれる
会計上の見積り	資産および負債や収益および費用等の額に**不確実性**がある場合において、財務諸表作成時に**入手可能な情報**に基づき、その合理的な金額を算出すること
誤謬	原因となる行為が**意図的であるかどうかにかかわらず**、財務諸表作成時に入手可能な情報を使用しなかったことによる、または入手した情報を誤用したことによる誤り

Chapter 2 外貨換算会計

一取引基準	外貨建取引とその取引に係る代金決済取引とを**連続した1つの取引**とみなして会計処理を行う基準
二取引基準	外貨建取引とその取引に係る代金決済取引とを**別個の取引**とみなして会計処理を行う基準（現行の会計基準ではこちらが採用されている）
決算日レート法	すべての外貨表示財務諸表項目を、**決算時の為替相場**により換算する方法
流動・非流動法	流動項目を**決算時の為替相場**によって、非流動項目を**取得時または発生時の為替相場**によって換算する方法
貨幣・非貨幣法	貨幣項目を**決算時の為替相場**によって、非貨幣項目を**取得時または発生時の為替相場**によって換算する方法
テンポラル法	外貨表示財務諸表項目のうち、**取得時または発生時の外貨で測定されている項目については取得時または発生時の為替相場**で換算し、**決算時の外貨で測定されている項目については決算時の為替相場**で換算する方法
独立処理	為替予約等を外貨建取引と**独立した取引**として会計処理する方法
振当処理	為替予約等により確定する決済時における円貨額により外貨建取引等を換算し、**直物為替相場（直物レート）との差額を期間配分**する方法

Chapter 4 企業結合会計

企業結合	ある企業またはある企業を構成する事業と他の企業または他の企業を構成する事業とが**一つの報告単位に統合**されること
共同支配企業の形成	複数の独立した企業が、契約等に基づき、共同支配企業を形成する企業結合（共同支配企業とは、複数の独立した企業により共同で支配される企業のこと）
共通支配下の取引	結合当事企業（または事業）のすべてが、**企業結合の前後で同一の株主により最終的に支配され、かつ、その支配が一時的ではない場合**の企業結合
取得	ある企業が他の企業または企業を構成する事業に対する**支配を獲得**すること
持分の結合	いずれの企業（または事業）の株主（または持分保有者）も他の企業（または事業）を支配したとは認められず、**結合後企業のリスクや便益を引き続き相互に共有すること**を達成するため、それぞれの事業のすべてまたは事実上のすべてを統合して一つの報告単位となること
パーチェス法	被結合企業から受け入れる資産および負債の取得原価を、**対価として交付する現金および株式等の時価（公正価値）**とする方法
フレッシュ・スタート法	すべての結合当事企業の資産および負債を、**企業結合時の時価に評価替え**する方法（現行基準では採用されていない）

Chapter 5 事業分離会計

事業分離	ある企業を構成する**事業を他の企業**（新設される企業を含む）**に移転**すること
分離元企業	事業分離において、当該企業を構成する**事業を移転する企業**をいう
分離先企業	事業分離において、分離元企業からその**事業を受け入れる企業**（新設される企業を含む）をいう
株主資本相当額	移転した事業に係る資産および負債の移転直前の適正な帳簿価額による差額から、当該事業に係る評価・換算差額等および新株予約権を控除した額

Chapter 6 連結財務諸表

真実性の原則	連結財務諸表は、企業集団の財政状態、経営成績およびキャッシュ・フローの状況に関して**真実な報告**を提供するものでなければならないとする考え方
基準性の原則	連結財務諸表は、企業集団に属する親会社および子会社が一般に公正妥当と認められる**企業会計の基準に準拠して作成した個別財務諸表を基礎**として作成しなければならないとする考え方
明瞭性の原則	連結財務諸表は、企業集団の状況に関する判断を誤らせないよう、**利害関係者に対し必要な財務情報を明瞭に表示**するものでなければならないとする考え方
継続性の原則	連結財務諸表作成のために採用した基準および手続は、**毎期継続して適用**し、みだりにこれを変更してはならないとする考え方
親会社説	連結財務諸表を親会社の株主のために作成するものと考え、**親会社の株主の持分を強調**する考え方
経済的単一体説	連結財務諸表を**非支配株主も含めたすべての株主のために**作成するものとする考え方

Chapter 7 中間財務諸表・四半期財務諸表

実績主義	四半期会計期間を**年度と並ぶ一会計期間**とみたうえで、四半期財務諸表を、原則として、年度の財務諸表と**同じ会計方針を適用して作成**することにより、当該四半期会計期間に係る企業集団または、企業の財政状態、経営成績およびキャッシュ・フローの状況に関する情報を提供するという考え方(制度上はこの考え方が採用されている)
予測主義	四半期会計期間を**年度の一構成部分**と位置づけて、四半期財務諸表を、年度の財務諸表と**部分的に異なる会計方針を適用**して作成することにより、当該四半期会計期間を含む年度の業績予測に資する情報を提供するという考え方

Chapter 8 包括利益計算書

包括利益	ある企業の特定期間の財務諸表において認識された**純資産の変動額**のうち、当該企業の純資産に対する**持分所有者との直接的な取引によらない部分**
その他の包括利益	包括利益のうち**当期純利益に含まれない部分**
組替調整(リサイクリング)	過年度に計上された包括利益のうち、**期中に投資のリスクから解放された部分**を当期の純利益に加えること

Chapter 9 キャッシュ・フロー計算書

キャッシュ・フロー計算書	企業の資金活動状況を明らかにするために、**一会計期間におけるキャッシュ・フローの状況**を一定の活動区分別に表示したもの
現金同等物	容易に換金可能であり、かつ、価値の変動について僅少なリスクしか負わない短期投資
直接法	主要な取引ごとに収入総額と支出総額を表示する方法
間接法	税引前当期純利益に必要な調整項目を加減して表示する方法

論点集

Chapter 1 会計上の変更・誤謬の訂正

会計方針の変更	
定義	会計方針の変更とは、従来採用していた一般に公正妥当と認められた会計方針から他の一般に公正妥当と認められた会計方針に変更することをいう。
処理	会計方針を変更した場合、過去の財務諸表に対して**遡及適用**を行う。
根拠	なぜなら、会計方針の変更を行った場合、過去の財務諸表に対して遡及適用することにより、財務諸表全般についての**比較可能性**が高まるとともに、**財務情報の有用性**が高まることが期待されるためである。

表示方法の変更	
定義	表示方法の変更とは、従来採用していた一般に公正妥当と認められた表示方法から他の一般に公正妥当と認められた表示方法に変更することをいう。
処理	表示方法を変更した場合、過去の財務諸表の**組換え**を行う。
根拠	なぜなら、表示方法の変更を行った場合、過去の財務諸表の組換えを行うことにより、財務諸表全般についての**比較可能性**が高まるとともに、**財務情報の有用性**が高まることが期待されるためである。

会計上の見積りの変更	
定義	会計上の見積りの変更とは、新たに入手可能となった情報に基づいて、過去の財務諸表を作成する際に行った会計上の見積りを変更することをいう。
処理	会計上の見積りを変更した場合、当該変更期間のみに影響する場合には当該変更期間に会計処理を行い、当該変更が将来の期間にも影響する場合には将来にわたり会計処理を行う。
根拠	なぜなら、会計上の見積りの変更は、**新しい情報**によってもたらされるものであるから、過去に遡って処理せず、その影響額は**将来に向けて認識するべき**という考え方がとられているためである。

臨時償却の廃止

従来の処理	耐用年数の変更は従来、臨時償却（**キャッチアップ方式**）によって処理されていた。
問題点	しかし、**キャッチアップ方式**は、実質的に**過去の期間への遡及適用と同じ効果**をもたらすため、新たな事実の発生による見積りの変更に関する会計処理としては、適切ではない。 また現在、**国際的な会計基準では、キャッチアップ方式の採用は認められていない**と解釈されている。 さらに**キャッチアップ方式**による処理が適切であったとしても、耐用年数の短縮に収益性の低下をともなうことが多く、**減損処理の中で両方の影響を含めて処理できる**という指摘やそもそも臨時償却として処理されている事例の多くが**将来に生じる除却損の前倒しという意味合いが強い**のではないかとの指摘もある。
現在の処理	そのため、現在では、**臨時償却（キャッチアップ方式）を廃止**し、当期以降に費用配分を影響させる方法（**プロスペクティブ方式**）のみが認められている。

会計方針の変更を会計上の見積りの変更と区別することが困難な場合

区別が困難な場合	有形固定資産等の減価償却方法および無形固定資産の償却方法の変更が該当する。
区別が困難な場合の取り扱い	会計方針の変更を会計上の見積りの変更と区別することが困難な場合、**会計上の見積りの変更と同様に取り扱い**、遡及適用は行わない。
取扱いの理由	減価償却方法の変更は、計画的・規則的な償却方法の中での変更なので、**その変更は会計方針の変更ではあるもの**の、固定資産に関する経済的便益の消費パターンに関する**見積りの変更をともなう**ものであると考えられる。 このため、減価償却方法については、これまでどおり**会計方針として扱う**一方、減価償却方法の変更は、**会計上の見積りの変更と区別することが困難な場合に該当**するものとし、**会計上の見積りの変更と同様に会計処理を行い、遡及適用は求めない**こととされた。

過去の誤謬

定義	誤謬とは、原因となる行為が**意図的であるか否かにかかわらず**、財務諸表作成時に入手可能な情報を使用しなかったことによる、またはこれを誤用したことによる、一定の誤りをいう。
処理	過去の財務諸表における誤謬が発見された場合には、一定の方法により**修正再表示**する。
根拠	なぜなら、誤謬を修正再表示する考え方は、期間比較が可能な情報を開示するという観点や、会計基準の国際的なコンバージェンスの観点からも有用なためである。

Chapter 2 外貨換算会計

外貨建取引等会計処理基準において二取引基準を採用している理由	
理由	外貨建取引等会計処理基準において、二取引基準を採用している理由には、次の2つがある。 ① 為替相場の変動によって生じる損益は、**経営者が為替相場の変動に対してどのように対処したかを示すもの**であるから、当該損益は財務損益として処理すべきであるため。 ② また、一取引基準によると、決済まで取得原価が確定しないため、**決済の前に決算日が到来した場合に会計処理が煩雑になる**という実務上の問題があるため。

為替予約の振当処理が認められている理由	
理由	金融商品に関する会計基準では、キャッシュ・フローを固定させて満期までの成果を確定するキャッシュ・フロー・ヘッジの概念のもとで、時価評価損益を繰り延べてその成果を期間配分する繰延ヘッジの会計処理が認められている。 そのため、**外貨建取引についてもキャッシュ・フロー・ヘッジと共通する考え方に基づいて**、為替予約等によって円貨でのキャッシュ・フローが固定されているときには、振当処理が認められている。

Chapter 4 企業結合会計

パーチェス法により会計処理する理由	
理由	取得と判定された企業結合の会計処理であるパーチェス法は、企業結合以外の一般的な交換取引の際に適用されている考え方に基づいて適用される。 企業結合以外の一般的な交換取引においては、その交換のために支払った対価となる財の時価は、通常、取得した資産の時価と等価であると考えられており、取得原価は対価の形態にかかわらず、支払対価となる財の時価で算定される。すなわち、交換のための支払対価が現金の場合には現金支出額で測定され、支払対価が現金以外の資産の引渡し、負債の引受けまたは株式の交付の場合には支払対価となる財の時価と取得した資産の時価のうち、**より高い信頼性をもって測定可能な時価**で測定されるのが一般的と考えられるためである。

問題集

みんなが欲しかった！　税理士

財務諸表論の教科書＆問題集 4

答案用紙

Chapter 1

会計上の変更・誤謬の訂正

問題1 会計方針の変更の取扱い

貸　借　対　照　表

X6年3月31日

(単位：千円)

科　　目	金　　額	科　　目	金　　額
資産の部		⋮	⋮
I 流動資産	(　　XXX)	純資産の部	
⋮	⋮	I 株主資本	(　　XXX)
商　　品		⋮	⋮
⋮	⋮	繰越利益剰余金	XXX
		⋮	⋮

損益計算書

自X5年4月1日　至X6年3月31日　(単位：千円)

科目	金額	
Ⅰ 売上高		XXX
Ⅱ 売上原価		
1 期首商品棚卸高		
2 当期商品仕入高	XXX	
合計	XXX	
3 期末商品棚卸高		XXX
⋮	⋮	
法人税、住民税及び事業税	XXX	
⋮	⋮	
当期純利益		XXX

株主資本等変動計算書

自X5年4月1日　至X6年3月31日　(単位：千円)

繰越利益剰余金	
当期首残高	
会計方針の変更による累積的影響額	
遡及処理後当期首残高	
当期変動額	
当期純利益	XXX
当期末残高	XXX

会計方針の変更に関する注記

　棚卸資産の評価基準及び評価方法を総平均法（収益性の低下による簿価切下げの方法）から先入先出法（収益性の低下による簿価切下げの方法）に変更した。

問題 2　会計上の見積りの変更の取扱い

問 1

損　益　計　算　書

A株式会社　　自X5年4月1日　至X6年3月31日　　(単位：千円)

科　　　目	金　　額	
⋮		
Ⅲ 販売費及び一般管理費		
減　価　償　却　費		
⋮		

問2

損　益　計　算　書

A株式会社　　　自X5年4月1日　至X6年3月31日　　　(単位：千円)

科　　　目	金　　　額	
⋮		
Ⅲ 販売費及び一般管理費		
Ⅳ 営　業　外　収　益		
⋮		

問3

損　益　計　算　書

A株式会社　　　自X5年4月1日　至X6年3月31日　　　(単位：千円)

科　　　目	金　　　額	
⋮		
Ⅳ 営　業　外　収　益		
⋮		

問題3 過去の誤謬の取扱い(1)

損　益　計　算　書
自X5年4月1日　至X6年3月31日　(単位：千円)

科　目	金　額	
Ⅰ 売上高		XXX
Ⅱ 売上原価		
1 期首商品棚卸高		
2 当期商品仕入高	XXX	
合計	XXX	
3 期末商品棚卸高	XXX	XXX
⋮	⋮	
法人税、住民税及び事業税	XXX	
⋮	⋮	
当期純利益		XXX

株主資本等変動計算書
自X5年4月1日　至X6年3月31日　(単位：千円)

繰越利益剰余金	
当期首残高	
誤謬の訂正による累積的影響額	
遡及処理後当期首残高	
当期変動額	
当期純利益	XXX
当期末残高	XXX

問題4 過去の誤謬の取扱い(2)

(1) 期首繰越利益剰余金の修正額	千円
(2) 繰延税金資産の額	千円
(3) 法人税等調整額の額	千円

問題5 会計上の変更等

問1

会計上の変更	会計方針の変更	
	表示方法の変更	
	会計上の見積りの変更	
過去の誤謬		

問2

①		②		③	
④		⑤		⑥	
⑦		⑧			
⑨					
⑩					

問3

問4

問5

問6

問7

①		②		③	
④		⑤		⑥	
⑦		⑧			

問8

Chapter 2

外貨換算会計

問題1 外貨建取引に関する処理(1)

問1

外　貨　建　項　目	金　　額
現　　　　金	千円
預　　　　金	千円
売　　掛　　金	千円
短　期　貸　付　金	千円
長　期　貸　付　金	千円
支　払　手　形	千円
買　　掛　　金	千円
短　期　借　入　金	千円

問2

為替差益・為替差損の別	金　　額
	千円

問題2 外貨建取引に関する処理(2)

外貨建項目	金額
売掛金	千円
買掛金	千円

為替差益・為替差損の別	金額
	千円

問題3 為替予約の処理(1)

問1

(単位：千円)

	借方科目	金額	貸方科目	金額
(1)	仕入			
(2)				
(3)				

問2

(単位：千円)

	借方科目	金額	貸方科目	金額
(1)			現金及び預金	
(2)				
(3)				

問題4 為替予約の処理(2)

問1

(単位：千円)

	借方科目	金額	貸方科目	金額
(1)	仕入			
(2)				
(3)				

問2

(単位：千円)

	借方科目	金額	貸方科目	金額
(1)			現金及び預金	
(2)				
(3)				

問題5 為替予約の処理(3)

(単位：千円)

	借方科目	金額	貸方科目	金額
(1)			現金及び預金	
(2)				

問題6 為替予約の処理(4)

貸　借　対　照　表
X5年3月31日
(単位：千円)

資産の部		負債の部	
科　目	金　額	科　目	金　額
I 流動資産			
売掛金	(　　)		
⋮			
前払費用	(　　)		

損　益　計　算　書
自X4年4月1日　至X5年3月31日
(単位：千円)

科　目	金　額	
I 売上高		(　　)
⋮	⋮	
V 営業外費用		
為替差損	(　　)	

問題7 外貨建有価証券の期末換算(1)

貸　借　対　照　表

H株式会社　　　　X6年3月31日　　　　(単位：千円)

科　　目	金　　額	科　　目	金　　額
I　流　動　資　産		I　流　動　負　債	
⋮	⋮	⋮	⋮
⋮	⋮	⋮	⋮
II　固　定　資　産		II　固　定　負　債	
⋮	⋮	⋮	⋮
3　投資その他の資産			
⋮	⋮	⋮	⋮
		純 資 産 の 部	
⋮	⋮	⋮	⋮
		II　評価・換算差額等	
		1	

損　益　計　算　書

H株式会社　　自X5年４月１日　至X6年３月31日　　(単位：千円)

⋮	⋮	⋮
Ⅳ 営　業　外　収　益		
⋮	⋮	⋮
⋮	⋮	⋮
Ｖ 営　業　外　費　用		
⋮	⋮	⋮
⋮	⋮	⋮

（注）解答に当たって記載する項目がない場合には、「――」を記載すること。

問題8 外貨建有価証券の期末換算(2)

貸　借　対　照　表

B株式会社　　X5年3月31日　　(単位：千円)

科　　目	金　　額	科　　目	金　　額
Ⅰ　流　動　資　産		Ⅰ　流　動　負　債	
⋮	⋮	⋮	⋮
⋮	⋮	⋮	⋮
Ⅱ　固　定　資　産		Ⅱ　固　定　負　債	
⋮	⋮	⋮	⋮
3　投資その他の資産			
⋮	⋮	⋮	⋮
		純　資　産　の　部	
		⋮	⋮
		Ⅱ　評価・換算差額等	
⋮	⋮	1	

損　益　計　算　書

B株式会社　　　　自X4年4月1日　至X5年3月31日　　　　(単位：千円)

⋮	⋮	⋮
Ⅳ 営　業　外　収　益		
⋮	⋮	⋮
⋮	⋮	⋮
Ⅴ 営　業　外　費　用		
⋮	⋮	⋮
⋮	⋮	⋮

（注）解答に当たって記載する項目がない場合には、「——」を記載すること。

問題 9　外貨建有価証券の期末換算(3)

貸　借　対　照　表

M株式会社　　　　X5年3月31日　　　　(単位：千円)

科　　目	金　　額	科　　目	金　　額
Ⅰ　流　動　資　産		Ⅰ　流　動　負　債	
⋮	⋮	⋮	⋮
⋮	⋮	⋮	⋮
Ⅱ　固　定　資　産		Ⅱ　固　定　負　債	
⋮	⋮	⋮	⋮
3　投資その他の資産			
⋮	⋮	⋮	⋮
		純　資　産　の　部	
		⋮	⋮
⋮	⋮	Ⅱ　評価・換算差額等	
⋮	⋮	1	

損　益　計　算　書

M株式会社　　　　自X4年4月1日　至X5年3月31日　　　　(単位：千円)

⋮	⋮	⋮
Ⅳ 営　業　外　収　益		
⋮	⋮	⋮
⋮	⋮	⋮
Ⅴ 営　業　外　費　用		
⋮	⋮	⋮
⋮	⋮	⋮
Ⅶ 特　別　損　失		
⋮	⋮	⋮

（注）解答に当たって記載する項目がない場合には、「――」を記載すること。

問題10 外貨建有価証券の期末換算(4)

貸借対照表

ダイキ株式会社　　X6年3月31日　　(単位：千円)

科　目	金　額	科　目	金　額
資産の部		負債の部	
Ⅰ 流動資産		Ⅰ 流動負債	
⋮	⋮	⋮	⋮
Ⅱ 固定資産		Ⅱ 固定負債	
⋮	⋮	⋮	⋮
3 投資その他の資産			
		純資産の部	
⋮	⋮	⋮	⋮
		Ⅱ 評価・換算差額等	
		1	

損益計算書

ダイキ株式会社　　自X5年4月1日　至X6年3月31日　　(単位：千円)

⋮	⋮	⋮
Ⅳ 営業外収益		
⋮	⋮	⋮
⋮	⋮	⋮

問題11 外貨建取引に関連する注記事項

重要な会計方針に係る事項に関する注記

問題12 外貨換算会計

問1

①		②	
③			
④			
⑤			
⑥			
⑦			

問2

(1)

(2)

(3)

換算基準：

論拠：

(4)

換算基準：

論拠：

問3

(1)

(2)

(3)

(4)

(5)

問4

(1)

(2)

(3)
①

②

問5

(1)

(2)

(3)

Chapter 3

製造業会計

問題 1 製造原価報告書と製造業の損益計算書(1)

問1

製　造　原　価　報　告　書

A&W株式会社　　自X5年4月1日　至X6年3月31日　　(単位：千円)

科　　　目	金　　　額	
Ⅰ　材　料　費		
期首材料棚卸高		
当期材料仕入高		
合　　計		
期末材料棚卸高		
当　期　材　料　費		
Ⅱ　労　務　費		
当　期　労　務　費		
Ⅲ　経　　費		
当　期　経　費		
期首仕掛品棚卸高		
合　　計		
期末仕掛品棚卸高		

問2

損　益　計　算　書

A&W株式会社　　　自X5年4月1日　至X6年3月31日　　　(単位：千円)

科　　　目	金　　　額	
Ⅰ　売　　上　　高		
Ⅱ　売　上　原　価		
売　上　総　利　益		
Ⅲ　販売費及び一般管理費		
営　業　利　益		

問題2 期末仕掛品の評価(1)

(単位：千円)

	ケース1	ケース2
材　料　費		
加　工　費		
合　　計		

問題3 期末仕掛品の評価(2)

損益計算書

K.F株式会社　　　自X5年4月1日　至X6年3月31日　　　(単位：千円)

科目	金額	
Ⅰ 売上高		444,000
Ⅱ 売上原価		
1		
2		
合計		
3		
売上総利益		

問題4 製造原価報告書と製造業の損益計算書(2)

製造原価報告書

F株式会社　　自X5年4月1日　至X6年3月31日　　(単位：千円)

科目	金額	
Ⅰ 材料費		
期首材料棚卸高		
当期材料仕入高		
合計		
期末材料棚卸高		
当期材料費		
Ⅱ 労務費		
当期労務費		
Ⅲ 経費		
当期経費		
期首仕掛品棚卸高		
合計		
期末仕掛品棚卸高		

損　益　計　算　書

F株式会社　　　　自X5年4月1日　至X6年3月31日　　　　(単位：千円)

科目	金額	
Ⅰ 売上高		
Ⅱ 売上原価		
1		
2		
合計		
3		
売上総利益		
Ⅲ 販売費及び一般管理費		
営業利益		

重要な会計方針に係る事項に関する注記

重要な会計方針	
①	
②	

Chapter 4

企業結合会計

問題 1 企業結合会計(1)

問1

問2

①		②		③	

問3

問4

問5

問6

(1)

(2)
①

②

③

(3)

問7

(1)

(2)

①

②

(3)

問題2 企業結合会計(2)

（単位：千円）

借　方　科　目	金　　額	貸　方　科　目	金　　額

問題3 企業結合会計(3)

（単位：千円）

借　方　科　目	金　　額	貸　方　科　目	金　　額

問題4 共通支配下の取引等

（単位：千円）

借　方　科　目	金　　額	貸　方　科　目	金　　額

Chapter 5

事業分離会計

問題 1 事業分離会計(1)

問1

問2

(1)

(2)

(3)

問3

(1)

(2)

(3)

問題2 事業分離会計(2)

問1　B社株式を取得し、B社が子会社になる場合　(単位：千円)

借　方　科　目	金　　額	貸　方　科　目	金　　額

問2　A社が対価として現金30,000千円を受け取った場合　(単位：千円)

借　方　科　目	金　　額	貸　方　科　目	金　　額

Chapter 6

連結財務諸表

問題 1 連結財務諸表(1)

問1

問2

(1)

(2)

(3)

(4)

問3

(1)

(2)

(3)

	親会社説	経済的単一体説
株主資本の位置づけ		
非支配株主持分の表示方法		
連結純利益の位置づけ		
非支配株主に帰属する利益の表示方法		

問4

問題2 連結財務諸表(2)

連結損益計算書

自X4年4月1日　至X5年3月31日　(単位：千円)

借方科目	金額	貸方科目	金額
諸費用		諸収益	
のれん償却額			
非支配株主に帰属する当期純利益			
親会社株主に帰属する当期純利益			

連結株主資本等変動計算書

自X4年4月1日　至X5年3月31日（単位：千円)

資本金	
当期首残高	( )
当期末残高	( )
利益剰余金	
当期首残高	( )
当期変動額	
親会社株主に帰属する当期純利益	( )
当期末残高	( )
非支配株主持分	
当期首残高	( )
当期変動額（純額）	( )
当期末残高	( )

連結貸借対照表

X5年3月31日　(単位：千円)

資産	金額	負債・純資産	金額
諸資産		諸負債	
のれん		資本金	
		利益剰余金	
		非支配株主持分	

問題3 連結財務諸表(3)

連結損益計算書

自X6年4月1日　至X7年3月31日　(単位：千円)

借方科目	金額	貸方科目	金額
諸費用		諸収益	
のれん償却額		受取配当金	
非支配株主に帰属する当期純利益			
親会社株主に帰属する当期純利益			

株主資本等変動計算書

自X6年4月1日　至X7年3月31日　(単位：千円)

	株主資本			非支配株主持分
	資本金	資本剰余金	利益剰余金	
当期首残高				
当期変動額				
剰余金の配当				
親会社株主に帰属する当期純利益				
非支配株主との取引に係る親会社の持分変動				
株主資本以外の項目の当期変動額（純額）				
当期末残高				

連結貸借対照表

X7年3月31日　(単位：千円)

資産	金額	負債・純資産	金額
諸資産		諸負債	
土地		資本金	
のれん		資本剰余金	
		利益剰余金	
		非支配株主持分	

問題4 連結財務諸表(4)

連　結　貸　借　対　照　表
X5年3月31日

(単位：千円)

資　　産	金　額	負債・純資産	金　額
諸　資　産		諸　負　債	
の　れ　ん		資　本　金	
		資　本　剰　余　金	
		利　益　剰　余　金	
		非　支　配　株　主　持　分	

問題5 連結財務諸表(5)

連　結　損　益　計　算　書（一部）
自X6年4月1日　至X7年3月31日

(単位：千円)

Ⅰ	売上高	(　　　)
Ⅱ	売上原価	(　　　)
	売上総利益	(　　　)
Ⅲ	販売費及び一般管理費	
	1.(　　　)	(　　　)
	⋮	
	営業利益	×××

連　結　貸　借　対　照　表（一部）
X7年3月31日

(単位：千円)

資　　産	金　額	負債・純資産	金　額
⋮		買　掛　金	(　　　)
売　掛　金	(　　　)	貸　倒　引　当　金	(　　　)
商　品	(　　　)	⋮	
⋮	×××		×××

Chapter 7

中間財務諸表・四半期財務諸表

問題 1 四半期財務諸表

問 1

(1)

(2)

(3)
①

②

③

問2

包括利益計算書

問題 1 包括利益計算書

問1

①		②	
③		④	

問2

①		②	
③			
④			
⑤			

問3

①

②

③

問4

Chapter 9

キャッシュ・フロー計算書

問題 1 キャッシュ・フロー計算書(1)

問 1

①		②	

問 2

①

②

問 3

問4

⑴　営業活動によるキャッシュ・フローの区分

⑵　投資活動によるキャッシュ・フローの区分

(3) 財務活動によるキャッシュ・フローの区分

問5

(1)

(2)

問6

方法：
理由：

問7

①

方法：
理由：

②

方法：
理由：

解答2 キャッシュ・フロー計算書(2)

キャッシュ・フロー計算書 自 ×4年4月1日 至 ×5年3月31日 (単位：千円)		
Ⅰ 営業活動によるキャッシュ・フロー		
税引前当期純利益		35,760
減価償却費		(　　　)
貸倒引当金の減少額	−	(　　　)
支払利息		(　　　)
売上債権の増加額	−	(　　　)
有価証券評価損		(　　　)
有価証券売却損		1,500
小計		(　　　)
利息の支払額	−	(　　　)
法人税等の支払額	−	(　　　)
営業活動によるキャッシュ・フロー		(　　　)
Ⅱ 投資活動によるキャッシュ・フロー		
有価証券の取得による支出	−	(　　　)
有価証券の売却による収入		(　　　)
投資活動によるキャッシュ・フロー	−	(　　　)
Ⅲ 財務活動によるキャッシュ・フロー		
長期借入れによる収入		10,500
長期借入金の返済による支出	−	(　　　)
財務活動によるキャッシュ・フロー		(　　　)
Ⅳ 現金及び現金同等物の増加額		(　　　)
Ⅴ 現金及び現金同等物の期首残高		(　　　)
Ⅵ 現金及び現金同等物の期末残高		(　　　)

Chapter 10

財務諸表等規則

問題1 財務諸表等規則における金銭債権・債務の表示(1)

問1 会社計算規則

(単位：千円)

科　　　　目	金　　額	科　　　　目	金　　額
Ⅰ 流 動 資 産		Ⅰ 流 動 負 債	
Ⅱ 固 定 資 産			
3 投資その他の資産		Ⅱ 固 定 負 債	

貸借対照表等に関する注記

問2 財務諸表等規則

(単位：千円)

科　　　　目	金　　額	科　　　　目	金　　額
Ⅰ 流 動 資 産		Ⅰ 流 動 負 債	
Ⅱ 固 定 資 産			
3 投資その他の資産		Ⅱ 固 定 負 債	

貸借対照表関係の注記事項

①	
②	

問題2 財務諸表等規則における金銭債権・債務の表示(2)

問1

（単位：千円）

財務諸表等規則	
負債の部	
Ⅰ 流動負債	
支払手形	24,000
買掛金	
Ⅱ 固定負債	
貸借対照表関係の注記	

問2

（単位：千円）

会社計算規則	
負債の部	
Ⅰ 流動負債	
支払手形	24,000
買掛金	
Ⅱ 固定負債	
貸借対照表等に関する注記	

問題3 財務諸表等規則における有価証券の表示

貸　借　対　照　表　　(単位：千円)

科　　目	金　　額	科　　目	金　　額
Ⅰ　流　動　資　産		⋮	
		Ⅱ　固　定　負　債	
		⋮	
Ⅱ　固　定　資　産			
⋮		⋮	
3　投資その他の資産		純 資 産 の 部	
		⋮	
		Ⅱ　評価・換算差額等	
		1	
		⋮	

損　益　計　算　書　　(単位：千円)

科　　目	金　　額	
Ⅳ　営　業　外　収　益		
Ⅴ　営　業　外　費　用		
⋮	⋮	⋮
Ⅶ　特　別　損　失		

のれんの規則的な償却を行う理由	
理由	のれんの規則的な償却を行う理由には、次の3つがある。 ① 企業結合の成果たる収益と、その対価の一部を構成する**投資消去差額の償却**という費用の対応が可能になるため。 ② のれんは投資原価の一部であることに鑑みれば、のれんを規則的に償却する方法は、**投資原価を超えて回収された超過額を企業にとっての利益とみる考え方とも首尾一貫し**ているため。 ③ 企業結合により生じたのれんは、時間の経過とともに**自己創設のれんに入れ替わる可能性**があるため、企業結合により計上したのれんの非償却による**自己創設のれんの実質的な資産計上**を防ぐことができるため。

Chapter 5 事業分離会計

分離元企業の会計処理	
基本的な考え方	分離した事業に関する**投資が清算されたとみるか継続しているとみるか**によって、一般的な売却や交換にともなう損益認識と同様に、分離元企業において移転損益が認識される場合と認識されない場合がある。
移転した事業に関する投資が清算されたとみる場合	移転した事業に関する投資が清算されたとみる場合、分離元企業は、事業分離日に、その事業を分離先企業に移転したことにより受け取った対価となる財の時価と、移転した事業に係る株主資本相当額との差額を**移転損益として認識する**とともに、**改めて当該受取対価の時価にて投資**を行ったものとする。
移転した事業に関する投資がそのまま継続しているとみる場合	移転した事業に関する投資がそのまま継続しているとみる場合、分離元企業は、事業分離日に、**移転損益を認識せず**、その事業を分離先企業に移転したことにより**受け取る資産の取得原価は、移転した事業に係る株主資本相当額に基づいて算定する**ものとする。

被結合企業の株主の会計処理	
基本的な考え方	被結合企業に関する投資が**清算されたとみるか継続しているとみるか**によって、一般的な売却や交換にともなう損益認識と同様に、被結合企業の株主において交換損益が認識される場合と認識されない場合がある。
被結合企業に関する投資が清算されたとみる場合	被結合企業に関する投資が清算されたとみる場合、被結合企業の株主は、企業結合日に、被結合企業の株式と引き換えに受け取った対価となる財の時価と、被結合企業の株式に係る適正な帳簿価額との差額を**交換損益として認識**するとともに、**改めてその受取対価の時価にて投資**を行ったものとする。
被結合企業に関する投資がそのまま継続しているとみる場合	被結合企業に関する投資がそのまま継続しているとみる場合、被結合企業の株主は、企業結合日に、**交換損益を認識せず**、被結合企業の株式と引き換えに**受け取る資産の取得原価は、被結合企業の株式に係る適切な帳簿価額に基づいて算定**するものとする。

Chapter 6 連結財務諸表

親会社説の採用理由	
理由	連結財務諸表が提供する情報は**主として親会社の投資者を対象**とするものであると考えられるとともに、親会社説による処理方法が企業集団の経営を巡る現実感覚をより適切に反映すると考えられるからである。

親会社説と経済的単一体説における非支配株主持分の取り扱い	
親会社説	親会社説では、連結財務諸表を親会社の個別財務諸表の延長線上に位置づけられるものと考え、株主資本には親会社の持分のみが反映され、非支配株主持分の表示は純資産の部のうち、株主資本以外に表示される。
経済的単一体説	一方、経済的単一体説では、連結財務諸表を親会社とは区別される企業集団全体の財務諸表と位置づけるものと考え、株主資本には企業集団を構成するすべての株主に帰属する持分が反映され、非支配株主持分の表示は、純資産の部のうち株主資本に表示される。

Chapter 7 中間財務諸表・四半期財務諸表

実績主義の採用理由	
理由	四半期財務諸表において実績主義が採用されている理由には次の3つがある。 ① 四半期会計期間の実績を明らかにすることにより、**将来の業績予測に資する情報を提供するもの**と位置づけることが適当と考えられるため。 ② 恣意的な判断が介入しにくいことや、実行面での計算手続が明確であることなどの点で、予測主義よりも優れていると考えられるため。 ③ **季節変動性**については、実績主義によっても**十分な定性的情報**や**前年同期比較を開示する**ことにより対応できると考えられるため。

Chapter 8 包括利益計算書

包括利益と純利益（親会社に帰属する部分）の関係	
包括利益から純利益を求める方法	包括利益のうち投資のリスクから解放されていない部分を除き、過年度に計上された包括利益のうち期中に投資のリスクから解放された部分を加え、非支配株主に帰属する当期純利益を控除すると、純利益（親会社に帰属する部分）が求められる。

利益を生み出す投資の正味ストック（元本）との関係	
投資の成果の測定	投資の成果については、その絶対的な大きさのみならず、投資のストックと比較した収益性（あるいは効率性）も重視される。
各利益を生み出す正味ストック	① **純利益**（親会社株主に帰属する部分）を生み出す投資の正味ストックは**株主資本**である。 ② **包括利益**を生み出す投資の正味ストックは**純資産**である。

包括利益を表示する目的	
目的	包括利益を表示する目的は、期中に認識された取引および経済的事象（企業の純資産に対する持分所有者との直接的な取引を除く）により生じた純資産の変動を報告することである。これにより次の3つの効果が期待される。
効果	① 包括利益の表示によって提供される情報は、投資家等の財務諸表利用者が**企業全体の事業活動について検討**するのに役立つ。 ② 貸借対照表との連携（**純資産と包括利益とのクリーン・サープラス関係**）を明示することを通じて、財務諸表の**理解可能性**と**比較可能性**を高めるものと考えられる。 ③ 当期純利益に関する情報とあわせて利用することにより、企業活動の成果についての情報の全体的な**有用性**を高めるものと考えられる。

Chapter 9 キャッシュ・フロー計算書

キャッシュ・フロー計算書の作成目的	
収益性・安全性に関する情報の提供	企業の**収益性**や**安全性**を投資者が判断するためには、損益計算書に加え、企業の**資金情報を提供**することが必要。
比較可能性の向上	損益計算書作成に比べ、キャッシュ・フロー計算書作成には代替的方法が少ないことから、**企業間の比較可能性**を向上させる観点からも有用。

キャッシュ・フロー計算書の表示区分	
営業活動によるキャッシュ・フローの区分	営業活動によるキャッシュ・フローの区分では、営業損益計算の対象となった取引のほか、投資活動および財務活動以外の取引によるキャッシュ・フローを記載して、営業活動によるキャッシュ・フローを計算する。これにより、**企業の本務である営業活動における現金創造能力の現在の結果**が明らかとなる。
投資活動によるキャッシュ・フローの区分	投資活動によるキャッシュ・フローの区分では、設備投資、証券投資および融資などに係るキャッシュ・フローを記載して、投資活動によるキャッシュ・フローを計算する。これにより、将来の現金創造能力を高めるために、投資活動を通して**企業の資金がどのように投下されまたは回収されたか**が明らかとなる。
財務活動によるキャッシュ・フローの区分	財務活動によるキャッシュ・フローの区分では、資金調達および返済によるキャッシュ・フローを記載して、財務活動によるキャッシュ・フローを計算する。これにより、**営業活動および投資活動を維持するためにどの程度の資金が調達されまたは返済されたか**が明らかとなる。

キャッシュ・フロー計算書における法人税等の表示区分	
表示区分	法人税等は、営業活動によるキャッシュ・フローの区分に一括して記載する。
理由	法人税等は、それぞれの活動から生じる課税所得をもとに算定されるものであるため、理論的には、それぞれの活動区分に分けて記載すべきこととなる。しかし、**それぞれの活動ごとに課税所得を分割することは、一般的に困難**であると考えられるため、営業活動によるキャッシュ・フローの区分に一括して記載する方法を採用している。

キャッシュ・フロー計算書における利息及び配当金の表示区分	
表示方法	利息及び配当金に係るキャッシュ・フローの記載は、①受取利息、受取配当金および支払利息を営業活動によるキャッシュ・フローの区分に記載し、支払配当金を財務活動によるキャッシュ・フローの区分に記載する方法と、②受取利息および受取配当金を投資活動によるキャッシュ・フローの区分に記載し、支払利息および支払配当金を財務活動によるキャッシュ・フローの区分に記載する方法の2つがある。
①の理由	①の方法の理由は、受取利息、受取配当金および支払利息が**損益の算定に含まれる**ものであり、**損益の算定に含まれない**支払配当金と区別して表示するためである。
②の理由	②の方法の理由は、**投資活動に関連する**受取利息および受取配当金と**財務活動に関連する**支払利息および支払配当金を、活動区分別に区別して表示するためである。

memo

memo